De taal van het hart

Van dezelfde auteur
Het heft in eigen handen
Geen zee te hoog
Eerst geloven, dan zien
Niet morgen, maar nu
Lessen in levenskunst
Een toekomst voor u en uw kinderen
Mijn ziel, mijn zaligheid
Geluk is de weg
Bloemen langs de weg
Geschenken van Eykis
Beziel je leven

Bezoek onze Internet-site www.awbruna.nl
voor informatie over al onze boeken en softwareproducten.

Dr. Wayne Dyer

De taal van het hart

De verrijkende kracht van tijdloze wijsheden

A.W. Bruna Uitgevers B.V., Utrecht

Oorspronkelijke titel
Wisdom of the Ages
© 1998 by Dr. Wayne W. Dyer
Vertaling
Eny van Gelder
© 1999 A.W. Bruna Uitgevers B.V., Utrecht

ISBN 90 229 8437 0
NUGI 711

Voor onze zoon
Sands Jay Dyer
een uitzonderlijke bodhisattva

INHOUD

Als je dood bent,
zoek dan je rustplaats
niet op aarde,
maar in de harten van de mensen.

RUMI

INLEIDING

*I*n gedachten kan ik de wereld zien zoals die vroeger was, en gefascineerd vraag ik me dan af hoe de mensen die voor ons hebben geleefd, zich diep vanbinnen voelden. De gedachte dat Pythagoras, Boeddha, Jezus Christus, Michelangelo, Shelley, Shakespeare, Emerson en zoveel van al die mensen die wij als onze leermeesters en geestelijke leiders eren, dezelfde aarde hebben bewandeld, hetzelfde water hebben gedronken, naar dezelfde maan hebben gekeken en door dezelfde zon werden verwarmd als ik nu, vind ik enorm boeiend. Nog boeiender is, wat die grootste geesten aller tijden ons willen duidelijk maken.

Ik ben tot de conclusie gekomen dat wij de wijsheid die de eminente leermeesters uit het verleden ons hebben nagelaten, persoonlijk dienen te kennen en dat wij moeten leren ernaar te leven, wil het enige uitwerking hebben op onze innerlijke spirituele wereld. Heel wat van die wijze leermeesters werden als onruststoker beschouwd, en sommigen werden zelfs vanwege hun overtuigingen ter dood gebracht. Wat ze te vertellen hadden, kon echter nooit tot zwijgen worden gebracht, zoals wordt bewezen door de verscheidenheid aan onderwerpen uit verschillende perioden van onze geschiedenis die in dit boek zijn opgenomen. Hun woorden leven voort en hun raadgevingen voor een diepere en rijkere beleving van het leven liggen hier voor iedereen voor het grijpen. Dit boek bevat de samengevatte wijsheid van het verleden, en is naar mijn gevoel een goede weergave van wat die wijze en creatieve denkers ons ook nu nog proberen te leren over het tot stand brengen van een diepgaande, innerlijke, geestelijke verandering.

In zekere zin zijn wij, die op dit moment de aarde bevolken, nog op vele manieren verbonden met al diegenen die voor ons hebben geleefd. We zijn weliswaar in het bezit van nieuwe technologieën en modern comfort, maar we delen nog steeds dezelfde ruimte van hart, en dezelfde energie of levenskracht die door hun lichamen stroomde, stroomt nu door de onze. Aan dit beeld en deze gedeelde energie is dit boek opgedragen. Wat hebben die geleerden die wij als het scherpzinnigst en op geestelijk niveau als het meest vooruitstrevend beschouwen, ons heden ten dage nog te zeggen?

De wijze waarop zij de belangrijkste levenslessen hebben ervaren, zijn in proza, dichtvorm en als redevoering bewaard gebleven en kunnen ook nu nog gelezen en gehoord worden. Die grote geesten uit het verleden verkeren door middel van hun woorden nog steeds onder ons. Ik heb zestig oude leermeesters uitgekozen, die ik allemaal bewonder en respecteer, en die ik hier nader belicht. Ze vormen een uiteenlopende groep uit alle windstreken, en vertegenwoordigen de oudheid, de Middeleeuwen, de Renaissance, de vroegmoderne en de huidige tijd. Sommigen werden ruim negentig, anderen stierven toen ze begin twintig waren. Mannen en vrouwen; zwart, blank, oorspronkelijke bewoners van Amerika, uit het Verre Oosten, uit het Midden-Oosten; geleerden, soldaten, wetenschappers, filosofen, dichters en staatslieden, ze zijn er allemaal, en stuk voor stuk hebben ze ons iets te vertellen.

Het feit dat de keus op deze zestig mensen is gevallen, houdt beslist niet in dat degenen die er niet bij zitten, niet zoveel waard zouden zijn. Elke selectie en iedere schrijver heb ik uitgekozen met als doel de diverse onderwerpen te verhelderen. Als ik alle grote leermeesters uit het verleden had opgenomen, dan zou je een vrachtwagen met aanhanger en een kraan nodig hebben om dit boek op te tillen. Zoveel hebben onze voorvaderen ons te bieden!

Ik heb elke tekst zodanig geschreven dat meteen duidelijk wordt op welke wijze de werken van deze nobele leermeesters jou vandaag de dag ten goede kunnen komen. De bijdragen zullen je rechtstreeks aanspreken, en aan het eind van elke tekst van mijn hand zal ik laten zien hoe je de eraan voorafgaande levensles in je leven kunt inpassen. Het is mijn bedoeling je inzicht te geven in de levensvisie van enkelen van onze meest vooraanstaande leermeesters, in plaats van passief hun proza en poëzie te lezen en vervolgens te concluderen: 'Nou, dat is leuk voor een cursus literatuur òf humanisme, maar dat is allemaal verleden tijd.' Bij het lezen van de diverse hoofdstukken raad ik je aan je open te stellen voor de gedachte dat deze immense geesten dezelfde goddelijkheid en levenskracht ervaren als jij, dat ze in hun unieke taal en vorm rechtstreeks tot jou spreken, en dat je van plan bent hun wijsheden op jouw leven toe te passen, en daarmee nu begint!

Tijdens het schrijven van de diverse teksten keek ik naar een portret of een foto van de leermeester die ik op dat moment behandelde, en ik vroeg dan letterlijk aan die persoon: 'Wat wilt u iedereen die op dit moment leeft, het liefst bijbrengen?'... en daarna luisterde ik en gaf ik me aan hen over. Ik liet me door hen leiden, waarna mijn woorden bijna automatisch werden opgeschreven. Het klinkt misschien vreemd, maar ik voelde werkelijk de aanwezigheid van die schrijvers en dichters terwijl ik deze zestig teksten schreef.

Een groot aantal van de uitgezochte citaten zijn gedichten. Ik beschouw de dichtkunst als een taal van het hart, niet als een vorm van recreatie of als iets wat je op school onder de knie dient te krijgen, maar als een manier om ons leven te transformeren door onze wijsheid aan anderen door te geven.

Jaren geleden, na het behalen van mijn doctoraal, werd er een feest gegeven waarop ik heel wat geschenken kreeg. Het geschenk dat me het diepst trof, was een gedicht dat mijn moeder had geschreven en dat nu, dertig jaar later, nog steeds in mijn spreekkamer hangt. Ik geef het hier weer om aan te tonen dat poëzie, ook al is die niet ontsproten aan de hoofden van bekende beroemdheden, ons in ons leven kan raken.

> Een moeder kan niet meer dan leiden...
> en dan een stap opzij doen; ik wist
> dat ik niet kon zeggen: 'Dit is de weg
> die jij moet gaan.'
>
> Want ik kon niet voorzien
> welke wegen jou konden lokken
> naar onvoorstelbare hoogten
> die ik wellicht niet eens zou kennen

Toch, diep vanbinnen
leefde het besef
dat jij ooit hoog zou reiken...
Het verbaast me niet!

Toen Tracy, mijn oudste dochter, nog een kleuter was van een jaar
of vijf, stuurde ze me een tekening die ze op school had gemaakt,
samen met een gedichtje dat tot uitdrukking bracht wat er in haar
hartje leefde. Haar moeder en ik waren gescheiden en ze wist hoeveel pijn het me deed niet dagelijks bij haar te zijn. Ook dat gedichtje heb ik ingelijst en het hangt aan de muur vlak naast mijn
bureau.

Zelfs al zal de zon niet meer schijnen
Zelfs al wordt de lucht nooit meer blauw
Dan geeft dat niet
Want ik blijf altijd van jou houden.

Elke keer dat ik die poëtische zielenroerselen van mijn dochter lees,
treft me dat recht in het hart, waardoor er tranen van dankbaarheid
opwellen.
En toen schreef onze dochter Sommer dit gedicht als kerstgeschenk
voor haar moeder. Dat staat ingelijst naast haar bed, zodat ze het
elke avond kan lezen.

Wat jouw liefde voor mij betekent

Weten dat jouw glimlach
Mij aan de deur begroet
En dat jouw lieve woorden
Mijn zorgen wegnemen.

Elke keer dat ik val
Help jij me overeind
En wanneer jij en ik samen
Lachen, dan voel ik me compleet.

Jouw liefde voor ons schijnt
Op elke bewolkte dag
Te denken dat je ons ooit zou
Verlaten, dat is onmogelijk.

Een moeder als jij is onvoorstelbaar
Die tref je nergens aan
Dat is waarom ik van je houd
Dat is wat jouw liefde voor mij betekent.

Zoals ik al zei, poëzie is de taal van het hart, en jouw hart zal geraakt worden door zestig majestueuze zielen die vanuit een andere plaats en tijd rechtstreeks het woord tot je richten. Dit boek zal je het best dienen als je het beschouwt als een manier om weer in contact te treden met die grote geesten wier lichamen onze materiële wereld hebben verlaten, maar die in spirituele zin nog steeds heel dicht bij ons zijn.

Ik raad je aan om dit boek te gebruiken voor een twee maanden durend vernieuwingsproces van je ziel, waarbij je niet meer dan één deel per dag leest, en na het lezen bewust probeert om de suggesties van die dag op jezelf toe te passen. Kijk naar de zestig onderwerpen in de inhoudsopgave; wanneer je behoefte hebt aan wat aansporing ten aanzien van geduld, barmhartigheid, vriendelijkheid, meditatie, vergevingsgezindheid, nederigheid, leiderschap, gebed, of andere vlakken die onze voorvaderlijke leermeesters hebben bestreken, lees dan die ene bijdrage. Lees het bijbehorende essay en doe je best om de specifieke aanbevelingen toe te passen. Laat je leven leiden door verheven geesten!

Voor mij is dit de enige manier om de weg te wijzen in poëzie, proza en literatuur; het tot leven laten komen, het in je hoofd te laten doorwerken en dan dat innerlijk ontwaken aanvaarden en zijn werk laten doen. Wij allen zijn dank verschuldigd aan al diegenen die het leven sneller en krachtiger laten kloppen. Dat is wat deze grote leermeesters uit het verleden voor mij hebben gedaan, en ik spoor je aan om deze taal van het hart, voortgekomen uit de wijsheid van vele eeuwen, op je hart toe te passen.

God zegene je,
Wayne W. Dyer

13

❋ MEDITATIE ❋

Leer stil te zwijgen.
Laat je
stille geest
luisteren en absorberen.

PYTHAGORAS
(580-500 v.Chr.)

Pythagoras was een Grieks filosoof en wiskundige met grote belangstelling voor de mathematica in relatie tot gewichten en maten en muzikale theorieën.

Alle leed van de mens ontspruit uit het feit
dat hij niet in staat is om rustig in zijn eentje
in een kamer te zitten.

BLAISE PASCAL (1623-1662)

Blaise Pascal was een Frans filosoof, wetenschapper, wiskundige en schrijver, wiens wiskundige en wetenschappelijke verhandelingen veel hebben bijgedragen aan de hydraulica en de zuivere geometrie.

Dit is de enige keer in deze verzameling grote meesters dat ik aandacht besteed aan twee schrijvers die over hetzelfde onderwerp hebben geschreven. Ik heb twee mannen uitgekozen die door meer dan tweeduizend jaar van elkaar worden gescheiden. Beiden werden in hun tijd als de grootste geleerden op het rationele gebied van de wiskunde en de wetenschap beschouwd.
Pythagoras, wiens geschriften de gedachten van Plato en Aristoteles hebben beïnvloed, heeft zeer veel bijgedragen aan de ontwikkeling

van zowel de mathematica als de westerse rationele filosofie. Blaise Pascal, een beroemd Frans wiskundige, natuurkundige en religieus filosoof, die tweeëntwintig eeuwen na Pythagoras leefde, wordt beschouwd als een van de creatieve wetenschappelijke geesten. Hij is verantwoordelijk voor de uitvinding van de spuit, de hydraulische pers en de eerste digitale rekenmachine. De wet van Pascal (luchtdrukproeven) wordt nog steeds over de hele wereld tijdens de natuurkundeles onderwezen.

Bedenk dat deze beide wetenschappers steunden op hun linkerhersenhelft, en lees dan nog eens hun citaten. Pascal: 'Alle leed van de mens ontspruit uit het feit dat hij niet in staat is om rustig in zijn eentje in een kamer te zitten.' Pythagoras: 'Leer stil te zwijgen. Laat je stille geest luisteren en absorberen.'

Beiden spreken over het belang van stilte en de waarde van meditatie in het leven, of je nu accountant bent of een avatar. Zij geven ons een waardevolle boodschap door over een manier van leven die in onze cultuur over het algemeen niet wordt aangemoedigd: dat het buitengewoon belangrijk is om tijd voor jezelf te creëren, die je dan in stilte doorbrengt. Als je je misères wilt kwijtraken, leer dan om stil en alleen in een vertrek te zitten, en te mediteren.

Men heeft bij benadering weten te bepalen dat er bij de doorsneemens dag in dag uit zo'n zestigduizend gedachten door het hoofd gaan. Het vervelende is dat vandaag dezelfde zestigduizend gedachten door ons hoofd gaan als gisteren, en dat zich dat morgen zal herhalen. Ons hoofd is dag in dag uit met hetzelfde geklets gevuld. In stilte te leren mediteren houdt ook in dat je probeert te ontdekken hoe je de ruimte – de opening, zoals ik dat noem – tussen al die gedachten kunt binnendringen. In die stille, rustige plek tussen je gedachten in, in een gebied dat normaal gesproken onvindbaar is, kun je een gevoel van totale vrede vinden. Op die plek vervliegt elke illusie van de eigen identiteit. Maar als er per dag zestigduizend verschillende gedachten door je hoofd gaan, is er letterlijk geen tijd meer om de ruimte tussen die gedachten te betreden, want dan is er geen ruimte meer!

Bij de meeste mensen gaat het denken dag en nacht op volle snelheid door. De opkomende gedachten zijn van een voortdurende dialoog over afspraken, geldzorgen, seksuele fantasieën, boodschappenlijstjes, gordijnen die niet goed hangen, bezorgdheid om de kinderen, vakantieplannen en ga zo maar door, een maalstroom van gedachten die nooit tot stilstand komt. Die zestigduizend gedachten gaan meestal over gewone dagelijkse zaken en vormen samen een mentaal patroon dat geen ruimte laat voor stilte.

Dat patroon versterkt eens te meer het huidige culturele geloof dat alle gaten (stilten) die in een gesprek vallen, zo snel mogelijk moeten worden opgevuld. Voor velen betekent stilte een gevoel van onbehagen en een gebrek aan omgangsvormen. Daarom leren we om meteen in te vallen als er een stilte ontstaat, waarbij het niet uitmaakt of de opvulling op zich enige waarde heeft. Wanneer er in de auto of tijdens een diner een stilte valt, wordt dat als vervelend opgevat, en goede redenaars weten precies hoe ze die ruimten met geluid moeten opvullen.

Zo gaat het ook bij onszelf. We hebben niets over stilte geleerd, vandaar dat we er niet goed mee hebben leren omgaan, en het als verwarrend ervaren. Op die manier houden we niet alleen de uitwendige dialoog op gang, maar ook de inwendige. Toch leert onze leermeester Pythagoras ons dat we in die stille ruimte onze kalme geest moeten laten luisteren en absorberen. De verwarring zal dan verdwijnen en we zullen ons bewust worden van verhelderende richtlijnen. Maar meditatie heeft ook uitwerking op de kwaliteit van onze niet-stille activiteiten. Dagelijkse meditatie is het enige wat mij een groter gevoel van welzijn geeft, meer energie, een grotere productiviteit op een niveau van verhoogd bewustzijn, relaties die meer genoegdoening geven, en een sterkere band met God.

De geest is als een vijver. Aan het oppervlak zie je alle beroering, maar het oppervlak is niet meer dan een fractie van de hele vijver. In de diepte, onder het oppervlak, heerst de stilte waarin je de ware essentie van de vijver zult vinden, en dat geldt in even grote mate voor de geest. Door onder het oppervlak te duiken, zul je de ruimten tussen de gedachten weten te bereiken en kans krijgen die opening te betreden. Die opening bestaat uit totale leegte of stilte, en is ondeelbaar. Hoeveel keer je stilte ook in tweeën deelt, je blijft stilte houden. Dat is wat er met nu wordt bedoeld. Misschien is het de essentie van God, die niet van de eenheid gescheiden kan worden.

Die twee pionierende wetenschappers, die ook nu nog bij opleidingen aan de universiteit worden geciteerd, bestudeerden de aard van het universum. Ze worstelden met de mysteries van energie, druk,

mathematica, ruimte, tijd en universele waarheden. Hun boodschap aan de hedendaagse mens is heel eenvoudig. Als je het hele
universum wilt begrijpen, of je eigen privé-universum, als je wilt
weten hoe het allemaal in zijn werk gaat, wees dan stil en neem het
op tegen je angst om in je eentje in een kamer te zitten en de binnenste lagen van je eigen geest te betreden.

De stilten tussen de muzieknoten maken de muziek. Binnen die
leegheid, die stilte, is er geen muziek, alleen ruis. Ook jij bent in je
diepste wezen een stille, lege ruimte, omgeven door vorm. Om
door die vorm te breken en je eigen scheppende aard te ontdekken,
moet je de tijd nemen om elke dag stil te worden en die vervoe-
rende ruimte tussen je gedachten te betreden. Mijn woorden, hoeveel ik er ook op papier zet, zullen je nooit overtuigen van de
waarde van dagelijkse meditatie. Je zult nooit de waarde van die
handeling leren kennen, tenzij je er zelf toe overgaat.

Dit korte essay over de waarde van meditatie is niet geschreven met
de bedoeling je duidelijk te maken hoe je moet mediteren. Er bestaan uitstekende cursussen, handleidingen en cassettebandjes waarmee je dat kunt leren. Het is bedoeld om te benadrukken dat meditatie niet uitsluitend voor de spiritueel zoekende is bestemd, die
alle dagen en uren van zijn leven in diepe overpeinzing wil verslij-
ten en zich niet langer meer bewust is van productiviteit of sociale
verantwoordelijkheid. Meditatie is een handeling die wordt aangeraden door diegenen die in redelijkheid hun geloof beleven, door
mensen die werken met abstracten, door samenstellers van stellingen en door die mensen die in de wet van Pascal geloven. Iedereen
kan hetzelfde ervaren als Blaise Pascal toen hij schreef: 'De eeuwige
stilte van die oneindige ruimten jaagt mij angst aan.'

Hier zijn een paar suggesties voor het overwinnen van je angsten
en om te leren stil te zijn en rustig in je eentje in een vertrek te zitten.

* Leer te luisteren naar je ademhaling, en leer op die manier hoe
  je steeds beter naar binnen kunt keren, naar je stille ik. Je kunt
  dat overal doen: tijdens vergaderingen, gesprekken en zelfs feesten. Zorg dat je op je ademhaling let en volg deze een paar tellen bewust, en doe dat vele keren per dag.

- Gun jezelf vandaag de tijd om gewoon in je eentje in een vertrek plaats te nemen. Let op welke gedachten binnenkomen en welke verdwijnen en naar de volgende gedachte leiden. Het je bewust worden van de waanzinnige activiteit in je hoofd zal je helpen de opgejaagde stroom van gedachten los te laten.

- Lees een boek over meditatie, waaruit je leert hoe je het mediteren op gang kunt brengen, of word lid van een meditatiegroep. Er zijn in elke plaats leermeesters en organisaties die je op weg kunnen helpen.

- Er zijn talloze cd's en cassettebandjes te koop die je op weg kunnen helpen bij het leren mediteren. Ik heb er zelf een uitgebracht: *Beziel je leven*, waarin ik een specifieke meditatie onderwijs, *japa* genaamd. Ik leid je daarbij door een ochtend- en een avondmeditatie, waarbij de stem je helpt bij het herhalen van de goddelijke geluiden.

❊ HET WETEN ❊

Geloof niet wat u hebt gehoord.
Geloof niet in traditie, want die is door vele generaties
    doorgegeven.
Geloof niet in dat waarover vele malen is gesproken.
Geloof niet in opgetekende verklaringen die uit een oude
    sage afkomstig zijn.
Geloof niet in theorieën.
Geloof niet in de overheid of leermeesters of de ouden.
Maar wanneer na zorgvuldige waarneming en analyse
    blijkt dat het overeenstemt met de rede, en dat het
    iedereen, niemand uitgezonderd, ten goede zal komen,
    aanvaard het dan en leef ernaar.

BOEDDHA (563-483 v.Chr.)

*Boeddha, de stichter van het boeddhisme, een van de grootste
religies ter wereld, werd geboren als prins Siddhartha Gautama in Noordoost-India, vlak bij de grens met Nepal. Bij het
zien van de tegenspoed, ziekte en dood waaraan zelfs de
rijksten en de machtigsten in dit leven ten offer vallen, verliet
hij op negenentwintigjarige leeftijd het leven dat hij tot aan
dat moment leefde, en ging op zoek naar een hogere waarheid.*

De naam Boeddha laat zich in feite vertalen met 'de ontwaakte'
of 'de verlichte'. Het is de titel die aan Siddhartha Gautama werd
gegeven, de man die op negenentwintigjarige leeftijd zijn prinselijk
leven vaarwel zegde en zijn verdere leven besteedde aan het zoeken
naar begrip vanuit de religie, en naar een manier om zich van de
aardse behoeften los te maken. Er wordt beweerd dat hij de lessen
van zijn tijdgenoten afwees en door middel van meditatie verlichting en een ultiem begrijpen wist te verkrijgen. Vanaf dat moment

nam hij de rol van leermeester aan, en onderrichtte hij zijn volgelingen in de *dharma*, de waarheid.

Zijn lessen werden de basis voor de religieuze beleving van het boeddhisme, dat een vooraanstaande rol heeft gespeeld in het spirituele, culturele en sociale leven van de oosterse wereld, en trouwens ook in dat van de westerse wereld. Ik heb er met opzet voor gekozen om in dit essay niet over de leerstellingen van het boeddhisme te schrijven, maar liever deze veelgeciteerde uitspraak van Boeddha als uitgangspunt te nemen en het belang ervan te bespreken die het voor ons allen op dit moment heeft, zo'n vijfentwintig eeuwen na de dood van de verlichte.

Het belangrijkste woord in het citaat is 'geloof'. Je kunt eigenlijk zeggen dat het belangrijkste zinnetje 'Geloof niet' is. Alles wat de mens met zich meedraagt in de vorm van geloof, is grotendeels afkomstig van de verklaringen en uitspraken van anderen. Maar als het vanuit een bron buiten jezelf afkomstig is, dan maakt het niet uit of dat met aandrang werd gedaan, of hoeveel mensen, die met jezelf waren te vergelijken, moeite hebben gedaan om je van de waarheid van dat ene geloof te overtuigen. Het blijft een feit dat het de waarheid van een ander is, wat betekent dat je het met vraagtekens of twijfels hebt ontvangen.

Als ik een poging zou ondernemen om je ervan te overtuigen hoe heerlijk een bepaalde vis wel smaakt, zou je misschien wel luisteren, maar nog steeds twijfels hebben. Zou ik je afbeeldingen van die vis laten zien, en honderden mensen erbij halen om je te overtuigen, dan raak je misschien al wat meer overtuigd. Toch zou er nog wat twijfel blijven, omdat je hem niet zelf had geproefd. Je bent misschien bereid om te accepteren dat het voor mij een verrukkelijke vis is, maar totdat je eigen smaakpapillen die vis hebben geproefd, is jouw waarheid uitsluitend gebaseerd op mijn waarheid, op mijn ervaringen. En dat geldt ook voor alle goedbedoelende leden van je stam, en van de voorouders van die stam. Ook al is het al eeuwenlang in zwang en hebben de meest vooraanstaande leermeesters het onderschreven, toch blijft het onjuist om een geloof aan te hangen uitsluitend omdat je erover hebt horen praten. Denk aan wat Boeddha daarover zegt: 'Geloof het niet.'

Zet eens in plaats van 'geloven' het woord 'weten'. Wanneer je werkelijk de vis hebt geproefd, weet je hoe die vis smaakt. Dat wil zeggen: je hebt bewust contact gehad en je kunt je eigen waarheid vaststellen op basis van je ervaringen. Je weet niet hoe je moet zwemmen of fietsen door wat je ervan gelooft, maar omdat je er ervaring mee hebt.

De 'verlichte geest' van vijfentwintighonderd jaar geleden leert je om datzelfde begrip toe te passen op je spirituele handelen. Er is een fundamenteel verschil tussen 'iets weten' en 'van iets weten'. 'Ergens van weten' is ook een vorm van geloven. 'Weten' is een woord dat uitsluitend is gereserveerd voor rechtstreekse ervaring, wat meteen betekent dat er geen twijfel meer is. Ik herinner me een bekende Kahuna-heler die antwoord gaf op mijn vraag hoe een Kahuna een heler wordt. Hij zei: 'Wanneer het weten tegenover het geloof komt te staan bij een ziekteproces, dan zal het weten altijd triomferen. Kahuna's,' legde hij me uit, 'worden opgeleid om alle twijfel aan de kant te zetten en zich tot weten te beperken.'

Wanneer ik aan de parabels denk van Jezus Christus als groot heler, twijfel ik daar niet aan. Wanneer Christus een lepralijder benaderde, zou hij nooit zeggen: 'We hebben de laatste tijd niet zoveel succes gehad met het bestrijden van lepra, maar als je mijn raad opvolgt, heb je dertig procent kans dat je de komende vijf jaar in leven blijft.' Nee, hij zei: 'Gij zijt genezen', en was daarvan overtuigd. Dat is hetzelfde bewust contact hebben met weten van waaruit St. Franciscus zijn genezende wonderen verrichtte. In feite komen al die wonderen voort uit het aan de kant zetten van de twijfel en het zich richten op weten.

Toch is de overtuigingskracht van de invloeden van de stam enorm groot. Je wordt er voortdurend aan herinnerd wat je wel en niet hoort te geloven, en wat alle andere stamleden altijd hebben geloofd, en wat er van je zal worden als je negeert wat zij geloven. Dan wordt vrees de constante metgezel van je geloof, en ondanks de twijfels die je misschien vanbinnen voelt, neem je toch vaak aan wat zij geloven, en gebruik je het als krukken terwijl je door je dagen hobbelt. En ondertussen blijf je op zoek naar een uitweg uit de val, die zorgvuldig is opgezet door vele generaties gelovigen die je zijn voorgegaan.

Boeddha geeft je een enorm goede raad, en je kunt zelf zien dat er in zijn conclusies geen ruimte is gelaten voor het woord 'geloof'. Hij zegt dat je pas dan naar je geloof mag leven wanneer het overeenstemt met de rede – dat wil zeggen, wanneer je voor jezelf weet dat het waar is, en die wetenschap is gebaseerd op je eigen waarnemingen en ervaringen – en het ten goede komt aan iedereen.

In dit boek geef ik een beknopte opsomming van enkele van de beroemdste en meest creatieve geniale geesten aller tijden. Zij geven raad vanuit andere tijden, en ik raad iedereen aan om met alle woorden die van buiten deze tijdelijke wereld tot ons komen, hetzelfde te doen als met de woorden die ons vele generaties werden doorgegeven. Probeer in de allereerste plaats de raad op te volgen die in dit boek wordt gegeven. Vraag jezelf af of het overeenstemt met de rede, met het gezonde verstand, en als het ten goede komt aan jou en alle anderen, dan moet je ernaar leven. Dat wil zeggen: je moet het tot 'weten' maken.

Verzet tegen de invloed van de stam wordt meestal beschouwd als ongevoeligheid of onverschilligheid ten aanzien van de ervaringen en leringen van anderen, vooral van diegenen die het meest om jou geven. Ik stel voor dat je, als je tot die conclusie bent gekomen, de woorden van Boeddha blijft lezen en herlezen. Hij spreekt niet van verwerpen, alleen van volwassen en volgroeid genoeg zijn om je eigen oordeel te vellen en te leven naar wat je weet in plaats van naar de ervaringen en uitspraken van anderen.

Je kunt niets leren van de inspanningen van anderen. De grootste leermeesters ter wereld kunnen je absoluut niets leren, tenzij je bereid bent datgene wat zij jou te bieden hebben, te toetsen aan wat jij weet. Die grote leermeesters geven je alleen de kans je eigen keuzen te maken in het leven. Ze kunnen het heel aantrekkelijk laten klinken, en uiteindelijk willen ze je misschien zelfs wel helpen met die keus. Ze kunnen zelfs de keus voorschrijven. Maar jij moet uiteindelijk dat leven leiden.

Om deze wijsheid toe te passen, raad ik je het volgende aan:

• Maak een lijst van alles wat je gelooft. Daarbij moet ook worden opgenomen: je houding ten opzichte van religie, de doodsstraf, rechten voor minderheden, reïncarnatie, jonge mensen, oude mensen, alternatieve geneeskunst, wat gebeurt er bij de dood, je culturele vooroordelen, het vermogen om wonderen te verrichten.

• Bekijk de lijst en zeg eerlijk hoeveel van wat je zo oprecht gelooft, voortkomt uit wat je zelf hebt ervaren, en hoeveel je is aangepraat. Probeer om je geest open te stellen om eerst de dingen te ervaren voordat je ze tot waarheid verheft en ernaar gaat leven.

- Stel je open voor zaken die recht tegenover die dingen staan waarmee je vertrouwd bent. Leer begrijpen hoe het is om in de schoenen te staan van mensen die anders zijn dan jij. Hoe meer van dit soort 'tegengestelde' ervaringen je opdoet, hoe beter je de waarheid zult leren kennen.

- Weiger je te laten verleiden tot discussies over ideeën die je door goedbedoelende mensen zijn opgedrongen. Met andere woorden, spendeer niet langer energie aan dingen waarin je niet gelooft, of waarvan je weet dat ze niet op jou van toepassing zijn!

❈ LEIDERSCHAP ❈

Normaal gedrag

Ware leiders
zijn nauwelijks bekend bij hun volgelingen.
Vlak daarna komen de leiders
die de mensen kennen en bewonderen;
vlak daarna degenen die zij vrezen;
en daarna degenen die zij verachten.

Geen vertrouwen schenken
betekent geen vertrouwen krijgen.

Wanneer de arbeid goed is verricht,
zonder gezeur en zonder gepoch,
zegt de gewone man:
'O, dat hebben wij gedaan.'

LAO-TSE (zesde eeuw v.Chr.)

Lao-tse, Chinees filosoof, schreef de Tao Te Ching, *wat 'de Weg' betekent, en de basis is voor de religieuze beoefening van het taoïsme.*

*H*et verbaast me steeds weer dat er tegenwoordig zoveel politici zijn die zich leider noemen, puur en alleen vanwege het feit dat zij een overheidsfunctie bekleden. Historisch gezien blijkt echter dat de bekleders van overheidsfuncties zelden de ware leiders zijn die veranderingen teweegbrengen. Een voorbeeld: wie waren de leiders van de Renaissance? Waren dat de overheidsbekleders? Waren de leiders burgemeester of gouverneur of president? Beslist niet.
De leiders waren de kunstenaars, de schrijvers en de musici die naar hun hart en ziel luisterden en tot uitdrukking brachten wat ze

hoorden, waarbij ze anderen de weg wezen om de klanken binnen in henzelf te horen. Uiteindelijk luisterde de hele wereld met een nieuw bewustzijn, waardoor de menselijke waardigheid de tirannie wist te verslaan. Ware leiders zijn maar zelden de bestuurders die met de een of andere titel worden aangesproken.

Bedenk eens welke titels je bekend zijn en in welke mate je probeert ernaar te leven. Misschien draag je de titel moeder of vader, wat een ontzagwekkende verantwoordelijkheid inhoudt. Wanneer jouw raad wordt gevraagd, omdat de kinderen je als de leider van het gezin zien, houd je dan voor ogen dat je liever wilt dat ze zullen kunnen zeggen: 'Ik heb het zelf gedaan' dan dat ze jou de eer geven. Probeer je leiderskwaliteiten te verhogen door niet de vergissing te maken te denken dat je titel je automatisch tot leider maakt. Ware leiders zijn niet befaamd vanwege hun titels. Het is ons ego dat dol is op titels!

Anderen helpen om leider te worden, terwijl je ondertussen je eigen ware leidinggevende kwaliteiten uitoefent, houdt in dat je hard je best zult moeten doen om niet naar het ego te luisteren. Ware leiders genieten het vertrouwen van anderen, wat iets heel anders is dan het genieten van de aanmoedigingen en vleierijen en macht die volgens het ego de tekenen van leiderschap zijn. Je dient vertrouwen aan anderen te geven om zelf vertrouwen te krijgen.

Let eens op hoe dikwijls je geneigd bent om erop te staan dat anderen het op jouw manier doen, anders worden ze de laan uitgestuurd. Lao-tse zegt dat de leider die deze houding aanneemt, de minste invloed heeft en het meest wordt veracht. Jouw manier van leiden zou vrees kunnen uitlokken met uitspraken als: 'Ik zal je straffen als je het niet op mijn manier doet.' Lao-tse zegt dat leiders die hun leiderschap op vrees baseren, nauwelijks in staat zijn om echt leiding te geven. De leider die eropuit is om bewonderd te worden is volgens Lao-tse daarmee nog niet een meester in het leidinggeven. Dit type leider kan zeggen: 'Ik zal je belonen als je het op mijn manier doet.' De ware leider handelt zodanig dat zijn daden nauwelijks opvallen. Dit type leider schenkt vertrouwen, moedigt aan, en geeft zijn gelukwensen aan iedereen die zijn eigen weg weet te vinden.

Wanneer onze wetgevers ons vertellen wat goed voor ons is, of de tactiek van de angst gebruiken door te voorspellen welke gruwelijke consequenties iets zal hebben, of proberen ons zover te krijgen dat we uiting geven aan onze bewondering voor hun leiderschap, dan zijn het geen goede leiders. Om zich als goed leider te kunnen kwalificeren, dienen ze zichzelf tot zwijgen te brengen om het volk te kunnen horen zeggen: 'Ja, wij hebben deze fantastische economie zelf tot stand gebracht.'

En dat geldt ook voor jou. Wil jij in je eigen leven en in het leven van anderen een ware leider zijn, probeer dan de behoefte te weerstaan om erkenning te krijgen. Geef onopvallend leiding, en bied waar mogelijk je vertrouwen aan. Glimlach vriendelijk tegen de wens van je ego om de eer op te eisen, en herken stilzwijgend je leiderschap wanneer je anderen hoort zeggen: 'O, ja, dat hebben we zelf klaargespeeld.' Hier volgen een paar suggesties om de wijsheid van Lao-tse toe te passen.

- Alvorens tot handelen over te gaan, vraag jezelf eerst af of wat je op het punt staat te zeggen haat, vrees, bewondering of zelfbewustwording tot gevolg zal hebben. Kies ervoor om de zelfbewustwording te voeden.

- Voer je verlangen om een waar leider te zijn zo stil mogelijk uit. Probeer iemand te vinden die iets goed doet!

- Laat het tot je doordringen dat het je ego is dat doet voorkomen alsof je een mislukkeling bent. In plaats van jezelf als mislukkeling te zien wanneer je geen eer wordt bewezen, moet je je voor ogen houden dat je erin bent geslaagd om wel leiding te geven, en laat je ego goedgehumeurd weten dat dit de manier is om een succesvol leider te zijn.

GEDULD

Wees niet zo verlangend om
de dingen snel gedaan te krijgen.
Let niet op kleine voordelen.
Ernaar verlangen om dingen snel
gedaan te krijgen, verhindert dat
ze grondig worden gedaan.
Letten op kleine voordelen
staat voltooiing van grootse
zaken in de weg.

CONFUCIUS (551-479 v.Chr.)

Confucius was een Chinees leermeester en filosoof, wiens filosofie het leven en de cultuur van de Chinezen al meer dan tweeduizend jaar beïnvloedt.

Ik heb dit citaat van de oude Chinese wijsgeer en filosoof Confucius boven mijn typemachine geplakt om me er dagelijks aan te herinneren niets te doen wat het voltooien van 'grootse zaken' in de weg staat. Volgens mij kan de natuur ons nog heel wat leren over de wijze waarop wijzelf onze eigen grootheid in de weg staan. Toch negeren we maar al te vaak de natuur en laten we ons liever door ons verstand vertellen hoe het allemaal hoort te worden gedaan.

Geduld is het voornaamste bestanddeel in de natuur en bij onszelf. Als ik bijvoorbeeld mijn arm schaaf of een botbreuk oploop, zal het genezingsproces exact zijn eigen tijd nemen, hoe ik er ook over denk. Daar is de natuur aan het werk. Mijn verlangen om het snel te laten genezen, heeft daarop geen enkele invloed. Als ik dat ongeduld op mezelf van toepassing breng, zal ik verhinderen dat het grondig geneest, zoals Confucius ons al meer dan vijfentwintighonderd jaar geleden onderwees. Shakespeare evenaarde de wijsheid van zijn oude Chinese voorganger toen hij schreef: 'Hoe arm is hij die geen geduld bezit! Welke wond genas ooit anders dan stap voor stap?'

Ik herinner me dat ik, toen ik nog klein was, in de lente eens wat radijszaadjes pootte. In het begin van de zomer zag ik groene blaadjes boven de grond uit komen. Ik zag ze elke dag een stukje groter worden en uiteindelijk kon ik het niet langer verdragen en begon ik aan die jonge loten te trekken om ze maar sneller te laten groeien. Ik had nog niet geleerd dat de natuur haar geheimen prijsgeeft als zij daar klaar voor is. Toen ik aan de blaadjes trok, kwamen ze zonder radijsjes uit de grond. Door mijn kinderlijk ongeduld om het sneller te laten verlopen, gebeurde er helemaal niets.

Wanneer mij tegenwoordig wordt gevraagd of ik teleurgesteld ben wanneer een van mijn boeken niet op de bestsellerlijst komt, hoewel dat bij mijn vorige boeken wel het geval was, dan denk ik aan de opmerking van die erudiete Chinese wijsgeer: 'Grote dingen hebben niets van de tijd te vrezen.' Het is toch een enorm compliment voor Confucius dat hij vijfentwintighonderd jaar na zijn verscheiden nog steeds wordt geciteerd en dat zijn inzichten nog steeds worden toegepast. Ook ik schrijf voor zielen die nog niet eens gematerialiseerd zijn, en als dat betekent dat ik daarvoor het kleine voordeel van een prestigieus plaatsje op de een of andere lijst moet opofferen, dan verbaast dat misschien mijn ongeduldige ego, maar zelf ben ik tevreden!

Er staat een regel in *A Course in Miracles* die iedereen verbijstert die nog in zijn ego gevangenzit, omdat het zo op het oog om een contradictie gaat. Die regel luidt als volgt: 'Oneindig geduld geeft onmiddellijk resultaat', en het weerspiegelt het vijfentwintighonderd jaar oude advies waarover je hier leest. Oneindig geduld beschrijft de toestand van vertrouwen, van absoluut weten. Als je zonder een spoortje twijfel weet dat wat je doet overeenkomt met je doel, en dat je bezig bent iets groots tot stand te brengen, dan leef je in vrede met jezelf en in harmonie met je eigen heldhaftige roeping. Het gevoel van vrede is het resultaat dat daaruit onmiddellijk voortvloeit. Het is een staat van verlichte blijmoedigheid. Op die manier brengt oneindig geduld je op een niveau van vertrouwen waar het al snel totaal niet meer belangrijk is om iets tot stand te brengen. In plaats van je door je ongeduldige ego de wet te laten voorschrijven, raak je de behoefte kwijt om meteen resultaten te willen zien, en je gaat ook begrijpen dat de snij- en schaafwonden en alle andere verwondingen zullen genezen wanneer de natuur daar klaar voor is.

Deze kennis heeft me enorm bij mijn schrijven geholpen, en bij alles wat ik in mijn leven heb gedaan. Wat mijn kinderen betreft, maak ik me niet langer bezorgd om de cijfers voor een proefwerk of een scriptie, want ik zie het grotere geheel van hun leven. Zoals het oosterse spreekwoord zegt, dat misschien wel is gebaseerd op de woorden van Confucius: 'Met tijd en geduld zal het moerbeiblad ooit een zijden japon worden.' Zo zie ik mijn kinderen ook: als toekomstige zijden japonnen. Natuurlijk genieten we van tijd tot tijd van kleine pluspuntjes. Tegelijkertijd weet ik echter dat alle tegenslagen die pluspuntjes niet teniet zullen doen maar ze juist zullen vergroten.

Ongeduld baart angst, spanning en ontmoediging. Geduld uit zich in vertrouwen, besluitvaardigheid en een gevoel van kalme tevredenheid. Als je jouw leven onder de loep neemt, bekijk dan eens hoe vaak je meteen wilt zien dat je voor jezelf of voor anderen succes hebt geboekt, en probeer dan eens om het ruimer te bekijken. Wanneer je erin slaagt het grotere geheel te zien, zul je niet langer op zoek willen gaan naar bevestiging in de vorm van onmiddellijk volgende eremedailles en applaus.

Mijn ervaring met verslavingen en het overwinnen daarvan loopt wellicht parallel aan wat jij in jouw leven hebt meegemaakt. Toen ik nog verslaafd was, overwoog ik om verslavende substanties als cafeïne en alcohol de rug toe te keren. Dan ging ik op zoek naar een kleine stap vooruit, zoals bijvoorbeeld een hele dag zonder drank, en wanneer ik dat voor elkaar had gekregen, liet ik mijn waakzaamheid varen en pakte ik een cola of een biertje om het te vieren. Door alleen naar de kleine overwinningen te kijken, verhinderde ik mezelf de klus grondig te klaren. Nadat ik zover was gekomen dat ik oneindig geduld met mezelf had, gaf ik alles over aan God en bedacht ik daarbij hoe volmaakt God altijd voor mij was geweest, zelfs tijdens mijn dieptepunten. Door oneindig geduldig te zijn, kon ik begrijpen dat verslavende substanties een hindernis vormden op weg naar mijn hoogste doel en levensmissie, en daarom liet ik ze links liggen.

Vergis je niet, al mijn gedachten over capituleren, al mijn pogingen en mislukkingen – al die 'kleine voordelen', zoals Confucius ze noemt – waren onderdeel van het zuiveringsproces. Door geduld met mezelf te hebben kon ik zelfs ten aanzien van die kleine voordelen geduld opbrengen, en daarom verhinderden ze me niet langer om grootser dingen tot stand te brengen. Ik liet het hele proces zijn eigen tempo houden, en nu kan ik duidelijk zien hoe het feit dat ik mijn ongeduld wist kwijt te raken, me het vermogen gaf om op te klimmen tot een niveau dat ik nooit voor mogelijk had gehouden toen ik mezelf nog bleef feliciteren met al die kleine overwinningen, waarna ik dan weer een stap terug moest doen om die gewoonte kwijt te raken. Als je het paradoxale in deze situatie kunt waarderen, zul je ook de twee volgende paradoxale uitspraken kunnen waarderen: 'Oneindig geduld baart onmiddellijk resultaat' en 'Dag voor dag baart eeuwig resultaat.'

Als je wilt zien hoe belachelijk het ongeduld in je leven is, zet dan je horloge eens een paar uur vooruit en scheur een paar maanden van je kalender. En kijk dan eens of je tijdwinst hebt geboekt! De mislukkingen en frustraties, samen met het onmiddellijk succes hebben, vormen een onverbrekelijk deel van de volmaaktheid van het geheel. Sla de natuur eens gade – jouw natuur en de natuur om je heen –, dan zul je inzien dat je een wond de tijd moet geven om in zijn eigen tempo te genezen; om een vijg te eten, zul je hem eerst in bloei moeten laten komen, vrucht vormen en rijpen. Vertrouw op je eigen natuur en laat de wens los om alles snel gedaan te willen krijgen.

Om dat te bereiken kun je het volgende doen:

• Doe afstand van je voorgeprogrammeerde manier om jezelf – op basis van direct voorhanden zijnde aanwijzingen – al dan niet als succesrijk te beschouwen. Als je vanbinnen weet dat je op een veel hoger doel uit bent dan zich op dit moment voordoet, dan zul je de dwaasheid van het snelle resultaat terzijde kunnen schuiven. Een voorsprong aan het begin van de wedstrijd kan een groot nadeel blijken als het je kijk op het totale spel versluiert.

• Bezie wat je doet in het licht van vijf eeuwen in plaats van vijf minuten. Richt je werkzaamheden op hen die hier over vijfhonderd jaar zullen zijn, dan zul je niet langer gespitst zijn op het behalen van onmiddellijk resultaat en zul je je toeleggen op grotere doelen.

- Heb net zoveel geduld met jezelf als God volgens jou altijd met jou heeft gehad, en blijf dat hebben tijdens al je successen en teleurstellingen. Wanneer je een probleem kunt overdragen aan een hogere autoriteit met wie je verbonden bent, dan kom je meteen in die wetende status van oneindig geduld, en zoek je niet langer naar kleine aanwijzingen van het succes van dit moment.

❋ BEZIELING ❋

Wanneer je bezield wordt door een grootse
zaak, een buitengewoon project, zullen je
gedachten alle banden doorbreken;
je geest zal de grenzen overschrijden,
je bewustzijn zal zich in alle richtingen verspreiden,
en je zult merken dat je in een nieuwe, grote
en prachtige wereld terecht bent gekomen.
Sluimerende krachten, talenten en gaven
komen tot leven, en je ontdekt van jezelf
dat je een veel groter mens bent
dan je ooit van jezelf had gedacht.

PATANJALI (ca. 1e tot 3e eeuw v.Chr.)

Patanjali, de schrijver van Yoga sutra's, *leefde vermoedelijk*
één tot drie eeuwen voor Christus, en wordt beschouwd als
degene die de traditie van meditatie in het leven heeft geroe-
pen. Hij wordt als de mathematicus van het mysticisme om-
schreven, en als de Einstein in de wereld van de Boeddha's.

*E*rgens in de tweede eeuw voor Christus schreef een man, die
door zijn volk als een heilige werd beschouwd, onder het pseudoniem Patanjali een hindoeklassieker: Yoga sutra's. Hij bracht de yoga-
gedachten onder in vier boekdelen. Zijn verhandelingen kregen de
titels Samadhi (transcendentie), Het beoefenen van yoga, Psychische kracht en
Kaivalya (bevrijding) mee.
Velen beschouwen de woorden en de sutra's – de methoden die hij
aangaf om God te leren kennen en een verhoogd bewustzijnsniveau
te verkrijgen – van deze mysticus als de oorspronkelijke fundering
waarop een spirituele basis kan worden gebouwd en waar men
zich van de beperkingen van lichaam en ego kan bevrijden.
Ik heb deze passage van Patanjali uitgekozen omdat ik geloof dat

33

het een universele waarheid tot uitdrukking brengt die de eeuwen van de tijd overbrugt. Ik raad je sterk aan samen met mij stap voor stap Patanjali's woorden door te nemen, en terwijl je dat doet, bedenk dan dat miljoenen mensen tot op heden de woorden van deze leermeester uit de oudheid, die nog steeds als een avatar wordt beschouwd die ons zijn goddelijke wijsheid schenkt, hebben bestudeerd. Hij maakt ons duidelijk dat er, wanneer we werkelijk worden bezield door iets wat wij als uitzonderlijk beschouwen, ook werkelijk uitzonderlijke dingen voor ons zullen gaan gebeuren, vooral wat betreft onze manier van denken. Wanneer we echt diep bij iets betrokken raken wat we heel graag doen, zullen onze gedachten gaan veranderen en niet langer de indruk wekken dat ze op welke manier dan ook begrensd zijn.

Uit persoonlijke ervaring weet ik dat ik het meest het gevoel heb onderweg naar 'mijn doel' te zijn wanneer ik tot een menigte spreek en wanneer ik schrijf. Ik heb dan werkelijk het gevoel dat ik op die momenten op de een of andere manier word gebruikt, alsof het niet het fysieke lichaam van Wayne Dyer is dat de woorden voor de toespraak of het boek levert. Op die momenten merk ik dat mijn geest geen enkele beperking bespeurt. Ik weet dat ik niet alleen ben, dat ik onder goddelijke leiding sta, en dan spreek of schrijf ik zonder enige moeite. Het geeft mij het gevoel dat mijn lichaam en geest gedurende die momenten in een staat van harmonie zijn. Sommigen hebben die staat 'uitvloeiing' genoemd, anderen noemen het 'een piekervaring'. Patanjali omschrijft het als volgt: 'Je bewustzijn zal zich in alle richtingen verspreiden, en je zult merken dat je in een nieuwe, grote en prachtige wereld terecht bent gekomen.'

Houd je bij het lezen van deze woorden de tijdloosheid van zijn raad voor ogen. Zelfs de mens die ver voor onze moderne tijd leefde wist hoe belangrijk het was om naar een doel toe te leven. Wanneer er zo'n piekervaring wordt beleefd, zo'n bezield moment van één voelen met God en het hele universum, zal het leven als een groot wonder worden ervaren. Dat gebeurt wanneer je op een bezield niveau bezig bent. Je aandacht is niet gericht op wat verkeerd is, of wat ontbreekt, maar op het uitgebalanceerde gevoel van één in geest zijn. Je bent op zo'n moment in de geest medeschepper. Met andere woorden, je bent op zo'n moment bezield.

Patanjali spreekt vervolgens over wat voor mij het uitzonderlijkste aspect van genadige bezieling is. 'Sluimerende krachten, talenten en gaven komen tot leven,' leert hij ons. Dat houdt in dat veel dingen die we niet tot uiting meenden te kunnen brengen, in ons ontwaken. Ik heb ontdekt dat ik, wanneer ik oprecht door een uitzonderlijk project ben gegrepen, vergeet wat het is om moe te zijn, hoe groot het slaapgebrek ook moge zijn. Ik merk dat ik niet hongerig word, dat mijn lichaam feitelijk niet langer eisen stelt, maar dat ik gewoon zonder problemen mijn werk kan doen. Wanneer ik geconcentreerd bezig ben, bestaat er ineens geen jetlag meer, ook al heb ik op één enkele dag negen of tien tijdszones overschreden.

De gaven en talenten die Patanjali beschrijft, blijven sluimeren als je geen stappen onderneemt om je leven bezield te laten verlopen. Ik geloof dat het gebruik van de woorden 'sluimerende krachten' hier doorslaggevend is. Wanneer je doelgericht bezig bent, activeer je de krachten van het universum die voordien buiten je bereik lagen. Alles wat je nodig hebt, zal in je leven komen. De juiste persoon zal op de juiste tijd verschijnen. Dat ene telefoontje zal komen. De ontbrekende stukjes zullen je worden aangereikt. Je weet de toevallige gebeurtenissen in je leven onder controle te houden, wat op zich paradoxaal klinkt. Maar wanneer je de ziel te hulp roept om je te laten bezielen, zal het oude zen-spreekwoord van toepassing worden: 'Wanneer de leerling er klaar voor is, zal de leermeester komen opdagen.'

Wanneer ik spreek of schrijf uit een geestesinstelling van 'hoe kan ik dienen' en daarbij mijn ego volledig opzij weet te zetten, komen woorden als 'geblokkeerd' of 'blijven steken' nooit bij me op. Zolang ik (mijn ego) buiten beeld blijf, lijk ik te weten dat er leiding is. Wanneer de aandacht volledig gericht is op een bezigheid waarbij de ziel is betrokken, wordt die sluimerende kracht waarover Patanjali het heeft, tot leven gewekt door een verbinding met het goddelijke. Zolang het ego maar niet tussenbeide komt, wordt het het bezielde voorwerp dat de buiten bereik liggende krachten aantrekt. En volgens Patanjali volgt daarop dat 'je ontdekt van jezelf dat je een veel groter mens bent dan je ooit van jezelf had gedacht'. Fenomenaal! Goethe schreef eens: 'De mens is niet geboren om de raadselen van het universum op te lossen, maar om te ontdekken wat hij moet doen.' Ik zou eraan toe willen voegen: 'En om dat met bezieling te doen.'

Als je twijfelt aan je vermogen om buiten je grenzen te treden en reeds lang sluimerende krachten tot leven te wekken, denk dan eens na over deze wijze raad van een van de grootste spirituele leermeesters aller tijden. Lees elke overpeinzing alsof hij rechtstreeks tegen jou wordt uitgesproken. Diep vanbinnen zit een groter mens dan je ooit voor mogelijk had gehouden. Patanjali stelt voor die persoon naar boven te laten komen wanneer je door iets uitzonderlijks wordt bezield. Je stelt daarop vermoedelijk de vraag: 'Maar veronderstel eens dat ik niet weet wat het plan is? Hoe kan ik dan het doel vinden?'
Houd voor ogen dat je op dit moment niets hoeft te vragen, maar alleen eenvoudig ja! hoeft te zeggen. Stel je open voor de gedachten die in dit citaat uit de *Yoga sutra's* uit de oudheid worden weergegeven, en vertrouw erop dat het 'hoe' vanzelf zal volgen. Vraag jezelf af: wanneer voel ik me het meest vervuld? Wanneer voel ik me uitzonderlijk en groots? Wat het antwoord op die vragen ook is, je zult ontdekken dat het iets heeft te maken met het dienen van de medemens, het dienen van jouw wereld of universum, of het dienen van God. Terwijl je jouw ego doet verschrompelen en de belofte doet om bezield betrokken te raken bij een uitzonderlijk plan waarvan je ego nu eens niet zal profiteren, dan zul je weten wat je te doen staat.
Probeer eens de volgende suggesties op te volgen om Patanjali's gedachten in praktijk te brengen.

• Schrijf op welke activiteiten in je leven je het meest het gevoel van bezield zijn geven. Zeg niet dat ze te onbeduidend zijn of te weinig waarde hebben. Of het nu om spelen met baby's gaat of om tuinieren of knutselen aan je auto of zingen, of mediteren, schrijf die activiteiten gewoon op.

• Gebruik deze lijst en kijk rond wie van dit soort dingen zijn dagelijkse broodwinning maakt. Datgene wat je graag doet, kan tot een uitzonderlijk plan worden omgevormd, waarbij je je bewustzijn in alle richtingen kunt verbreden. Roep nieuwe krachten en talenten in jezelf op die de boodschap zullen uitdragen dat je een veel groter mens bent dan je ooit voor mogelijk had gehouden.

- Luister uitsluitend naar de stem vanbinnen die je in de richting van die uitzonderlijke bezigheid stuurt. Verdrijf de goede raad die je van al diegenen hebt gekregen die je vertellen wat je volgens hen met je leven zou moeten doen. De hoofdzaak is dat je van binnenuit bezield wordt, niet van buitenaf, anders zou de wereld ontzield zijn!

- Denk aan de woorden van Ralph Waldo Emerson bij het verbreken van de banden met je voorgeprogrammeerde manier van denken over jezelf en het doel van je leven. 'De maatstaf van geestelijke gezondheid is het vermogen om overal het goede te vinden.' Probeer dat eens en zie dan hoe je gaven en talenten tot leven komen.

✻ OVERWINNING ✻

De zes fouten van de mens

1 De drogreden dat het vertrappen van anderen persoonlijk gewin oplevert.
2 De neiging om zich zorgen te maken over dingen die niet veranderd of bijgesteld kunnen worden.
3 Volhouden dat iets onmogelijk is omdat we het niet gedaan kunnen krijgen.
4 Weigeren om onbenullige voorkeuren terzijde te schuiven.
5 De ontwikkeling en bijschaving van de geest te verwaarlozen, en niet de gewoonte te ontwikkelen om te lezen en te studeren.
6 Proberen anderen over te halen om volgens onze normen te geloven en te leven.

MARCUS TULLIUS CICERO (106-43 v.Chr.)

Cicero, een Romeins staatsman en schrijver, was de belangrijkste redenaar en filosoof van Rome. De laatste jaren van het republikeinse Rome worden vaak als de periode-Cicero aangeduid.

*I*k ben werkelijk met stomheid geslagen als ik bedenk dat onze briljante en overredende voorouders meer dan tweeduizend jaar geleden dezelfde aarde bewandelden, dezelfde lucht inademden, 's nachts dezelfde sterren bewonderden als wij nu, en door dezelfde zon werden beschenen die wij vandaag de dag zien, en over dezelfde zorgen spraken en schreven die wij op dit moment hebben. Er bestaat een werkelijk wonderbaarlijk verband tussen deze mensen – die mij verrukken en verbazen wanneer ik lees wat zij hun medeburgers probeerden te vertellen – en mij, een burger die een paar duizend jaar later op dezelfde planeet is beland.

Cicero werd ooit de vader van zijn land genoemd. Hij was een briljant redenaar, jurist, staatsman, schrijver, dichter, criticus en filosoof, die leefde in de eeuw voor de geboorte van Christus, en hij was enorm betrokken bij alle conflicten tussen Pompeï, Caesar, Brutus en veel van die andere historische figuren en gebeurtenissen die samen de oude Romeinse geschiedenis vormen. Hij had een schitterende, langdurige politieke carrière en was een gevestigd schrijver wiens werk als het meest invloedrijke van zijn tijd werd beschouwd. In die tijd werden dissidenten echter niet vriendelijk behandeld. Hij werd in 43 v.Chr. geëxecuteerd, en zijn hoofd en handen werden op het sprekersgestoelte in het Forum in Rome tentoongesteld.

In een van zijn belangrijkste verhandelingen beschrijft Cicero de zes fouten van de mens waarvan hij in het oude Rome getuige was. Twintig eeuwen later herhaal ik ze hier, voorzien van een kort commentaar. We kunnen nog steeds van mensen uit de oudheid leren, en ik vertrouw erop dat de wijze waarop ik Cicero's zes fouten nader verklaar, er niet toe zal leiden dat mijn hoofd en handen op het sprekersgestoelte van ons nationale forum zullen worden uitgestald! Fout 1: de drogreden dat het vertrappen van anderen persoonlijk gewin oplevert. Dit is een probleem dat tegenwoordig helaas nog steeds bestaat. Velen van ons hebben het gevoel dat ze zelf belangrijker worden door fouten in anderen te ontdekken. Ik heb kortgeleden op tv een interview gezien met een internationaal befaamd motivatietrainer. Zijn uitgangspunt was zo ongeveer: 'Ik ben beter dan wie dan ook, niemand kan je beter dan ik vertellen wat je met je leven moet doen. Luister niet naar al die anderen die alleen maar wat opbeurende praatjes leveren, die zijn allemaal onbelangrijk.' Ik moest onwillekeurig denken aan Cicero's fout nummer één.

Er zijn twee manieren om aan het hoogste gebouw van de stad te komen. De eerste is door alle andere gebouwen te verpletteren, maar dat werkt zelden lang, omdat iedereen van wie een gebouw met de grond gelijk is gemaakt, uiteindelijk achter de sloper aan zal gaan. De tweede manier is om aan je eigen gebouw te bouwen en het te zien groeien. En dat gaat ook op in de politiek, in het zakendoen en in het persoonlijke leven.

Fout 2: de neiging om zich zorgen te maken over dingen die niet veranderd of bijgesteld kunnen worden. Kennelijk verspilden de mensen in de oudheid hun energie aan het zich zorgen maken over zaken waarover ze geen controle hadden, en sinds die tijd is er weinig veranderd. Een van mijn leermeesters legde me dat heel duidelijk uit. Hij zei: 'Ten eerste: maak je niet druk over dingen waarover je geen controle hebt, want het heeft geen zin je er zorgen over te maken als je er geen zeggenschap over hebt. Ten tweede: het heeft geen zin om je zorgen te maken over zaken waarover je wel controle hebt, want als je ze in de hand hebt, heeft het geen zin je er zorgen over te maken.' Dat geldt dus voor álles waarover je je mogelijkerwijs zorgen zou kunnen maken. Je hebt het in de hand, of je hebt het niet in de hand, en in beide gevallen is het een grote fout om je er zorgen over te maken.

Fout 3: volhouden dat iets onmogelijk is omdat we het niet gedaan kunnen krijgen. Velen hebben nog steeds deze neiging tot pessimisme. Maar al te vaak concluderen we overhaast dat iets onmogelijk is, enkel en alleen omdat we er geen oplossing voor zien. Ik heb heel wat mensen horen vertellen dat engelen, reïncarnatie, zielsverplaatsing, contact met de doden, reizen naar verafgelegen melkwegstelsels, genetische chirurgie, tijdmachines, reizen met de snelheid van het licht, wonderbaarlijke spontane genezingen, en ga maar zo door, niet mogelijk zijn, uitsluitend omdat ze dat soort concepten niet kunnen bevatten.

Ik vraag me af hoeveel tijdgenoten van Cicero de komst van de telefoon, de fax, de computer, de auto, het vliegtuig, de kruisraket, de elektriciteit, het stromend water, de afstandsbediening, het lopen op de maan en nog veel meer van dat soort zaken konden voorzien, terwijl we die tegenwoordig als vanzelfsprekend beschouwen. Een goed motto is: 'Niemand weet genoeg om een pessimist te zijn!' Wat we nu niet kunnen bevatten, zal voor diegenen die hier over tweeduizend jaar wonen, als volkomen normaal worden geaccepteerd.

Fout 4: weigeren om onbenullige voorkeuren ter zijde te schuiven. Velen laten bij hun manier van leven veel te veel ondergeschikte dingen een hoofdrol spelen. We vinden het goed dat onze kostbare levensenergie wordt verspild aan wat anderen van ons denken, aan kleine zorgjes over het uiterlijk, aan welke merkkleding we dragen.

We verdoen ons leven met de zorg om familieruzietjes of onenigheid met collega's, en stoppen onze gesprekken vol met loze kreten. Door de eigen belangrijkheid voortdurend in de schijnwerpers te willen plaatsen, laten we ons leven door het ego sturen.

Op aarde zien we honger en hongersnood, maar we worden ongeduldig wanneer we vijf minuten langer moeten wachten op een tafeltje in een restaurant, waar de helft van het eten in de afvalemmer belandt. We horen over kinderen die met duizenden verminkt raken of gedood worden door geweren en schutters, maar toch aanvaarden we dat als een situatie waaraan niets te doen valt. Te veel mensen geloven dat we niet in staat zijn om iets aan de grotere zaken te doen, dus daarom geven we ons maar over aan ons eigen, door het ego gestimuleerde, spelletje Trivial Pursuit.

Fout 5: de ontwikkeling en bijschaving van de geest te verwaarlozen, en niet de gewoonte te ontwikkelen om te lezen en te studeren. Het lijkt erop dat we onze geestelijke ontwikkeling hebben voltooid zodra onze schoolopleiding is afgerond. We lezen en studeren met als doel het examen te halen en daarmee een eremedaille te verdienen in de vorm van een diploma of een graad. Wanneer we dat certificaat eenmaal in handen hebben, is de behoefte aan studeren en het verder ontwikkelen van de geest ten einde gekomen. Cicero moet diezelfde neiging in zijn Romeinse tijdgenoten hebben opgemerkt, en hij waarschuwde hen dat het een aanzet kon zijn tot de val van hun keizerrijk. Wat dan ook gebeurde.

Ons leven wordt enorm verrijkt wanneer we ons verdiepen in literatuur en bezielende geschriften, en dan niet omdat we er examen in moeten doen, maar zuiver en alleen om onszelf te verrijken. Je zult merken dat je, door dagelijks te lezen en te studeren, in elk opzicht het leven intenser zult ervaren. Dat geeft des te meer voldoening als je weet dat je het uit vrije wil doet, niet omdat het je is opgedragen.

Fout 6: proberen anderen over te' halen om volgens onze normen te geloven en te leven. We maken ons duidelijk nog steeds schuldig aan die zesde fout. Maar al te vaak voelen we ons het slachtoffer van personen die hun levensinzichten aan ons willen opdringen. Het resultaat daarvan is een grote mate van spanning en verzet. Geen mens vindt het prettig om te horen te krijgen hoe hij moet leven en wat hij moet doen. Een van de opvallende voordelen van mensen die op een hoger plan functioneren, is dat ze niet de wens hebben of de moeite nemen om andere mensen te controleren. We moeten onszelf deze waarheid voor ogen blijven houden, en het advies opvolgen dat Voltaire ons in de laatste regel van *Candide* geeft: 'Leer uw eigen tuin te beplanten.'

Als anderen kool willen planten en je kiest voor maïs, dan moet dat kunnen. Toch overheerst de neiging om in het leven van anderen te dringen en te blijven proberen hen tot onze manier van zorgen en geloven over te halen. Het is in het gezin een veelvoorkomende fout om de wil aan ieder gezinslid te willen opdringen. Het is ook een veelvoorkomende fout bij overheidsfunctionarissen, die wel zullen beslissen wat goed is voor de rest. Als Cicero's zes fouten ook deel van jouw leven uitmaken, overweeg dan eens de volgende zes suggesties.

- Richt je aandacht op je eigen leven, en op hoe je dat kunt verbeteren. Wanneer je je erop betrapt dat je anderen verbaal verplettert, houd er dan onmiddellijk mee op. Hoe meer je je ervan bewust wordt dat je bezig bent de gebouwen van anderen omver te werpen, hoe sneller je je eigen hoge gebouw zult bouwen.

- Zodra je merkt dat je bezorgd bent, vraag je dan af of je er iets aan kunt doen. Als je er niets aan kunt doen, laat het dan gaan. Als je er wel iets aan kunt doen, verander dan van richting en doe er iets aan. Die twee vragen zullen ervoor zorgen dat je je niet langer zorgen maakt.

- Elke keer dat je een probleem tegenkomt waarvan je het gevoel hebt dat je het onmogelijk kunt oplossen, houd jezelf dan voor ogen dat het om niets anders gaat dan om een oplossing die op het juiste antwoord wacht. Als je de oplossing niet kunt vinden, ga dan onderzoeken wie dat wel kan. Er is altijd iemand te vinden die het vanuit het oogpunt van mogelijkheid in plaats van uit het oogpunt van onmogelijkheid kan bekijken. Verwijder het woord 'onmogelijk' radicaal uit je woordenboek.

- Geef jezelf de opdracht om iets te doen aan belangrijke zaken die iedereen aangaan. Laat wat dingen los die je voor je eigen genoegen doet, en richt je op de grotere taken. En onthoud dat je bijdrage, hoe gering ook, invloed zal hebben op het oplossen van grote sociale problemen.

- Geef jezelf elke dag tijd om spirituele boeken te lezen, of in je vrije tijd naar bandjes te luisteren, onder het autorijden bijvoorbeeld. Maak er een gewoonte van om seminars bij te wonen voor zelfverbetering, of lezingen te volgen over allerlei geestverrijkende onderwerpen.

- Verzorg je eigen tuin en schei ermee uit om te bekijken en te beoordelen hoe anderen de hunne verzorgen. Wanneer je je erop betrapt dat je zit te praten over hoe ze het eigenlijk zouden moeten doen, of dat ze er geen recht op hebben om op hun eigen manier te leven, houd er dan onmiddellijk mee op. Zorg dat je bezig blijft met je eigen werk en streven, want dan zul je het veel te druk hebben om je nog iets van anderen aan te trekken, laat staan dat je ze zult willen overhalen tot je eigen manier van leven.

Vanuit het oude Rome geeft Cicero, de grote staatsman, redenaar, schrijver en filosoof, ons allemaal een les in leven. Maak niet dezelfde fouten die de mensheid door de eeuwen heen heeft gemaakt. Leg in plaats daarvan de gelofte af dat je ze stuk voor stuk uit je leven zult bannen.

✳ ALS EEN KIND ✳

Als gij niet wordt als kinderen, zult gij
het Koninkrijk des Heren niet beërven.

JEZUS VAN NAZARETH (6 v.Chr.-30 n.Chr.)

*Jezus Christus is een van 's werelds belangrijke religieuze
personen, door de christenen beschouwd als de Messias die
door de profeten van het Oude Testament werd voorspeld.*

*O*nlangs, toen ik een lezing voorbereidde in een plaats ver van
huis, had ik het vreemde gevoel dat ik, aan mijn bureau zittend, in
een spiegel keek. De hele muur tegenover me was een en al spiegel, en elke keer dat ik opkeek zat er die gestalte die me aan-
keek terwijl ik aantekeningen zat te maken. Uiteindelijk hield ik op
met schrijven en keek terug. Ik kon maar niet bevatten dat ik het
was die in die spiegel werd weerspiegeld. Ik herinner me dat ik tegen mezelf zei: 'Dat is een oude man die mijn gezicht heeft geleend.'
Terwijl ik terugkeek, dacht ik aan het onzichtbare wezen dat binnen in ieder van ons leeft. Dit wezen is onbegrensd en ongevormd,
en kent dus geen begin of einde. Dit is de zwijgende, onzichtbare
getuige die tijdloos en onveranderlijk is. Dit is het eeuwige kind
binnen in ieder van ons. En als tijdloze kinderen worden we syno-
niem met de hemel, waarin de eeuwigheid is vertegenwoordigd en
waar vormen en grenzen, begin en einde, boven en beneden allemaal hun betekenis verliezen.
De hemel heeft geen grenzen, grensgebieden, zomen en wijken.
Anders gezegd, het vertegenwoordigt alles wat buiten de begrenzingen valt. Het is identiek aan het kleine kind over wie Jezus
spreekt in zijn beeldende opmerking. Het zit vanbinnen, is altijd bij
ons, wordt nooit ouder, maar slaat ons altijd en immer gade. Het
ziet de uitgezakte oogleden, het rimpelen van de huid, het vergrij-

zen van het haar. Het is met recht een oude man die tegenwoordig mijn gezicht leent!

Het tijdloze kind in mij, mijn eeuwig onveranderlijke waarnemer, weet niets van oordelen en haat. Er is niets om te veroordelen, en niemand om te haten. Waarom niet? Omdat het geen uiterlijkheden ziet, het kan alleen met liefde naar alles en iedereen kijken. Ik noem het altijd de absolute 'gedoger'. Het gedoogt eenvoudig alles zoals het is, en ziet alleen het ontplooien van God in iedereen die het tegenkomt. Omdat het zonder vorm, maat, kleur of persoonlijkheid is, kan dit tijdloze kind binnen in me geen onbeduidende onderscheiden zien. Omdat het niet aan deze of gene zijde van een door mensenhanden aangebrachte grens leeft, kan het zich niet druk maken om etnische of culturele grenzen, waardoor oorlog voeren over dergelijke punten onmogelijk is geworden. Daaruit vloeit voort dat het onzichtbare, tijdloze kind altijd in vrede leeft, en alleen gadeslaat, waarneemt, en, het belangrijkst van alles, alles gedoogt.

Kortgeleden gebeurde het dat ik vroeg op de ochtend ging hardlopen en me zo uitgelaten voelde, dat ik bij terugkomst bij het hotel over een hek van ruim één meter sprong. Mijn vrouw, die het zag, schreeuwde me toe: 'Dat kun je niet maken! Je springt niet meer over hekken wanneer je zesenvijftig bent. Het zou je dood kunnen zijn.' Ik gaf meteen ten antwoord: 'O, dat was ik even vergeten.' Dat onzichtbare, tijdloze in mij, dat mijn eeuwige waarnemer is, vergat heel even dat het al meer dan een halve eeuw in dit lichaam leefde!

Voor mij zegt Jezus met deze uitspraak uit het Nieuwe Testament dat we moeten vergeten dat er een lichaam is waarmee we ons in de eerste plaats identificeren, en vergeten dat er zoiets als etnische identiteit bestaat, of onze taal, ons culturele etiket, de vorm van de ogen, of aan welke kant van de grens we zijn opgegroeid, en dat we moeten worden als de kinderen die immuun zijn voor de hokjesgeest. Jezus zei niet dat we kinderlijk moesten zijn en onvolwassen, ongedisciplineerd en ongeletterd. Hij zei dat we 'als kinderen' moesten zijn, wat betekent geen oordeel vellend, liefdevol, aanvaardend en niet in staat om op alles en iedereen etiketten te plakken.

Wanneer we in staat zijn om als de kinderen te zijn, beseffen we dat er in iedere volwassene een kind schuilt dat ernaar snakt om herkend te worden. Meestal is het kind vol en de volwassene leeg. De volheid van het kind uit zich in vrede, liefde, aanvaarding en gedoging. De leegheid van de volwassene uit zich in vrees, bezorgdheid, vooroordeel en vechtlust. Verlichting kan worden gezien als een herinnering aan het feit dat in het hart van een kind zuiverheid ligt, en die pure goddelijke liefde en aanvaarding geeft ons de vrijbrief naar het koninkrijk der hemelen. Maak het in je leven tot doel om bij alles wat je doet meer als een kind te zijn.

Wat we in genieën vinden, is te vergelijken met de weetgierigheid van een kind. Genieën en kinderen zijn bereid om zonder een enkele gedachte aan mislukking of angst voor kritiek op onderzoek uit te gaan. Ik geloof dat het belangrijkste woord in deze zinsnede van Jezus 'wordt' is. We krijgen te horen dat we iets moeten worden wat volmaakt, vriendelijk, liefhebbend en bovenal eeuwig is. Het zetelt in ieder van ons, en het kan niet ouder worden of sterven. Wij moeten als die zachtmoedige, stille getuige worden. Die naïeve mysticus vol verbeeldingskracht, die van nature bezield is, dat is het kind dat wij willen worden. Wanneer we dat doen, worden we 'als de kinderen' en doen daarbij afstand van 'kinderlijke' volwassen manieren, want dat zijn de manieren die ons verhinderen het eeuwige koninkrijk der hemelen binnen te gaan.

Dat koninkrijk staat niet alleen in de hemel maar ook hier op aarde tot jouw beschikking. Het enige wat jij hoeft te doen, is die stap te maken. Daarvoor moet je het volgende doen.

- Breng zoveel mogelijk tijd door met het gadeslaan van kleine kinderen. Probeer je ondertussen het kind in jezelf voor ogen te halen dat graag met hen zou willen meespelen. De oude denker Heraclitus zei eens: 'De mens is vrijwel zichzelf wanneer hij de ernst van een spelend kind benadert.' Wees op je weg naar het koninkrijk der hemelen meer als een kind: speels, liefhebbend en weetgierig.

- Wanneer je merkt dat je je ernstig en saai gedraagt, herinner je dan de onzichtbare waarnemer vanbinnen die je sombere kant ziet. Is die waarnemer ook zo stug? Je zult al snel inzien dat je kinderlijke getuige absoluut niet kan lijken op wat hij waarneemt. Beloof dan plechtig dat je meteen de stap zult maken.

• Neem het besluit dat 'ik nooit mijn lichaam door een ouder persoon zal laten bewonen'. Je lichaam mag dan inderdaad door een ouder wordend wezen zijn geleend, maar die eeuwige, onzichtbare waarnemer die het allemaal ziet, zal, als je je die houding hebt eigen gemaakt, onschuldig als een kind blijven, en klaar zijn om op de aangegeven tijd het koninkrijk der hemelen binnen te gaan.

✳ DE GODHEID ✳

Jij bent als persoon een onmiskenbaar deel van de essentie van God. Waarom weet je dan niets van je verheven geboorte? Waarom denk je niet aan waar je vandaan kwam? Waarom herinner je je onder het eten niet wie de persoon is die eet; en wie wordt gevoed; weet je niet dat je het goddelijke voedt; dat je het goddelijke gebruikt? Je draagt een God met je mee.

> De mens raakt niet verontrust door dingen
>   die gebeuren
> maar door zijn beoordeling van de dingen die
>   gebeuren.

EPICTETUS (55-135)

Epictetus, een geëmancipeerd slaaf, was een Grieks stoïcijns filosoof. Zijn geschriften zijn verloren gegaan, maar zijn leerling Arrian heeft zijn essentiële stellingen in een handboek verzameld.

*T*oen ik langgeleden een opleiding volgde in psychotherapie, was Epictetus wat mij betrof een bron van inspiratie. Bij het bestuderen van de invloed van de geest op onze emoties en ons gedrag kwam zijn naam herhaaldelijk bovendrijven, en in de literatuur over rationele emotieve therapie werd er voortdurend naar hem verwezen. Ik ben nog steeds diep onder de indruk van de wijsheid van deze man, die in de eerste eeuw na de kruisiging als slaaf werd geboren, in het jaar 90 als slaaf bevrijd werd, en uit Rome werd verdreven door een tirannieke keizer wiens dictatoriale bestuur door Epictetus werd bekritiseerd. Jaren later verdiepte ik me in de eerste werken van deze stoïcijnse filosoof, las zijn *Voordrachten* en kwam meer over zijn filosofie aan de weet.

De twee citaten die ik hier heb aangehaald, geven een waardevolle spirituele en filosofische visie weer. Ze zijn bijna tweeduizend jaar oud. Ik heb ze in dit boek opgenomen omdat ik geloof dat ze jouw leven net zo kunnen verrijken als bij mij het geval was.

In het langste citaat, dat begint met 'Jij bent als persoon een onmiskenbaar deel van de essentie van God', herinnert Epictetus ons eraan dat we dikwijls vergeten dat we als 'deel van God' die goddelijke vonk bevatten. Deze formidabele gedachte is moeilijk te bevatten, maar toch houdt Epictetus met zijn achtergrond als slaaf vol dat het gewoon de waarheid is. Probeer jij je eens ten volle bewust te worden van het feit dat je God vanbinnen met je meedraagt.

Als God overal is, dan is er geen plek waar God niet is. En dat slaat ook op jou. Wanneer je dat eenmaal kunt begrijpen, krijg je weer macht over je eigen bron. Niet langer zie je jezelf als afgescheiden van de wonderbare macht van God, nee, je eist je eigen goddelijkheid op en eist alle kracht op die God is. Wanneer je aan het eten bent, dan ben je God aan het voeden en laven. Wanneer je slaapt, adem je God in en laat je God rusten. Wanneer je bezig bent, doe je dat door middel van God en tegelijkertijd geef je God weer kracht. Dat mag redelijk klinken nu je deze woorden leest, maar je bent waarschijnlijk zoals zo velen niet met dat idee opgevoed. Een wat populairder beeld is het volgende: God, in de gestalte van een man met een witte baard op een troon, die als een gigantische automaat in de lucht zweeft. Er worden munten in gegooid in de vorm van gebeden, en soms geeft God er iets voor terug, soms ook niet. Dit is de God zoals we hem zien, afgescheiden en ver verwijderd van onszelf. Epictetus oppert dat we van dit concept van 'het universum als monarchie' overstappen op het begrijpen dat je een voornaam stuk werk van God bent, een deel van God zelf.

De avatar Sai Baba, een tijdgenoot die in India woont, weet wat het is om een goddelijke vonk van God te zijn, waarvan hij deel uitmaakt en die deel uitmaakt van hemzelf, en brengt het ook in praktijk. In het openbaar demonstreert hij op vele manieren zijn goddelijkheid. Een daarvan is het goddelijke vermogen om vis en brood op te roepen. Toen een westers journalist Sai Baba vroeg: 'Bent u God?' antwoordde hij vriendelijk: 'Ja, dat ben ik, net als u. Het enige verschil tussen u en mij is dat ik het wéét, en u niet.' Wanneer men weet dat men een goddelijke manifestatie van God is, heeft men bewust contact gemaakt met God en zal men zichzelf en anderen als een uiting van het goddelijke gaan behandelen. Dit is wat Epictetus ons uit het Rome en Griekenland van tweeduizend jaar geleden vertelt. Vertrouw op je goddelijke aard, betwist nooit de adeldom van je ware ik, en behandel jezelf met dezelfde eerbied als waarmee je God behandelt.

De tweede opmerking van Epictetus is misschien wel het belangrijkste wat ik ooit te horen heb gekregen, hoe simpel zijn woorden ook klinken. De onrust in ons leven komt voort uit de manier waarop wij tegen bepaalde zaken aan kijken, niet uit die zaken zelf. Wat is het een geweldige bevrijding om te weten dat niemand ons van streek kan maken, dat niets buiten onszelf ons een ellendig gevoel kan bezorgen, dat we, door zelf te beslissen hoe we bepaalde zaken, gebeurtenissen en andere mensen en hun meningen tegemoettreden, het zelf in de hand hebben hoe we ons voelen.

Langgeleden, toen ik nog schoolconsulent was, maakte ik vaak gebruik van de wijsheid van zijn woorden. Wanneer een leerling van streek was geraakt door wat iemand anders had gezegd of gedaan, vroeg ik: 'Veronderstel eens dat je niet wist wat ze over je hadden gezegd, zou je dan nog van streek zijn?' De leerling zei dan iets in de trant van: 'Natuurlijk niet. Hoe zou ik nu van streek kunnen zijn om iets wat ik niet weet?' Daarop antwoordde ik zacht: 'Het gaat dus niet om wat ze zeiden of deden. Toen dat gebeurde, raakte je er helemaal niet door van streek. Pas toen je het te horen kreeg, reageerde je met erdoor van streek te raken.' Het besef dat niemand ons zonder onze toestemming van streek kan maken, drong langzaamaan tot de leerling door.

Deze twee juweeltjes van Epictetus hebben mijn leven en schrijven beïnvloed, en ik vind het heerlijk om me elke dag voor ogen te houden dat ze zo waardevol voor mij zijn gebleken. De spirituele visies van Epictetus zijn verwoord in dit oude Sanskritische gezegde: 'God slaapt in de mineralen, ontwaakt in de planten, loopt in de dieren, en denkt in jou.' Met andere woorden, er is geen plek waar God niet slaapt, waakt of rondloopt. God is de universele bron van alle leven, meer een tegenwoordigheid dan een persoon, en deze aanwezigheid denkt in jou.

En hoe moet je nu denken? Gebruik deze aanwezigheid van God om tot je te laten doordringen hoe enorm je denkvermogen is. Het

gaat er niet om hoe ongemakkelijk of van streek je je voelt door bepaalde zaken, gebeurtenissen, omstandigheden en meningen van
anderen, het gaat erom hoe je de God binnenin gebruikt, je onzichtbare bron, om die uitersten te behandelen die je geluk bepalen, en verder niets! Besef dat God in je is, met je, achter je, voor je
en rondom je, en dat Zijn aanwezigheid overal kan worden gevoeld, vooral in je beoordeling van de dingen die met jou gebeuren. Om deze twee oude en toch heel moderne opmerkingen voor
je te laten werken, moet je met het volgende beginnen:

- Bedenk dagelijks dat je een goddelijk schepsel bent en er recht
op hebt door anderen, en ook door jezelf, met liefde te worden
behandeld. Wanneer je kunt inzien dat je met God verbonden
bent, in plaats van te zijn gescheiden, zul je meer eerbied voor
jezelf hebben.

- Beoefen vaste rituelen om de aanwezigheid van God in jou en in
alles wat je doet, te bevestigen. Zegen je voedsel en spreek er
een dankwoord voor uit, en houd daarbij in gedachten dat je
het goddelijke voedt. En haal bij lichamelijke activiteiten de
energie van God in al je cellen voor ogen.

- Spreek je dank uit voor alles wat je ontvangt, ook voor de regen,
de lucht, de zon en de stormen, voor alles wat zich maar voordoet. Dankbaarheid is ook een manier om God in alle dingen te
herkennen.

- Neem volledig afstand van de neiging om uiterlijke omstandigheden de schuld te geven van je tegenspoed. Wanneer je van
streek bent, vraag je dan af hoe je je mening over deze dingen
kunt veranderen om zo je onrust kwijt te raken. En blijf dat net
zolang doen totdat het verwijtende gevoel totaal is verdwenen.
Dat kan heel gemakkelijk bereikt worden, mits je bereid bent
om dat gevoel van verwijt achter je te laten en over te gaan op
het beeld van God zoals Epictetus ons twee millennia geleden al
aanraadde.

❋ VERLICHTING ❋

Voor de verlichting:
houthakken
water dragen.

Na de verlichting:
houthakken
water dragen.

Het zenboeddhisme, gesticht in het China van de zesde eeuw en tegen de twaalfde eeuw wijdverbreid in Japan, legt de nadruk op het verkrijgen van verlichting op de meest directe manier.

*B*ij het bestuderen van de symptomen van de hogere bewustzijns-niveaus, wat meestal wordt omschreven als verlicht zijn, is dit eenvoudige zenspreekwoord altijd een grote bron van vreugde voor mij. Wanneer we nadenken over het ongrijpbare iets wat we verlichting noemen, hebben we het meestal over een staat van bewustzijn die we op een zeker moment zullen bereiken als we het juiste spirituele gedrag aannemen en ijverig ons best doen om verlicht te worden. De verwachting daarbij is dat wanneer we eenmaal ten volle ontwaakt zijn, al onze problemen zullen verdwijnen en we een puur gelukzalig leven zullen leiden.

Maar de boodschap die dit beroemde gezegde uitdraagt, is dat verlichting niet een verworvenheid is, maar een vervulling. Heb je eenmaal deze vervulling bereikt, dan lijkt alles te zijn veranderd, hoewel er in feite niets is veranderd. Het is alsof je met gesloten ogen door het leven bent gegaan en ze nu ineens hebt geopend. Nu kun je zien, maar de wereld is niet anders geworden; je bekijkt hem gewoon met nieuwe ogen. Dit gezegde over houthakken en water dragen zegt mij dat verlichting niet begint in een lotushouding in een grot hoog boven in het Himalayagebergte. Dat het niet iets is wat je door een goeroe of een boek of een cursus krijgt aangereikt. Verlichting is de wijze waarop je je instelt tegenover alles wat je doet.

Voor mij betekent de staat van verlichting in de eerste plaats het ten allen tijde ondergedompeld en omringd zijn door vrede. Als ik bezorgd ben, of overspannen, angstig of nerveus, dan verwerkelijk ik op dat moment niet mijn volle potentieel om me op te heffen naar verlichting. Ik geloof dat het feit dat je je bewust wordt van die onvredige momenten ook een manier is om verlicht te worden. Ik heb horen zeggen dat het verschil tussen een verlicht persoon en een onwetende is dat de ene zich realiseert dat hij onwetend is, terwijl de ander zich niet van zijn onwetendheid bewust is.

Ik heb de laatste jaren een dieper gevoel van innerlijke vreugde en verlichting beleefd, en toch hak ik nog steeds hout en draag ik water aan zoals ik deed toen ik nog een tiener was. Elke dag doe ik nog steeds het werk waarmee de rekeningen worden betaald, ook al is dat werk veranderd. Elke dag doe ik oefeningen om gezond te blijven, eet ik verstandig, poets ik mijn tanden en veeg ik mijn achterste af. De afgelopen dertig jaar, vanaf dat mijn eerste kind werd geboren, tot op heden, nu er nog zeven zijn bij gekomen om groot te brengen, heb ik in feite dezelfde zorgen gehouden: hoe moet ik hen beschermen, voeden, adviseren en behandelen? Als gezinslid ben ik bezorgd om hun leven, en blijf ik houthakken en water dragen. Verlichting is niet een manier om de dagelijkse levenstaken kwijt te raken. Wat doet een verlichte kijk op het leven dan wél voor je, nu blijkt dat de dagelijkse taken er niet door verdwijnen, en dat het je niet een beschouwend, zorgenvrij leven bezorgt?

In het algemeen zal verlichting de buitenwereld niet veranderen, maar zul jij veranderen ten aanzien van het verwerken van die wereld. Bijvoorbeeld: als vader bekijk ik mijn kinderen zonder hen als mijn bezit, als mijn aanhangsel te zien. Vroeger kon hun gedrag mijn hele emotionele leven beheersen. Nu zie ik de woedeaanval van mijn achtjarige als haar manier om op dat moment de aandacht te trekken. Ik voel me niet genoodzaakt om mee te doen met haar emotioneel onvolwassen gedrag. Het valt me ook op dat al mijn kinderen wel varen bij die wat afstandelijker houding.

Wanneer ik het heb over afstandelijkheid, bedoel ik beslist niet onverschilligheid. Het is het weten dat ik, wanneer ik maar wil, de macht heb om voor vrede voor mijzelf te kiezen, maar dat zich tegelijkertijd dag in dag uit dezelfde problemen, werkzaamheden en gebeurtenissen zullen voordoen. Zolang ik in mijn fysieke lichaam verblijf, zal ik het een en ander te hakken en te dragen hebben. Maar de manier waarop dat benaderd wordt, brengt verlichting tot stand. Ik kan me nog de ontzetting herinneren die ik wel eens heb ervaren als ik een verschrikkelijk vieze luier moest verschonen, of als ik, de hemel verhoede, de vloer moest schoonmaken nadat een van de kinderen die had ondergebraakt. Dan zei ik: 'Dat kan ik gewoon niet, ik word er misselijk van', en dan ging ik het gewoon uit de weg, en als dat niet mogelijk was, dan reageerde ik letterlijk op de stank door zelf misselijk te worden. Het is verbijsterend hoe zo'n houding je lichamelijke reacties kan beïnvloeden, en tegelijkertijd de lastige kanten van het ouderschap kan veronaangenamen.

Tegenwoordig benader ik een vieze luier of een smerige hoop braaksel op een totaal andere wijze. Het meest verbazingwekkend is nog wel dat ik niet langer dezelfde lichamelijke reacties heb als vroeger, enkel en alleen omdat ik mijn ideeën heb omgevormd. De luiers zijn er voor en na de verlichting, net als de kots. Maar in de post-verlichtingperioden kun je op een afstandelijker manier de zaak klaren, en dat geeft een gevoel van vrede. Ik ben dol op de zin uit *A Course in Miracles* die dat bevestigt: 'Ik kan voor vrede kiezen in plaats van voor dit!' Voor mij somt die ene zin alles op wat verlichting betekent: in staat zijn voor vrede te kiezen terwijl je aan het water dragen, houthakken, schoonmaken, baren, timmeren of wat dan ook bent. En die lijst kan met duizenden dingen worden uitgebreid.

Verlichting is niet iets wat je vrij zal maken. Nee, het is eerder zo dat je zelf de vrijheid wordt. Je wordt geen adelaar in de lucht, je wordt de lucht zelf. Je laat je lichaam niet langer de grenzen bepalen; het universum zelf wordt je lichaam. Je bent op een intens spirituele manier verbonden met alles wat je ziet en doet. Je begint al je taken, zelfs de meest wereldse, te zien als een gelegenheid om God te leren kennen. Je brengt vrede in alles, omdat je in je eigen geest alles en iedereen bent. Je bent niet bezig met het plakken van etiketjes op de bloemen en de bomen, je bent er meer op uit om ze te ervaren.

Dit simpele zengezegde, dat de zoekers naar verlichting elkaar al eeuwenlang aan elkaar hebben doorgegeven, is een groot geschenk. Je hoeft vanbinnen of vanbuiten nooit te veranderen wat je ziet, je hoeft uitsluitend de manier waarop je het ziet te wijzigen. Dat is verlichting!
Om dit eenvoudige zengezegde zijn werk te laten doen in je leven, volgen hier een paar net zo eenvoudige tactieken.

- Zorg dat je je bewust wordt van de 'onwetendheid' zoals die zichzelf steeds weer zal openbaren wanneer je vergeet om in vrede te leven. Let op wie je de schuld gaf voor de keren dat je je wanhopig voelde, wat er de oorzaak van was, en hoe vaak je in die val bent gelopen. Het herkennen van de momenten waarop je niet verlicht bent, is het begin van de ommekeer. Denk eraan dat zij die onwetend zijn, zich meestal niet bewust zijn van hun onwetendheid. Word bewust.

- Zie verlichting niet langer als iets wat je ergens in de toekomst pas zult bereiken als je levensomstandigheden ten goede zijn gekeerd. Je zult altijd iets te hakken en te dragen houden. Aan jou de keus hoe je dat wilt opvatten.

- Train jezelf erop dat je bepaalde veranderingen aanbrengt in het benaderen van dingen die je van de vrede weghouden. Als je bijvoorbeeld merkt dat je uitzonderlijk geïrriteerd raakt door druk verkeer of files, gebruik deze dagelijks voorkomende omstandigheden van het moderne leven dan om je innerlijke wereld te verplaatsen. Houd vanbinnen een plekje vrij waar verlichting kan optreden bij die gelegenheden waarin je normaal gesproken geërgerd zult zijn.

- En tot slot: maak nooit opmerkingen over verlicht zijn. De mens die tegen jou zegt: 'Ik ben verlicht', is dat beslist niet. Geef er de voorkeur aan om niet over verlichting te spreken. Er is een zenleer die zegt dat je pas antwoord dient te geven als een oprechte zoeker je er meer dan drie keer naar heeft gevraagd. De wijzen zwijgen over hun eigen niveau van godsverwerkelijking.

❋ HET NU ❋

Uit *De Rubaiyat* van Omar Khayyám

De onvermurwbare hand schreef, schrijft, schrijft
   voort,
door vroomheid noch door wetenschap gestoord,
niets werd er ooit door tranen uitgewist,
geen regel nam hij ooit terug, geen woord.

OMAR KHAYYÁM (1048?-1122)

*Omar Khayyam was een geleerde en astronoom die in Iran
leefde. Zijn poëzie weerspiegelt zijn gedachten over de god-
heid, goed en kwaad, de ziel, de materie en het lot.*

*E*r zijn bijna duizend jaar verstreken sinds de geboorte van Omar
Khayyám, 's werelds beroemdste tentenmaker, dichter en astronoom, en een briljant filosofisch verhalenverteller. Dit ene kwatrijn
uit *De Rubaiyat* bevat een les die na het verstrijken van een millen-
nium nog niets aan kracht heeft ingeboet. Deze beroemde woorden
bevatten een subtiele waarheid die velen ontgaat.
Een van de manieren om de wijsheid van dit kwatrijn te doorgron-
den, is je voor te stellen dat je lichaam een speedboat is die met
veertig knopen per uur het water doorklieft. Je staat op de achter-
plecht van die boot en kijkt omlaag naar het water. Wat je in deze
ingebeelde voorstelling te zien zou krijgen, is het kielzog. Ik ga je
nu vragen om over de volgende drie vragen te filosoferen:
Vraag 1: wat precies is het kielzog? Je zult vermoedelijk tot de conclusie komen dat het kielzog het spoor is dat wordt achtergelaten,
en verder niets.
Vraag 2: wat stuwt de boot voort? (Jij bent die boot die door jouw
leven 'vaart'.) Het antwoord luidt: de energie van dit moment, die
door de motor wordt geleverd en door niets anders, is ervoor ver-

antwoordelijk dat de boot vooruitgaat. En in het geval van je lichaam: door de huidige gedachten die je lichaam voorwaarts stuwen, en verder niets!

Vraag 3: zou het kunnen dat het kielzog de boot aandrijft? Het antwoord is wel duidelijk. Een spoor dat wordt achtergelaten, kan nooit maken dat een boot vooruitgaat. Het is gewoon een spoor, en verder niets. 'De onvermurwbare hand schreef, schrijft, schrijft voort...'

Een van de grootste illusies in het leven is het geloof dat het verleden verantwoordelijk is voor onze huidige omstandigheden. We hanteren dikwijls die redenering als verklaring voor het feit dat we in een bepaalde sleur zijn blijven zitten. We houden vol dat het te wijten is aan alle problemen die we in onze jeugd hebben gehad. We worden er een mee en blijven die ongelukkige ervaringen de schuld geven van de slechte omstandigheden waarin we nu zitten. Dat, blijven we beweren, zijn de redenen waarom we niet vooruit kunnen komen. Met andere woorden: we leven in de illusie dat ons kielzog ons leven aandrijft.

Denk eens aan die keer dat je je had verwond, een snee in de hand bijvoorbeeld. Je lichaam neemt meteen de zaak over en begint direct de wond te sluiten. Hij moet natuurlijk worden schoongemaakt om goed te kunnen genezen, en dat geldt ook voor geestelijke wonden. Het genezen verloopt tamelijk snel, omdat het lichaam zegt: 'Sluit alle wonden, dan zul je helen.' Maar wanneer het lichaam zegt: 'Sluit alle wonden van het verleden', dan negeer je dat. In plaats daarvan vorm je een verbond met die wonden, leef je in je herinneringen en gebruik je die rimpelingen uit het verleden om de illusie in stand te kunnen houden dat dit de bron van je vastgeroestheid is, of van het feit dat je niet vooruitkomt.

De bewegende vinger waarover Omar Khayyám het heeft, is je lichaam. Wanneer het schrijft, is het voltooid, en het geschrevene kun je absoluut niet meer uitwissen. Geen van je tranen zal ook maar een woord wissen van wat je hebt geschreven. Geen enkele mate van vernuft, gebed of godvruchtigheid kan ook maar één druppel van je kielzog veranderen. Het is een spoor dat je achter je hebt gelaten. Hoewel je met een terugblik op dat spoor je voordeel kunt doen, moet je vanbinnen leren begrijpen dat alleen de wijze waarop je nu dat kielzog benadert, verantwoordelijk is voor je leven van dit moment.

Al vele keren is gezegd dat de omstandigheden niet de persoon maken, maar dat ze hem aan het daglicht brengen. De neiging om onze huidige tekortkomingen aan het verleden te wijten, is heel verleidelijk. Dat is de gemakkelijkste manier, want dat geeft ons het excuus om geen risico's te hoeven aanvaarden die het zelf besturen van de boot met zich meebrengt. Iedereen, en ik zeg nadrukkelijk iederéén, vindt in zijn verleden wel toestanden of ervaringen die kunnen worden aangegrepen als excuus voor nietsdoen. Het kielzog van ons leven is overdekt met het afval van ons verleden. Ouderlijk tekortschieten, verslavingen, fobieën, opgave, disfunctioneren van gezinsleden, gemiste kansen, tegenslag, slechte economische omstandigheden, en zelfs geboortevolgorde staren ons in het kielzog van ons leven vanuit het water aan. Toch heeft de bewegende vinger het levensverhaal geschreven en kan het door niets ongedaan worden gemaakt.

Vanuit een ander oord, een andere tijd en een andere taal wijst Omar Khayyam ons op het onweerlegbare feit dat het verleden voorbij is, en dat niet alleen, maar ook dat het niet teruggeroepen of teruggedraaid kan worden. Bovendien is het een illusie om te geloven dat het verleden verantwoordelijk is voor wat nu, op dit moment, in je leven goed of verkeerd gaat. Die hemel is nog steeds verbonden met jouw hart en kan alles schrijven wat hij maar wil, onverschillig wat hij gisteren heeft geschreven. Doe je ogen open, kom uit dat kielzog, en luister naar de wijsheid van Omar de tentenmaker!

De elementaire lessen uit dit kwatrijn zijn onder meer:

• Leef nu. Gebruik niet langer het verleden om je huidige levensomstandigheden te verklaren en te verontschuldigen. Jij bent het product van de keuzen die je nu, op dit moment maakt, en als je naar deze logica luistert, kan niets uit je kielzog je nu nog raken.

• Verwijder elke vorm van verwijt uit je woordgebruik. Berisp jezelf wanneer je merkt dat je je verleden gebruikt als reden voor mislukkingen van nu, en zeg in plaats daarvan: 'Ik heb de vrijheid om mezelf los te maken van alles wat is geweest.'

- Laat de tranen gaan die als symbool hebben gediend voor je verbondenheid met het verleden. Het verdriet en zelfmedelijden zullen zelfs geen fractie van je verleden uitwissen. Houd dat verwonde deel van jezelf vriendelijk voor ogen dat het verleden tijd is, en dat het nu om het heden gaat. Trek lering uit die lessen. Zie ze als grote leermeesters, wees er dankbaar voor, en hol dan spoorslags terug naar de werkplaats van je leven, naar het héden! Er is een verleden, maar niet nu. Er is een toekomst, maar niet nu. Pak die simpele waarheid van duizend jaar geleden en schrijf er je leven mee!

✤ GEBED ✤

Heer, maak mij tot een werktuig van uw vrede.
Waar haat het hart verscheurt, wil ik liefde
    brengen;
Waar beledigingen worden geplaatst, wil ik
    vergeving schenken;
Waar verdeeldheid mensen van elkaar ver-
    vreemdt, wil ik eenheid stichten;
Waar twijfel knaagt, wil ik geloof brengen;
Waar dwaling heerst, wil ik waarheid uitdragen;
Waar wanhoop tot vertwijfeling voert, wil ik
    hoop doen herleven;
Waar droefenis neerslachtig maakt, wil ik vreugde
    brengen;
Waar duisternis het zicht beneemt, wil ik licht
    ontsteken.
Maak dat wij niet zozeer zoeken
om getroost te worden, als wel om te troosten;
om begrepen te worden als wel om te begrijpen;
om bemind te worden als wel om te beminnen.
Want wij ontvangen door te geven;
wij vinden door onszelf te verliezen;
wij krijgen vergeving door vergeving te schenken;
en wij worden tot eeuwig leven geboren door te
    sterven.
Amen

ST. FRANCISCUS VAN ASSISI (1182-1226)

*St. Franciscus, de Italiaanse grondlegger van de franciscaner
orde van monniken, benaderde de religie met vreugde en een
liefdevol karakter, en riep alle levende wezens op zijn broeders en zusters te zijn.*

*D*it eenvoudige gebed is een van de beroemdste gebeden van alle tijden, dat nimmer zijn kracht verliest. Het diepe verlangen in alle mensen om het spirituele wezen te zijn dat binnen in onze uiterlijke vorm woont, komt erin tot uiting. In de woorden van dit gebed beschrijft St. Franciscus het elementaire ingrediënt van ons hoogste ik. Ik vind het heerlijk om dit gebed in gedachten te reciteren, en soms zeg ik het ook wel eens hardop op.

Ik geloof dat men meteen contact maakt met St. Franciscus door het hardop uitspreken van dit gebed, dat door een van de meest door God geïnspireerde mensen is geschreven die ooit voet op deze aardbodem hebben gezet. Dezelfde onzichtbare goddelijke kracht die in de twaalfde en dertiende eeuw door deze man stroomde, stroomt ook door jou en mij. Als je een band voelt met de man die dit gebed schreef, zou je misschien ook zijn biografieën moeten lezen en de film *Brother Sun, Sister Moon* gaan zien. Zijn leven is zo'n inspiratie voor mij geweest dat ik, zoals ik elders in dit boek schrijf, Assisi heb bezocht en door dezelfde bossen heb gewandeld en in dezelfde kapel heb gebeden waar hij zoveel van zijn erkende wonderen heeft verricht.

Uit dit gebed, dat al zo lang bestaat, spreekt de pure betekenis van het gebed. Voor velen is bidden niets anders dan God smeken om bepaalde gunsten. St. Teresa van Avila spreekt op een heel andere wijze over het gebed. Zij draagt ons op: 'Richt al je gebeden op slechts één ding, en dat is om je wil aan de Goddelijke wil te onderwerpen.' Dit is precies waarin het al zo lang bestaande gebed van St. Franciscus voorziet. Dit gebed brengt de wens tot uitdrukking om de spreekbuis te zijn voor Gods wensen, en is niet een verzoek om bepaalde gunsten aan een wezen buiten onszelf. Voor de meesten onder ons is dat een radicale ommekeer, en het is een eerste stap op weg naar spirituele verlichting.

Om de kracht te vragen liefde te zaaien waar haat is, hoop waar wanhoop is, en licht waar duisternis is, is vragen om bevrijd te worden van de onbenulligheden en vooroordelen die ons gevangenhouden. Het is de smeekbede om zelf als uitstraling te mogen dienen voor de machtige liefde die we aan de Schepper toeschrijven en die een deel van ons wezen is. Nog onlangs zag ik kans om dat zelf te mogen doen.

Ik had bij het tennissen een dubbel met drie andere mannen gespeeld. Een van de mannen die aan de verliezende hand waren, werd tijdens het verloop van de wedstrijd steeds vervelender. Keer op keer vloekte hij en smeet hij zijn racket op de grond. Toen het was afgelopen, rende hij de baan af zonder ons een hand te geven. Terwijl de overgebleven drie, onder wie ook ik, de baan af liepen, hoorde ik hoe mijn twee medespelers het gedrag en de houding van de inmiddels verdwenen man veroordeelden. De verleiding om mee te doen en te zeggen dat hij een echte hufter was, was zo groot dat die bijna de woorden overspoelde: 'Waar wanhoop tot vertwijfeling voert, wil ik hoop doen herleven; ... waar droefenis neerslachtig maakt, wil ik vreugde brengen...' Die woorden zijn een deel van me geworden, omdat ik vaak het gebed opzeg.

Toen we de baan af waren, zagen we de boze, gekwetste man. Ik ging naar hem toe, sloeg mijn armen om hem heen en zei simpelweg: 'We hebben allemaal onze slechte momenten.' Het waren absoluut geen woorden waarmee ik me boven hem wilde stellen. De woorden van een simpele man Gods, die meer dan achthonderd jaar geleden en op een ander continent leefde, spraken die dag op de tennisbaan voor en door me.

Wanneer we eenmaal weten dat we nooit alleen zijn, veranderen we onze manier van bidden, en bidden we tegen dat waarmee we allang verbonden zijn: het hoogste, heiligste aspect van ons eigen wezen. Als God overal is, dan is er geen plek waar God niet is, dus ook niet binnen in ons. Gewapend met dat bewustzijn kunnen we bidden en om niets anders vragen dan onze eigen morele kracht. In plaats van te vragen om een schuilplaats tegen gevaar, vragen we om de kracht om zonder vrees te zijn. In plaats van te vragen om de pijn weg te nemen, proberen we de kracht te vinden om erbovenuit te stijgen. We gaan er niet langer van uit dat we weten wat we nodig hebben en wat ons op dit specifieke ogenblik zal helpen. Toch weten we uit ervaring dat veel van wat we nooit zouden hebben gevraagd, het heilzaamst bleek te zijn. Zoals William Shakespeare eens zei: 'Wij onwetenden smeken vaak ons eigen onheil af, dat de wijze machten ons voor ons eigen bestwil onthouden.'

Dit gebed van St. Franciscus is een manier om dagelijks te trachten troostend, begrijpend, vergevingsgezind en gul te zijn. Ieder van ons heeft dat in zich, en het wordt ook regelmatig van ons gevraagd. Maar, méestal vragen we van anderen, ook van dat wezen waarvan we menen dat het buiten ons is en dat we God noemen, om óns te troosten, óns te begrijpen, óns te vergeven, en voor óns te zorgen.

Door het hardop uitspreken van dit simpele gebed groeien we geestelijk. We laten het ego achter ons en geven ons heilige ik de kans om de overheersende kracht in ons leven te worden. Die heel intieme, bijna universele bewustwording of uitoefening van het gebed blijkt ongelooflijk belangrijk te zijn bij het veranderen van ons leven, wanneer we bij het gebed de nadruk leggen op een soort eenwording met het oneindige, en daarbij om de kracht en de moed vragen om ons dagelijks leven volgens de principes van St. Franciscus te leiden.

Een van mijn favoriete verhalen is dat van de leermeester die tegen een spiritueel gevorderde jonge avatar zei: 'Ik zal je een sinaasappel geven als je me kunt vertellen waar God is!' De jongeman antwoordde: 'Ik zal u twee sinaasappels geven als u me kunt vertellen waar God niet is!' De moraal: God is overal. Wanneer je tot God bidt, bid je tot een stille en machtige eeuwige aanwezigheid die deel van jezelf uitmaakt. Communiceer met deze aanwezigheid en laat de idee varen dat je gescheiden bent. Spreek dan de goddelijke woorden van St. Franciscus uit en probeer ze dagelijks bij zoveel mogelijk gelegenheden in praktijk te brengen. Ralph Waldo Emerson schreef enkele woorden over het onderwerp gebed. Ik zal dit essay met zijn visie besluiten:

'Gebed omwille van het eigenbelang is diefstal en zinloos. Dat suggereert dualisme in het karakter en het bewustzijn. Zodra de mens een is met God, zal hij niet smeken. Dan zal hij in al zijn doen en laten een gebed zien.'

Ik stel je voor naar de woorden van St. Franciscus te leven door de volgende gedachten in je dagelijkse leven op te nemen:

- Maak het tot een dagelijkse gewoonte om voor jezelf de woorden van zijn gebed op te zeggen. Door alleen al het uitspreken van de woorden zul je merken dat je er de hele dag naar gaat handelen.

- Als je met iemand in conflict raakt, of het nu met een gezinslid is of met een vreemde, vraag jezelf dan, voordat je reageert, af:

wil ik dit gaan zeggen om te voldoen aan mijn behoefte om gelijk te hebben, of aan mijn wens om vriendelijk te zijn? Kies dan het antwoord dat uit vriendelijkheid voortkomt, hoezeer je ego er ook tegen in opstand komt.

• Doe je best om liefde te doen uitgaan waar je eerst haat uitstraalde, vooral bij het lezen van kranten en het bekijken van het nieuws op tv. Door liefde te zaaien in het aangezicht van de haat, hoe moeilijk het ook mag lijken, zul je gaan deelnemen in het uitroeien van de haat in onze wereld. Daarvoor wordt van jou grote waakzaamheid verwacht omdat je bent grootgebracht met het oog-om-oogprincipe.

• Sla een blik in je hart en wees eerlijk over alle mensen in je verleden die je op de een of andere manier hebben gekwetst. Waar pijn is, laat er vergeving voor in de plaats komen. Vergeven is de absolute basis waarop het spirituele ontwaken rust, en dat is waarover St. Franciscus in zijn goddelijk gebed spreekt.

❊ ROUW ALS ZEGEN ❊

> Ik zag rouw een kopje verdriet drinken en riep
> hardop: 'Het smaakt zoet, hè?' 'Jij hebt me
> betrapt,' antwoordde de rouw, 'en je hebt mijn
> zaken verpest, wat hoe kan ik nu verdriet
> verkopen als je weet dat het een zegen is?'
>
> JALALUDDIN RUMI (1207-1273)

Jalaluddin Rumi, een mystiek dichter en soefiheilige uit Per-
zië, schrijft over de pure liefde die we, voorbij het ego, in de
goddelijke hunkering van de ziel en de verrukking van de een-
heid met God, kunnen verwerven.

*O,*wat vinden we het heerlijk om te rouwen. We lezen zelfs boeken over het belang van het rouwen op weg naar het herstel, en we
gaan daarbij zelfs zover dat we rouw aanmerken als een noodzake-
lijke fase van verdriet die we moeten doormaken om ons verlies te
overkomen en ons gezond verstand terug te krijgen. Maar Jalaluddin Rumi, een dertiende-eeuws mystiek dichter, die zijn werk op
schrift zette in het gebied dat tegenwoordig als Afghanistan bekendstaat, stuurt ons een boodschap vanuit de Middeleeuwen. Hij
oppert dat rouw een zegen is in plaats van iets wat we als een
noodzakelijk kwaad op weg naar herstel moeten ondergaan. Er is
echter helemaal niets treurigs aan, integendeel, het is een kans om
de zoete nectar te drinken die in de donkere momenten van ons leven voorhanden is.
Voor de meesten onder ons is rouwen de manier waarmee we op
een verlies of een tragische gebeurtenis reageren, en het lijkt een
heel normale reactie op de pijn in ons leven. Maar als we de wijsheid van Rumi's woorden zouden begrijpen, zouden we misschien
in staat zijn om regelrecht naar het hart van dat rouwproces te gaan
en ons verdriet om te zetten in iets wat zoet smaakt.

Een van de belangrijkste lessen heb ik geleerd bij het bestuderen van de *Kabbala*, een mystiek joods boek dat, net als de lessen van Rumi, al eeuwenoud is. 'De inzinkingen in ons leven voorzien ons van de energie om ons omhoog te stuwen naar een hoger niveau.' Ik heb die oude wijsheid keer op keer herlezen. Ik liet die woorden als verzachtende balsem op de felle smart van de pijnlijke momenten in mijn leven inwerken, en begon ze in tijden van verdriet en rouw in mijn leven in te lijven. Ik ontdekte de waarheid van deze gedachte: elke inzinking verschaft ons de gelegenheid om de benodigde energie op te brengen die nodig is om naar een hoger bewustzijn te stijgen. Elke geestelijke inzinking bergt de energie om ons te verheffen in zich.

Hoe vaak is het in je leven voorgekomen dat je in de diepste wanhoop, bijvoorbeeld bij een ongeluk, een ziekte, een financiële ramp, een stukgelopen relatie, een brand of een overstroming, het verlies van goederen, of een sterfgeval, terechtkomt in een toestand van angst, woede, ontkenning, en daarna rouw? Net als vrijwel iedereen zak je weg in je verdriet en wil je iedereen wel over je tegenslagen vertellen. Maar altijd met het gevolg dat je er na verloop van tijd boven uitstijgt en in een toestand van aanvaarding belandt. Stel je nu eens voor dat je had geweten dat wat er in je leven was voorgevallen, en wat jij als een verlies of een inzinking hebt betiteld, nu juist móést gebeuren? Veronderstel eens dat je meteen had geweten dat je die ervaring, dat verdriet en die rouw met zich meebracht, móést meemaken? En veronderstel dan eens dat je ervoor had kunnen kiezen om naar dat nieuwe besef te handelen? Ongetwijfeld zal al dat gevraag van 'stel je je eens voor' in strijd zijn met wat je is geleerd over het reageren op een catastrofe of een sterfgeval. Ik wil beslist niet zeggen dat je je oprechte gevoelens níet mag respecteren. Ik suggereer alleen dat de waarheid van Rumi's opmerkingen je een andere manier van reageren op dit soort omstandigheden offreert. Ik moedig je aan om je open te stellen voor het geschenk, de zoetheid die óók in het verdriet ligt opgesloten.

Wij zijn allemaal onafscheidelijk verbonden met een intelligente eenheid, en ongelukken bestaan niet. Er is altijd wel iets te leren, ook tijdens een periode van verdriet. Je kunt deze les ter harte nemen en de zoete zekerheid van het mysterie proeven. Je hoeft niet te doen alsof je van de tegenslagen geniet, je hoeft alleen plechtig te beloven dat je ze zult gebruiken om energie op te wekken die je naar een hoger niveau in je leven kan brengen. Je zou, net als Rumi achthonderd jaar geleden, hardop tegen je verdriet kunnen zeggen: 'Het smaakt zoet, hè?' Met andere woorden: hier, op dit moment, kan ik iets leren, midden in het zoete verdriet, en ik ga me er op deze wijze aan laven, en daarmee de zaken van de rouw verpesten. Bij in onze ogen primitieve culturen biedt de dood gelegenheid tot feest. Daar leeft, zelfs in tijden van rouw en verdriet, een fundamentele zekerheid die geen vraagtekens plaatst bij de goddelijke intrede op aarde van iedere mens en evenmin bij zijn vertrek. Dat is alles voorbeschikt! Misschien ligt de troost in de zoete wetenschap dat het allemaal deel uitmaakt van de volmaaktheid van ons universum, waarin een onzichtbare, organiserende intelligentie door elke cel van ieder schepsel vloeit, inclusief de vele pijnlijke ervaringen tijdens een mensenleven. En dat wordt dan gevierd.

Als leerling van de middelbare school deed ik aan hoogspringen in de atletiekgroep. Ik wil niets zeggen over de hoogten die ik wist te bereiken, maar van films weten we allemaal dat blanken niet kunnen springen! Desondanks legde ik de lat op de steunen, en dan dook ik zo ver mogelijk in elkaar om extra kracht achter mijn lichaam te zetten, zodat ik mijn hele lichaam over de lat kon krijgen. Door dieper in elkaar te duiken, kon ik hoger springen. Die schoolsport bezorgt me een beeld dat analoog is aan de boodschap van Rumi. Het is de boodschap uit de *Kabbala*, en het is mijn boodschap aan jou.

Wanneer je rouwt in de vorm van een innerlijk beleven van verdriet en droefheid, zul je je er tot op de bodem in laten wegzakken. Met het gewicht van schuld en verdriet op je schouders kun je geen kant meer op. Maar wanneer je weet dat in al die wanhoop iets zoets ligt, iets lieflijks, dan verstoor je het compagnonschap tussen rouw en verdriet, en zal de inzinking je helpen om weer op de been te komen en je boven de verwoestende valkuilen van het leven op aarde doen uitstijgen.

Hier zijn wat alternatieven voor het dilemma rouw-verdriet.

• Stop jezelf midden in een ogenblik van verdriet en zeg heel bewust: 'Moet ik nu werkelijk zowel vanbinnen als vanbuiten lijden onder dit verlies dat ik uiteindelijk toch als een zegening zal gaan beschouwen?' Luister naar je reactie en volg die op. Wat er verder ook gebeurt, je geeft jezelf in elk geval de kans om op een betere manier op wanhoop te reageren.

- Doe je best om je gevoelens ten aanzien van een verlies zo eerlijk mogelijk te uiten, maar dan zonder er het geloof aan te hechten dat je vol verdriet hoort te zijn. Het is mogelijk om het verlies te voelen, het tot uitdrukking te brengen, en toch vanbinnen te weten dat er een zegening in ligt opgesloten. Je moet geen onmiddellijke verandering eisen. Laat zijn wat is, maar geef jezelf tegelijkertijd de kans een andere houding aan te nemen.

- Je hebt misschien geaccepteerd dat rouw en verdriet onafscheidelijk met elkaar verbonden zijn, omdat je is geleerd dat het kil en onmenselijk is om er anders tegenover te staan. Wanneer je weet dat alle inzinkingen zegeningen zijn, en alle verliezen een goddelijke volgorde hebben, zul je geleidelijk aan het verdriet kunnen verzoeten en zul je de energie krijgen om op elk punt van je leven naar een hoger plan te stijgen.

❋ EVENWICHT ❋

Ga er van tijd tot tijd even tussenuit
  om je te ontspannen,
  want wanneer je terugkeert naar je werk
  zul je beter kunnen oordelen;
  door voortdurend aan het werk te blijven
  zal je beoordelingsvermogen
  aan kracht inboeten...

Neem wat afstand
  want dan lijkt het werk minder
  en kan er meer
  in één oogopslag worden opgenomen,
  en een gebrek aan harmonie
  of verhoudingen
  kan gemakkelijker worden gesignaleerd.

LEONARDO DA VINCI (1452-1519)

Leonardo da Vinci was een Italiaans schilder, beeldhouwer,
musicus, werktuigkundige, wiskundige en wetenschapper, en
een van de grootste geesten die ooit hebben geleefd.

*W*anneer een man als Leonardo da Vinci ons zo'n advies geeft,
ben ik bij voorbaat al bereid om vol aandacht te luisteren. Vele ge-
schiedkundigen hebben hem aangemerkt als de man met de meest
onderzoekende geest aller tijden. Dat is nog eens een compliment!
Zijn verrichtingen zijn fenomenaal te noemen, en hij wordt vaak
gezien als de initiatiefnemer van de Renaissance, waarmee de
mensheid uit de Middeleeuwen stapte.
Leonardo zag in alles een mysterie en onderzocht het dan tot op de
bodem, om het maar te kunnen begrijpen. Hij bestudeerde de
aarde, de lucht en de hemel. Hij legde de bewegingen van de ster-

ren vast en tekende, vierhonderd jaar voor het verschijnen van het eerste vliegtuig, ontwerpen voor vliegmachines. Hij was architect en een uitmuntend kunstenaar die zich in de bestudering van de natuur en de menselijke natuur stortte. Zijn portrettering van gezichten was knapper dan daarvoor en daarna ooit is vertoond, en ze werden met een realisme neergezet waarin de volle essentie van het onderwerp zat opgesloten. Hele boekwerken zijn geschreven over alleen al de grootsheid van dat ene schilderij, *Het laatste avondmaal.* Geen onderwerp ontsnapte aan Leonardo's onderzoekende geest, en met het stukje advies van hierboven geeft hij jou een aanwijzing hoe je met je eigen creatieve uitlaatklep kunt omgaan.

Wanneer je de gigantische hoeveelheid scheppend werk bekijkt die Leonardo da Vinci in zijn leven tot stand heeft gebracht, krijg je al gauw het beeld van een eersteklas workaholic voor ogen, die, zodra hij zijn ogen opsloeg, niets anders deed dan schilderen, beeldhouwen en uitvinden. Toch wijst zijn raad in tegengestelde richting. Tot die conclusie ben ik gekomen. Deze authentieke Renaissanceman raadt ons aan om uit de dagelijkse routine te ontsnappen, en wat afstand te nemen om daarna efficiënter en productiever aan het werk te kunnen gaan.

Ik heb de indruk dat enorm productieve mensen een enorm gevoel voor evenwicht en harmonie hebben. Ze zijn door en door vertrouwd met maathouden en weten precies wanneer ze zich moeten terugtrekken en alles wat op dat moment aan hen knaagt, uit het hoofd moeten zetten. Het belangrijkste woord hier is 'evenwicht'. Wil je voorkomen dat iets je te veel in beslag neemt, dan moet je het van een afstand kunnen bekijken. Door afstand te nemen ga je volgens Leonardo je bezigheden, je gezin, of je werk vanuit een perspectief zien waardoor het 'kleiner lijkt'.

Wanneer je van een vaste plek wegloopt en vervolgens achteromkijkt, lijkt die plek inderdaad kleiner. Maar vanuit de verte kun je in een enkele blik meer dan alleen die plek waarnemen. Op die manier kunnen zwakke of slechte plekken in één oogopslag worden bespeurd. Zelfs al zou Leonardo hier als artiest spreken, dan is zijn raad ook nu nog van toepassing, wat voor soort werk we ook verrichten.

Ik heb gemerkt dat Leonardo's raad voor mij van toepassing is bij mijn schrijfwerk en spreekbeurten, zowel als bij andere werkzaamheden. Waneer ik mijn onderzoek en het schrijfblok laat liggen en een eind ga hardlopen of er gewoon een paar dagen tussenuit ga, dan lijkt bij mijn terugkomst op wonderbaarlijke wijze alles ineens veel duidelijker te zijn geworden. Ik sta ervan te kijken hoeveel beter inzicht ik krijg wanneer ik mijn werk weet los te laten. Op die momenten, waarop ik me er het minst druk om maak, lijkt alles ineens op zijn plaats te vallen. De grote Renaissance-leermeester vertelt ons om afstand te nemen, om te ontspannen, om niet zo ons best te doen, om het geworstel uit te bannen en onze natuurlijke, goddelijke leider de kans te geven ons te helpen. Hij zegt: 'Ga er van tijd tot tijd even tussenuit om je te ontspannen, want wanneer je terugkeert naar je werk, zul je beter kunnen oordelen.' Een van de manieren om dat in onze huidige wereld te doen, is te leren mediteren voordat je iets serieus gaat nastreven, of het nu een plan is voor het leiden van een zakelijke bijeenkomst of voor een sollicitatie of een lezing of het schilderen van een portret. Door jezelf aan meditatie over te geven, zul je je efficiëntie enorm verbeteren. In de afgelopen tien jaar ben ik nooit voor een publiek aangetreden zonder eerst minimaal een uur (en meestal meer) alleen en mediterend door te brengen. Wanneer ik uit die ontspannende meditatie kom, merk ik dat ik het toneel op kan lopen en mijn pen kan pakken in het vertrouwen dat ik met een hoger deel van mezelf ben verbonden dat vrij is van angst. Dan word ik toeschouwer en sla ik mezelf gade terwijl ik aan het werk ben, en alles lijkt zo gemakkelijk te verlopen alsof Gods hand mijn tong en pen leidt.

Wanneer je bezig bent om wat afstand tussen jezelf en je werk te creëren, en in de verkregen ruimte te ontspannen, dan nodig je daarbij de goddelijke tussenkomst bij je bezigheden uit. Hoe ironisch het ook klinkt, hoe minder nadruk je op het klaarmaken of voltooien van een opdracht legt, hoe meer kracht je lijkt te krijgen om het te doen. Wanneer je je hebt weten los te maken van het resultaat, ben je op de goede weg, en laat je de uitkomst haar eigen gang gaan. Je kunt dat principe aan het werk zien bij plezierige zaken.

Op de dansvloer streef je er bijvoorbeeld niet naar om op een bepaalde plek op de vloer uit te komen. Bij het dansen is het de bedoeling om van de dans te genieten, en waar je eindigt laat je over aan het dansen. Datzelfde geldt voor een concert, waarbij het niet je doel is om naar het einde van de muziek te komen, maar om van elke minuut van het concert te genieten. Wanneer je daarmee bezig bent, is het van geen enkel belang hoever het concert is gevorderd. Denk eens aan het eten van een banaan. Wat is de bedoeling daarvan? Om van het ene einde naar het andere te komen? Of om gewoon van elk hapje te genieten? Dat geldt voor vrijwel alles. Wanneer we ons ontspannen en alles van ons af laten vallen, kunnen we ons op een natuurlijke wijze in het proces verliezen, en dan zal het eindresultaat zich als een wonder manifesteren.

Leonardo da Vinci moedigt ons aan om ons leven in evenwicht te brengen, onverschillig naar welk doel we streven. Natuurlijk kun je bij al je activiteiten betrokken blijven, maar geniet van elk aspect in plaats van alleen van het resultaat. En dwing jezelf om weg te lopen van een bezigheid wanneer je voelt dat je oordeel niet meer in harmonie is of buiten proporties is geraakt. Door dat te doen, krijg je meer objectiviteit, en paradoxaal genoeg zul je er scherper door worden in plaats van aan scheppende kracht in te boeten.

Om de raad van deze oorspronkelijke Renaissance-man in je leven toe te laten, een paar tips:

- Maak er een gewoonte van om je los te maken van de resultaten van je werk en projecten. Geniet nu van je bezigheden, puur en alleen om de vreugde die ze je geven, niet om hoe ze uiteindelijk zullen aflopen.

- Neem van tijd tot tijd afstand van je werk en doe even niets. Geen tijdnood, geen deadlines, geen wekkers, in feite helemaal geen klokken. Laat je gewoon gaan en merk dan hoe vrij je je voelt. Dit soort onbeperkt afstand nemen zal ervoor zorgen dat je met nieuwe voortvarendheid en een veel scherper oordeel naar je werkzaamheden terugkeert.

- Doe wat ik regelmatig doe als ik het gevoel heb vast te zitten. Ik leg gewoon alles in de handen van God. Ik zeg: 'Ik weet niet wat ik op dit moment moet doen en ik lijk nergens een antwoord op te vinden, dus vraag ik U om Uw leiding bij het oplossen van dit probleem.' Het mag simplistisch klinken, maar het lijkt altijd te werken. De antwoorden komen, en alles wordt duidelijk wanneer ik God vraag mij te helpen.

- Houd voor ogen dat een van de grootste uitblinkers aller tijden je te midden van zijn talloze bezigheden de raad geeft: 'Ga er van tijd tot tijd even tussenuit om je te ontspannen.' Als er iemand is wiens raad ik zou opvolgen, is het wel die van die oorspronkelijke Renaissance-man.

✤ HOOP ✤

Het echte gevaar
ligt voor de meesten van ons
niet in het feit dat we
te hoog reiken en missen,
maar dat we te laag reiken
en ons doel bereiken.

MICHELANGELO (1475-1564)

Michelangelo Buonarroti, Italiaans schilder, beeldhouwer, architect en dichter uit de Renaissance, is een toonaangevend persoon in de geschiedenis van de beeldende kunst.

*D*e laatste vijfentwintig jaar of zo ben ik regelmatig in talkshows op radio en tv geweest, waar ik met luisteraars sprak die telefonisch deelnamen aan de discussie. Een van de meest voorkomende kritieken die ik van de gastheren van die shows krijg, is dat ik veel te veel hoop bied aan mensen die er beroerd aan toe zijn, en dat dit wel eens gevaarlijk kan zijn. Ondanks die negatieve opmerkingen begrijp ik nog steeds absoluut niet hoe het gevaarlijk kan zijn om te veel hoop te hebben.
Wanneer mensen me van een medische diagnose vertellen waarbij genezing wordt uitgesloten, moedig ik hen aan hun ogen op de volkomen tegenovergestelde afloop te richten. Ik heb het regelmatig over de wet die het, sinds het begin van onze tijdswaarneming, mogelijk heeft gemaakt dat allerlei soorten wonderen plaatsvinden. Ik leg uit dat die wet nooit is vervangen en nog steeds opgeld doet. Ik haal gevallen aan van mensen die te horen kregen dat ze naar huis moesten om daar op de dood te wachten, die te horen kregen dat ze nog zes maanden te leven hadden, en die zichzelf van hun ziekte en de bijbehorende diagnose hebben weten te bevrijden. Ik krijg elke dag post van mensen die weigerden te luisteren naar de

geringe hoop die anderen hun hadden te bieden, en me vertellen hoe dankbaar ze waren om in moeilijke tijden een boodschap over hoop te ontvangen.

Ik geloof dat Michelangelo, die op een paar dagen na negenentachtig is geworden, en nog steeds bezig was met beeldhouwen, schilderen, schrijven en ontwerpen in een tijd toen negentig de normale levensverwachting met ongeveer zestig jaar overschreed, het in het bovenstaande citaat over de 'moed erin houden' heeft. Het gevaar ligt niet in valse hoop, maar eerder in geen hoop of geringe hoop, wat tot gevolg heeft dat onze bedoelingen en onze plannen verdwijnen voordat we er zelfs maar aan zijn begonnen of ze ten uitvoer hebben gebracht, en dat alleen om iets wat we geloofden.

Dit gaat niet alleen over het overwinnen van lichamelijke ziekten, het gaat om letterlijk alles wat met ons leven te maken heeft. Er zijn oneindig veel mensen die hun verwachtingen laag hebben gesteld en alleen kleinschalig kunnen denken en iedereen die maar wil luisteren, die benepen denkwijze willen opleggen. Het echte gevaar ligt in de moed verliezen, of voor onszelf regels opstellen waarbij onze verwachtingen te benepen en te laag worden gesteld. Luister goed naar Michelangelo, de man die door velen als de grootste kunstenaar aller tijden wordt beschouwd.

Ik herinner me dat ik in Florence aan de grond genageld voor het beeld van David stond. De afmetingen, de pracht, de geestkracht die zo uit het marmer leken te springen, was Michelangelo's manier om te zeggen: 'Reik hoog.' Toen hem werd gevraagd hoe hij zo'n meesterwerk had kunnen scheppen, antwoordde hij dat David al in het marmer zat opgesloten, dat hij alleen het overtollige gesteente hoefde weg te bikken om hem eruit te bevrijden. Over hoog mikken gesproken. En nu we het toch over hoogte hebben, ga eens een keer kijken in de Sixtijnse Kapel, waar Michelangelo op zijn rug liggend het plafond heeft geschilderd. Hij heeft er vier jaar lang dagelijks aan gewerkt, van 1508 tot 1512. Het was een project dat mindere kunstschilders als onmogelijk zouden beschouwen, maar Michelangelo nam niet alleen die uitdaging aan, hij nam nog veel meer uitdagingen aan in een leven dat barstensvol energie, talent en, ja inderdaad, hooggerichte verwachtingen zat.

Feitelijk gaf Michelangelo's veelzijdige kunstenaarschap uiting aan de gedachte dat liefde de mens helpt bij zijn worsteling om tot het goddelijke niveau op te stijgen. Dit klinkt ook door in de ongeveer driehonderd sonnetten die hij heeft geschreven, en het is terug te vinden in de wijze waarop hij spirituele thema's heeft uitgebeeld in zijn schilderijen, zijn beeldhouwwerken en zijn architectonische ontwerpen. Hij begon zijn leven als zoon van een Italiaans bankier, maar dankzij zijn hooggespannen verwachtingen, zijn grootse dromen en zijn intolerantie ten aanzien van laaggestelde verwachtingen, groeide deze man uit tot een van de meest geëerbiedigde leiders van de Renaissance en de hele mensheid.

Een paar jaar geleden, toen ik met mijn vrouw door een plattelandsdorp op Bali wandelde, werd ons verteld dat de oude man die bij het toegangshek zat, een wolkenmaker moest worden. Ik luisterde aandachtig toen me werd verteld dat de dorpelingen geloofden dat een man, puur en alleen door middel van zijn geestkracht, wolken kon maken die in tijden van droogte regen zouden brengen. Ik moet bekennen dat ik toch wat sceptisch was, omdat ik ben opgevoed in de wetenschap dat dingen als wolkenformaties de menselijke geestkracht te boven gaan. Tegenwoordig weet ik wat dat betreft nog maar één ding zeker: niemand weet genoeg om pessimistisch te kunnen zijn.

Ik heb bij gelegenheid wel eens met mijn eigen kinderen op het gras gelegen en wolken gemaakt, en ook al mompelden de buren dan misschien dat die gekke kinderen van Dyer dachten dat ze wolken konden maken, dan negeerde ik dat soort pessimisme gewoon bij het horen van de een of de ander die riep: 'Kijk, papa, ik laat mijn wolk tegen de jouwe botsen, zodat die helemaal verdwijnt!' Ik zie geen enkel gevaar in zulke gedachten. Ik ben het feitelijk volkomen eens met Michelangelo. Er ligt een veel groter gevaar in het te laag stellen van onze toekomstverwachtingen.

Michelangelo's raad kan in onze tijd nog net zo goed worden toegepast als vijfhonderd jaar geleden. Luister nooit naar diegenen die je met hun pessimistische gedachten proberen te beïnvloeden. Vertrouw volledig op je eigen vermogen om de liefde te voelen die vanuit de David, de Madonna met Kind en de schitterende fresco's in de Sixtijnse Kapel op je afstralen. De liefde is jouw bewuste contact met de kunstenaar die hetzelfde universele gevoel van eenheid beleefde als jij en ieder ander levend wezen op aarde.

Zijn prestaties zijn het product van het advies dat hij aan het begin van dit stukje aan ons allen aanbood. Reik hoog, weiger om klein-schalig te denken en je verwachtingen te laag te spannen, en laat je bovenal niet verleiden door de absurde gedachte dat er gevaar ligt in te grote verwachtingen. In feite zullen je hooggestelde verwach-tingen je naar verbetering van je leven leiden en ervoor zorgen dat je je eigen meesterwerken kunt produceren, of dat nu fresco's of fruitmanden zijn.

Om Michelangelo's raad in je eigen leven aan het werk te zetten, dien je deze simpele richtlijnen te volgen:

• Weiger om naar de uitspraken te luisteren van mensen die je op je beperkingen wijzen. Weiger om ze in je op te nemen. Wan-neer je over je beperkingen argumenteert, zijn beperkingen het enige resultaat.

• In de eerste plaats moet je nooit te laag mikken of te benepen denken. Je bent een goddelijke uiting van God, en daarom ben je verbonden met datgene wat wonderen veroorzaakt en ver-richt.

• Houd de hoop levend door aan die beroemde uitspraak van Al-bert Einstein te denken: 'Grote geesten zijn altijd heftig in bot-sing gekomen met middelmatige geesten.'

• Wanneer je bedenkt wat je het allerliefst in je leven wilt klaar-spelen maar waar je niet toe in staat lijkt, denk dan eens aan de schilderende, beeldhouwende en schrijvende negenentachtigja-rige Michelangelo die vijf eeuwen geleden leefde. Stel je voor dat hij jou vertelt dat je alles kunt scheppen wat je maar wilt, en dat het grootste gevaar niet schuilgaat in te hooggespannen hoop, maar in het bereiken van dat wat jij als hopeloos hebt er-varen.

Mijn denkvermogen is voor mij een koninkrijk

Mijn denkvermogen is voor mij een koninkrijk,
Zulke geschenken vind ik daar nu in,
Dat het boven alle genot uitstijgt
Welke de wereld biedt of doet groeien.
Hoewel ik graag wil hetgeen anderen reeds hebben,
Verbiedt mijn denkvermogen mij te begeren.

Geen prinselijke grandeur, geen rijk magazijn,
Geen kracht om de overwinning te behalen,
Geen verzachtende humor voor een pijnlijke plek,
Geen figuur om een liefdevol oog te vullen;
Aan geen zal ik mij als slaaf onderwerpen
Want mijn denkvermogen doet dienst voor al.

Ik zie hoe vaak veelvoud lijdt,
En haastige klimmers snel vallen;
Ik zie dat degenen die bovenaan staan
Het meest blootstaan aan gevaar;
Zij krijgen met moeite, ze bewaren met angst:
Zulke zorgen kan mijn denkvermogen nooit verdragen.

Tevreden leef ik, dit is mijn plaats,
Ik verlang niets meer dan nodig is:
Ik streef niet naar hooghartige;
Zie! Mijn geest levert mij wat mij ontbreekt.
Waarlijk! Zo triomfeer ik als een koning,
Tevreden met dat wat mijn denkvermogen biedt.

Sommigen hebben te veel, en toch meer eisen;
Ik heb weinig, en niet meer nodig.
Zij zijn arm, hoeveel ze ook bezitten,

En met mijn geringe bezit ben ik rijk.
Zij arm, ik rijk; zij bedelen, ik geef;
Zij komen te kort, ik laat; zij kwijnen, ik leef.

Ik lach niet om andermans verlies;
Ik misgun een ander zijn winst niet;
Geen wereldse golven kunnen mijn geest doen
    omslaan;
Mijn status-quo zal blijven bestaan.
Ik vrees geen vijand, ik paai geen vriend;
Ik haat het leven niet, noch vrees ik mijn einde.

Sommigen wegen hun plezier af aan hun lust,
Hun wijsheid aan hun eigen wil;
Hun schat is hun enige zorg,
Een verborgen truc hun voorraad talent:
Maar alle plezier die ik vind
Is om mijn denkvermogen rustig te houden.

Mijn rijkdom is gezondheid en volmaakte
    verlichting,
Mijn geweten rein mijn beste verdediging;
Ik zoek geen omkoopsom om te plezieren,
Noch door bedrog belediging te telen
Zo leef ik; zo zal ik sterven;
Als iedereen nu maar net zo verstanding was als ik!

SIR EDWARD DYER (1543-1607)

Sir Edward Dyer, een Engels dichter uit het Elizabethaanse tijdperk, is het meest bekend om zijn gedicht dat als volgt begint: 'Mijn denkvermogen is voor mij een koninkrijk.'

Sir Edward Dyer, een zestiende-eeuws hoveling en dichter, was bij zijn tijdgenoten enorm populair, hoewel maar een klein deel van zijn gedichten bewaard is gebleven. Dit gedicht is daarvan het bekendste, een kostbaar kleinood dat ik je ruim vierhonderd jaar later mag aanbieden. Dit gedicht, over de kracht van het denkvermogen, behoort al geruime tijd tot mijn favorieten. Ik geniet van het ritme en vind het gemakkelijk te lezen, en het lijkt rechtstreeks op mij van toepassing te zijn.

Mijn voorliefde voor dit gedicht heeft echt niets van doen met het feit dat de dichter en ik dezelfde naam dragen. Ik heb vanuit de hele wereld honderden afschriften van dit gedicht gekregen met de vraag of ik aan Edward Dyer verwant ben. Hoewel de onderwerpen van mijn boeken perfect lijken aan te sluiten bij de titel *Mijn denkvermogen is voor mij een koninkrijk*, geloof ik niet dat er sprake is van bloedverwantschap tussen sir Edward Dyer en mij. Maar elke keer dat ik dit gedicht lees, ben ik weer vol verwondering over dit koninkrijk, mijn denkvermogen.

De dichter beschrijft hoe verfrissend het is om je van alles los te maken, ook van je lichaam, en je in het koninkrijk van het stille denkvermogen te begeven. Heb jij er wel eens bij stilgestaan dat je denkvermogen een ontzagwekkend deel van je geheel uitmaakt? Je kunt het niet zien of aanraken. Het heeft geen substantie, het kent geen grenzen, het heeft geen plaats in tijd of ruimte, en toch is het altijd bij je, en is het je hele leven letterlijk je leidsman. Dat is je koninkrijk, en jij alleen kunt het onder alle omstandigheden gebruiken om er een dynastie van vreugde mee te scheppen. Het denkvermogen is jouw hoeksteen van de vrijheid, de plek waar anderen niet kunnen binnensluipen, een vluchthaven van welbehagen wanneer alles rondom vol beroering is. Dat is wat dat verrukkelijke, onzichtbare denkvermogen betekent. Ik zou graag willen dat je eerbied leert te hebben voor de macht van dat denkvermogen, en waardering voor de uitgestrektheid van zijn immense domein.

Als je snakt naar datgene wat je zou kunnen schaden, denk dan aan de woorden van de dichter: 'Verbiedt mijn denkvermogen mij te begeren.' Dyer heeft het over het vermogen om te kiezen, en te begrijpen dat de mens de macht van de keuze bezit. Men kan alleen zichzelf de schuld geven wanneer men snakt naar ongezonde verslavingen. Ga naar je innerlijke koninkrijk, waar je verstand keuzen kan maken die sterker zijn dan je begeerten. Wanneer je je overgeeft aan de behoefte om ten koste van alles als winnaar uit de bus te komen, kun je de schuld geven aan de druk die de buitenwereld op je uitoefent, of je kunt naar dit machtige koninkrijk binnen in je gaan en je verstand vragen om dat te doen wat alle betrokkenen ten goede komt, in plaats van alleen het ego dat zichzelf o zo belangrijk vindt.

De behoefte om meer te willen dan nodig is, om het succes ten koste van alles na te jagen, om voortdurend de goedkeuring van anderen te willen, is ons niet opgelegd, het is de manier waarop we zelf gebruik wensen te maken van dat mysterie binnen in ieder van ons, ons denkvermogen. Edward Dyer wijst ons erop dat we ons te midden van velen bevinden die, hoewel ze te veel hebben, toch meer begeren. 'Zij zijn arm, hoeveel ze ook bezitten, en met mijn geringe bezit ben ik rijk.' Hij slaat anderen gade die een gekweld leven leiden omdat ze nooit tevreden zijn en altijd op jacht zijn naar dat ongrijpbare 'meer'. 'Zij komen te kort, ik laat; zij kwijnen, ik leef.'

Zoals de dichter al voorzichtig suggereert, kan iedereen kiezen voor een leven vol hebzucht en verwerving, om al ploeterend het slachtoffer te worden van tegenslag en een leven vol angst, of men kan tot het besluit komen dat 'mijn geest zulke zorgen nooit zou kunnen verdragen' en begrijpen dat het je eigen denkvermogen is, niets anders, dat dergelijke keuzen maakt. Onbeperkte vreugde en vervulling staan je ter beschikking, zoals de dichter in deze regel impliceert: 'Tevreden leef ik, dit is mijn plaats, ik verken niets meer dan nodig is.'

Je denkvermogen is bereid en in staat om je een leven vol vrede en rust te geven. Je kunt beginnen te leven als je besluit je denktrant te wijzigen. Wanneer je verwijst naar dat innerlijke koninkrijk, schep je voor jezelf een leven van geven in plaats van gebrek. Je kunt altijd vrede vinden in je denkwereld.

Alle angsten die je ervaart, komen niet van buiten, ze komen voort uit de wijze waarop je je verstand verkiest te gebruiken. Wanneer je alles wat maar aan een levenslange conditionering herinnert uit je innerlijke koninkrijk verwijdert, kun je zelfs de vrees voor de dood uitschakelen. Dat is de status van genade waarover sir Edward Dyer het heeft als hij zegt: 'Ik haat het leven niet, noch vrees ik mijn einde.'

Jouw koninkrijk wordt gevormd door de wijze waarop je onder alle omstandigheden je verstand gebruikt. Jij bent de koning, de enige heerser. Niemand kan jou van streek maken zonder toestemming van je koninklijke verstand. Niemand kan je deprimeren zonder je nadrukkelijke toestemming. Niemand kan je gevoelens kwetsen zonder je decreet.

Dit gedicht zegt je je plezier niet langer af te meten aan wat je begeert. Om een eind te maken aan die eindeloze behoefte om te overwinnen en jezelf te bewijzen. Om je succes niet af te meten aan allerlei wereldse activiteiten. Om naar binnen te keren, naar de plek waar vrede en kalmte voor het grijpen liggen; je hoeft er alleen maar aan te denken. Je bent niet meer dan een gedachte verwijderd van Dyers slot van dit beroemde gedicht: 'Mijn rijkdom is gezondheid en volmaakte verlichting.'

Er is nog iets waaraan je in je innerlijke koninkrijk moet denken. Jouw denkvermogen is niet alleen belast met je gevoel van vrede, maar ook met je gezondheid. Verander je denktrant over helen en dan verander je de reacties van je lichaam op ziek zijn. In je innerlijke koninkrijk, waar je geest bevrijd is van de behoefte tot winnen, verkrijgen, overwinnen, ploeteren en begeren, produceer je de moleculen voor je gezondheid. Je verlaagt je bloeddruk, je verwijdert de aanzet voor maagzweren, je versterkt je immuunsysteem, en je vermindert je bevattelijkheid voor allerlei binnendringende ziekten. Dat ligt allemaal in het koninkrijk van je verstand opgesloten.

Hanteer deze wijze woorden die op dichterlijke wijze beschrijven dat je denkvermogen een innerlijk koninkrijk is, waarin een onzichtbare 'jij' regeert. Zet dit schitterende stukje fraaie poëzie aan het werk in je eigen leven door de volgende suggesties na te volgen:

- Probeer met behulp van je verstand alle zelfvernietigende gedragswijzen uit te bannen. Vraag jezelf af waarom je ervoor kiest om jezelf van streek te maken, in plaats van je denkvermogen te gebruiken om rust en kalmte te scheppen. Grijp jezelf in de kraag wanneer je gedeprimeerd of boos wilt reageren, en probeer een nieuwe denkwijze te vinden.

- Gun jezelf eens wat tijd om je denkvermogen en dat wat het voor jou tot stand kan brengen, eer te bewijzen. Denk eens na over je innerlijke koninkrijk en weiger gedachten binnen te laten in die heilige ruimte die op enigerlei wijze de omgeving zouden kunnen vervuilen.

- Help jezelf er herhaaldelijk aan herinneren dat, jezelf niet meegerekend, niemand jou zonder jouw toestemming ongelukkig kan maken. Onthoud dat jij de som bent van de keuzen die jij met jouw verstand hebt gemaakt. Waarom je verstand gebruiken als een varkensstal in plaats van als een koninkrijk? Je hebt dezelfde kansen als sir Edward Dyer om te weten dat 'Mijn denkvermogen voor mij een koninkrijk is.'

- Leer zijn conclusie uit het hoofd: 'Zo leef ik; zo zal ik sterven; als iedereen nu maar net zo verstandig was als ik', en denk eraan: jij bent de koning van je innerlijke koninkrijk.

GENADE

Uit *De koopman van Venetië*

Genade heeft niets uit te staan met dwang.
Zij daalt als zachte regen uit de hemel
Neer op de korst der aarde. Dubbel is
Haar zegen: wie haat schenkt en wie haar krijgt,
Die zegent zij. Zij is het machtigst in
De machtigsten, zij siert wie 't hoogst zetelt
In majesteit en praal meer dan zijn kroon.
Diens scepter is het beeld van de aardse macht,
Het zinnebeeld van zijn gezag – het maakt
De koningen geducht en ontzagwekkend –
Maar boven dit symbool zweeft de genade,
Zij zoekt haar troon op in het hart van de heerseres.
Zij is het zinnebeeld van God, en goddelijk
Wordt pas het aards bestier wanneer genade
Gerechtigheid doorhuivert.

WILLIAM SHAKESPEARE (1564-1616)

William Shakespeare, Engels dichter en toneelschrijver uit de
Elizabethaanse en vroegjakobijnse tijd, is de bekendste auteur
van de hele Engelse literatuur.

*H*oe kies je nu één bijdrage uit het werk van een man die door
velen als de grootste toneelschrijver en dichter aller tijden wordt
beschouwd? Wanneer je William Shakespeare gaat lezen, raak je
volledig in de ban van zijn onvergelijkelijk rijke en inventieve taal-
gebruik. Mijn eerste keus was de indrukwekkende monoloog uit
Hamlet, waarin hij de vraag stelt die iedereen die op zoek is naar de
waarheid en het hogere bewustzijn zich stelt: 'Te zijn of niet te
zijn,' dat is beslist de belangrijkste vraag. Maar toch had ik het ge-

voel dat het behandelen van een conflictsituatie, in dit geval het gevolg van onmetelijk fortuin enerzijds en een enorme hoeveelheid ellende anderzijds, in dit boek al vaak genoeg is behandeld.

Uiteindelijk koos ik voor dit citaat uit *De koopman van Venetië*, dat over genade gaat, omdat het naar mijn gevoel de vijftien meest diepzinnige en praktische regels zijn die ooit over dit menselijke aspect zijn geschreven.

Wanneer je genadig bent en dat elke dag toepast, kan de mens zijn wat primitievere en laag-bij-de-grondse instincten in toom houden, terwijl tegelijkertijd liefde en barmhartigheid worden aangekweekt. Wanneer iemand je heeft gekwetst, wil je hem in eerste instantie met gelijke munt terugbetalen. Het ongeciviliseerde deel roept om wraak, niet om genade. Toch zegt Shakespeare over genade – dat hij als een werktuig van God betitelt – dat 'Zij daalt als zachte regen uit de hemel, neer op de korst der aarde: dubbel is haar zegen.' De eerste zegening van genade of barmhartigheid valt op jou, de schenker. Deze boodschap vat grotendeels de wijsheid samen die de hele literatuur over psychologie heeft te bieden. Dat wil zeggen: wees barmhartig voor jezelf, oordeel niet te hard over jezelf wanneer je een vergissing begaat of niet aan bepaalde maatstaven voldoet. Maak je los van de fout of de tekortkoming en stel je vriendelijk en liefhebbend tegen jezelf op. De mens moet zichzelf vergeven voor het feit dat hij, heel menselijk, in duistere uithoeken heeft rondgedwaald en er vol schaamte of teleurstelling over zijn eigen gedrag uit tevoorschijn is gekomen. De mens moet tegenover zichzélf genade tonen, want, zegt Shakespeare: 'Zij siert wie 't hoogst zetelt in majesteit en praal meer dan zijn kroon'. Zij staat ieder mens beter. Wanneer je de eerste zegeningen van genade op jezelf toepast, stel je je open voor het vermogen om het ook aan te bieden aan 'degene die neemt'.

Als je niet in staat bent om oprecht barmhartig ten aanzien van jezelf te zijn, zul je nooit in staat zijn om het tegenover anderen te zijn, net zomin als je liefde kunt schenken als je niet jezelf liefhebt, of geld kunt schenken aan de armen als je dat zelf niet bezit. Voor het aanleren van barmhartigheid ten aanzien van jezelf kun je de weldoordachte en wijze woorden van mijn leermeester opvolgen, Sri Nisargadatta Maharaj. Hij zegt: 'De zondaar en de heilige wisselen uitsluitend aantekeningen uit. De heilige had gezondigd, de zondaar zal geheiligd worden.' Ieder mens heeft gezondigd, zelfs degene die wij heilig noemen. Wanneer je over deze woorden nadenkt, is het eenvoudiger om barmhartig tegenover jezelf te zijn. En dan kun je het ook voor anderen zijn. Dat is wat Shakespeare bedoelt met de dubbele zegening van genade.

Ook al vrezen we allemaal diegenen die tijdelijk de macht bezitten, dichterlijk gesymboliseerd door de scepter van de koning, toch zweeft genade, zoals de poëet ons voorhoudt, boven 'de scepter'. Er is iets goddelijks voor nodig om hen die zich slecht hebben gedragen of ons op enigerlei wijze hebben gekwetst, recht in de ogen te kijken, zonder ertoe over te gaan om hen met onze 'scepter' te brandmerken. Wanneer we daarentegen barmhartig zijn ten aanzien van de boosdoeners, zijn we op een punt aangekomen waar zij het 'zinnebeeld van God' is.

Als ouders, en ook als volwassenen die uitsluitend aan de hand van leeftijd en postuur gezaghebbend zijn, krijgen we vaak de kans om onze heerserssymbolen tentoon te spreiden. Het is heel verleidelijk om straffen uit te delen en ons te wreken wanneer we niet worden gehoorzaamd. Barmhartigheid is meestal wel het laatste waaraan we dan denken. Ik heb geleerd me in dergelijke situaties voor te houden hoe geduldig en genadig God altijd met mij is geweest in mijn zwartste en verschrikkelijkste perioden. Ik heb me nooit door God verlaten gevoeld, zelfs niet toen vrijwel niemand barmhartig was ten aanzien van mijn fouten. Dit goddelijke helpt het meest wanneer genade rechtvaardigheid aanvult, niet wanneer het de plaats van rechtvaardigheid inneemt.

Wanneer ik mijn ouderlijk gezag laat gelden ten aanzien van mijn kinderen die een regel hebben overtreden of een afspraak niet nakomen, of gewoon iets verkeerd hebben gedaan, houd ik altijd Shakespeares raad voor ogen om rechtvaardigheid met genade aan te vullen. Ik weet wat het is om iets verkeerd te hebben gedaan, en ik vul de straf met genade en barmhartigheid aan, zodat ze, nadat de kwestie is afgehandeld, nog steeds weten dat er van hen wordt gehouden.

Het idee om genade te schenken is op al je relaties in alle facetten van je leven van toepassing. Wanneer je iemand die je heeft gekwetst of teleurgesteld, barmhartigheid aanbiedt, betekent dat niet dat je je opstelt als slachtoffer. Integendeel, daarmee zeg je: 'Ik begrijp het, ik hou van je, ik vergeef je, maar het bevalt me niet, en ik wens niet op deze wijze behandeld te worden en wil ook niet de indruk wekken dat ik het acceptabel vind.' Het verschil is dat er geen behoefte aan wraak is, en dat het ook niet nodig is om je eigen superioriteit te bewijzen. Met genade in het hart zul je merken dat je veel minder snel wordt afgeleid en ontmoedigd door slecht gedrag dat je elke dag in woord, beeld of geschrift tegenkomt. Je zult in staat blijken om de boosdoeners liefde te schenken en niet bezeten te raken van woede en haat, wat uiteindelijk uitmondt in het verlangen naar wraak.

Door het feit dat je genade hebt te schenken die je in je hart meedraagt, blijven je ogen gericht op het positieve in plaats van op het negatieve. Een voorbeeld: in plaats van verstrikt te raken in je woede tegen datgene wat je verafschuwt, zoals hongersnood, richt je je aandacht op dat wat je voorkeur heeft: het opleiden en voeden van de mens, en op die wijze leidt je barmhartigheid je naar een liefhebbende oplossing in plaats van naar een woedende reactie. De genade in je hart voor de mensen die je het dierbaarst zijn, zal ervoor zorgen dat je aandacht gericht blijft op barmhartigheid in plaats van op represailles, op het rechtzetten van de aantijging in plaats van op vergelding.

Zoals Shakespeare in dit inspirerende citaat zegt, is genade 'het machtigst in de machtigsten'. Dat wil zeggen: hoe machtiger je als persoon bent, hoe machtiger je je door middel van je genade zult uiten, en hoe minder behoefte je eraan zult hebben om je symbolen van macht tentoon te spreiden.

Pas door middel van de volgende oefeningen de woorden van dit citaat van een van 's werelds grootste woordkunstenaars in je eigen leven toe:

- Wanneer je merkt dat je in een situatie verzeild bent geraakt waarin je recht zult doen geschieden, zorg dan dat je de beide kanten van je eigen persoonlijkheid duidelijk onderscheidt. De ene is de koning die kan vergelden, de ander is de genadige koopman die altijd in de eerste plaats van zijn liefde en barmhartigheid blijk geeft. Het recht moet zijn beloop hebben, maar vul het aan met genade.

- Schenk jezelf voor alle voorgaande acties de barmhartigheid waarop je recht hebt. Al die fouten en verkeerde daden had je nodig om verder te komen. Wees vriendelijk voor jezelf en vergeet alle slechte gevoelens die je nog steeds voor jezelf koestert.

- Wanneer je eenmaal hebt verklaard hoe je je voelt, en het recht zijn beloop heeft gehad, laat het dan los. Laat het dan nú meteen los! Koester geen wrok meer en herinner jezelf er voortdurend aan dat wanneer je anderen met een schuldgevoel blijft opzadelen, je zelf ook in een sfeer van wanklanken zult blijven zitten. Laat het los.

- Leg je grootste problemen in Gods hand. Zeg gewoon: 'Lieve God, ik vind het zo vreselijk moeilijk om in die situatie barmhartig te zijn. Daarom laat ik het helemaal aan u over. Ik weet dat u me zult leiden zodat ik me zo genadig en menselijk mogelijk zal gedragen.' Die handeling zal je bevrijden van je eigen onmacht en woede en je helpen om de heilige te zien in de zondaar, die alleen maar aantekeningen met elkaar hebben uitgewisseld.

❋ EENHEID ❋

Uit *Devotions upon Emergent Occasions*

Overpeinzing XVII

Geen mens is een eiland, volledig op zichzelf; ieder mens maakt deel uit van het continent, en is deel van het geheel; als een aardkloot wordt weggespoeld door de zee, neemt dat iets van Europa weg, en dat geldt ook voor een kaap, en voor het huis van je vrienden of van jezelf; de dood van een mens neemt iets van mij weg, want ik maak deel uit van de mensheid; vraag dus nooit voor wie de doodsklok luidt; hij luidt voor jou.

JOHN DONNE (1572-1631)

John Donne was een Engels dichter, die bekendstaat als de eerste en een van de beste metafysische dichters. Het paradoxale thema van verbondenheid van geest en materie in de mens is een steeds terugkerend thema.

De meest in het oog springende eigenschap van mysticisme is misschien wel de idee van eenheid die John Donne zo vlijmscherp tot uiting brengt in dit citaat, dat in het begin van de zeventiende eeuw is geschreven. Deze idee van een gezamenlijk bewustzijn en de eenheid van de mensheid is alomtegenwoordig in alle religieuze literatuur, te beginnen bij de Upanishads uit de oudheid. Mystieke wijsheden uit de oudheid leren ons dat in de mystiek onderscheidingen als ik, jij, hij, zij en het meervoudige zij niet bestaan. In essentie zegt John Donne hetzelfde. 'Geen mens is een eiland,' staat in de eerste regel van dit zeer beroemde gedicht. Om in het leven een hoger niveau van bewustzijn en gelukzaligheid te bereiken, moeten we de waarheid van die eerste regel leren begrijpen. Dat

kan alleen wanneer de boodschap tot ons egobrein doordringt.
Ons egobrein houdt vol dat we anders zijn dan anderen en worden
gekenmerkt door waar onze grenzen ophouden en die van anderen
beginnen. Op dezelfde basis zegt ons egobrein ons ook dat we zijn
afgezonderd van onze omgeving en dat wij op aarde zijn om er
naar believen een beetje mee aan te rommelen. Maar mystieke leermeesters en dichters wijzen ons voortdurend op onze verbondenheid en op de eenheid van alles en iedereen. We moeten onder het
oppervlak en achter het uiterlijk leren kijken om het gezamenlijke
bewustzijn te begrijpen waarover zij vertellen.
Als we naar ons lichaam kijken, lijkt het een onafhankelijk orgaan
te zijn. Maar als we beter kijken, zien we een veelheid van organen
en rivieren vol vloeistof die miljoenen levensvormen bevatten, en
nog eens vele miljoenen onzichtbare bacteriën die allemaal samenwerken om dit lichaam tot stand te brengen. Om met John Donne
te spreken: 'Geen mens is een eiland, volledig op zichzelf; ieder
mens maakt deel uit van het continent, en is deel van het geheel;
als een aardkloot wordt weggespoeld door de zee, neemt dat iets
van Europa weg, en dat geldt ook voor een kaap, en voor het huis
van je vrienden of van jezelf; de dood van een mens neemt iets van
mij weg, want ik maak deel uit van de mensheid.'
Ook al komen de cellen in de lever nooit in contact met de cellen
in de mond, toch zijn ze verbonden en van levensbelang voor het
hele lichaam. Ergo: elke cel die wordt afgebroken, doet afbreuk aan
het geheel. En dat geldt ook voor de mensheid. We zijn allemaal
cellen in dat ene lichaam dat we de mensheid noemen, en als we
onszelf als losstaand zien en derhalve in tweestrijd met de ander,
doen we afbreuk aan de hele mensheid. De oorspronkelijke bewoners van Amerika drukken die eenheid met alles als volgt uit: 'Geen
enkele boom heeft takken die zo dwaas zijn om onderling ruzie te
maken.' Het mag duidelijk zijn dat een cel die de strijd aanbindt
met een naburige cel in hetzelfde lichaam, uiteindelijk het hele lichaam en zichzelf zal vernietigen. Dat doen kankercellen. Omdat ze
niet in staat zijn samen te werken met de aangrenzende cellen, vernietigen ze die en als ze niet tijdig tot staan worden gebracht, vernietigen ze uiteindelijk het lichaam en zichzelf. Dat soort cellen is
inderdaad uitermate stom.
In *Devotions upon Emergent Occasions* richt John Donne het woord tot ons

allemaal. Hij wijst ons erop dat we allemaal deel uitmaken van één lichaam en dat niemand van ons op zichzelf kan overleven. Letterlijk alles in ons bestaan is afhankelijk van de andere cellen in dit grotere lichaam dat voor ons aan het werk is. Jij als eenling, dat is hetzelfde als wanneer het hart buiten je lichaam zou kloppen en niets te maken had met alle aderen en organen die in harmonie moeten samenwerken met het hart om jou in leven te houden.

Stel je eens voor dat een golf of een druppel water zich als losstaand van de zee beschouwde. Wanneer die zich van de zee afscheidt, is hij zwak, maar wanneer hij naar de bron terugkeert, is hij net zo machtig als de zee zelf. De dichterlijke woorden van John Donne houden ons deze waarheid voor ogen. Wanneer we ons als eilanden opstellen, geheel losstaand, verliezen we de macht van de bron en nemen we iets weg van de hele mensheid. Maar in de mystiek, waar 'ik' en 'jij' worden vervangen door 'wij' en 'ons', behoort oorlog tot de onmogelijkheden omdat het op een ronde planeet onmogelijk is om voor de ene of de andere 'kant' te kiezen. In ons persoonlijke leven is de oorzaak van ons onvermogen om het hoogste, meest vervullende en rijkste te ervaren van wat het leven ons biedt, gelegen in het feit dat we onszelf als eilanden zien die geen deel uitmaken van het grote geheel.

Wanneer jij je verbonden beschouwt met alle anderen, komt er meteen een eind aan het veroordelen van die anderen, omdat dan wordt ingezien dat die ander met onzichtbare draden met jou is verbonden, op dezelfde wijze waarop jouw enkels en jouw ellebogen dezelfde ongeziene levenskracht benutten. Barmhartigheid ten aanzien van alle anderen wordt dan een automatische reactie. Je ziet de hele mensheid als een onverdeelde en niet te verbreken familie. Wanneer je zover bent dat je alle anderen als familieleden kunt beschouwen in plaats van als mededingers of verraders, dan zul je je handen met liefde naar hen kunnen uitstrekken, in plaats van met een defensief of destructief wapen.

Het zich richten op eenheid is tegengesteld aan de onafhankelijkheid die ons wordt aangeleerd in stamverband, in de familie, en in het land waarin we leven. In plaats van onszelf te spiegelen aan dat wat ons van de ander onderscheidt, richten we ons op dat wat we delen. De aandacht is dan niet langer gericht op het uiterlijk, maar op het feit dat we voor elkaar van levensbelang zijn. Op die manier

wordt haat vervangen door de wens alles op te lossen wat ons ver-
deelt, op dezelfde wijze waarop de oncoloog eropuit is om die on-
ruststokende kankercel door het hele organisme te laten uitwissen,
zodat hij niet langer tweespalt kan zaaien in het lichaam.

Ik heb gemerkt dat ik me een stuk minder bezorgd en gespannen
voel wanneer ik aan de eerste vijf woorden van dit gevoelige citaat
denk. Er is een tijd geweest waarin ik geneigd was om met minachting te kijken naar bedelaars die om geld vroegen, en vaak tegen
mezelf of iemand binnen gehoorsafstand zei: 'Waarom gaan ze niet
net als ik voor hun geld werken?' Nu houd ik mezelf voor dat ik op
een mysterieuze en ja, mystieke manier verbonden ben met al die
mensen. Hun armoede, smoezeligheid en slechte gezondheid nemen iets weg van ons allemaal, mijzelf inbegrepen. Zwijgend roep
ik hun een heilwens toe en neem me plechtig voor om beter mijn
best te doen om een eind te maken aan dergelijke toestanden op
onze wereld, en, nog belangrijker, ik voel meer medeleven en
liefde in mijn hart. Ik houd mijzelf voor dat we elkaar allemaal nodig hebben, en dat onze banden veel steviger zijn dan de banden
met onze stam of onze nabije, genetische familie.

Wanneer je de doodsklokken vol droefheid hoort luiden, die vertellen dat iemand het slachtoffer is geworden van geweld, luister dan
zorgvuldig en houd jezelf voor ogen wat John Donne meer dan
vier eeuwen geleden heeft geschreven: dat die klok voor ons allemaal luidt, ook voor jou!

Om die gedachte aan eenheid in je leven te integreren, moet je het
volgende doen:

• Zie jezelf niet langer als afstandelijk en afgescheiden door de
plaats waar je woont of door het feit dat je bent afgezonderd
van diegenen die elders worstelen. Wanneer je je bewust wordt
dat iemand aan een andere kust pijn lijdt, zeg dan in stilte een
gebed voor die persoon, en kijk of je in je hart de eenheid met
die ander ervaart.

• Zie God in alles en iedereen en gedraag je elke dag alsof de God
in alle dingen er echt toe doet. Probeer je oordeel over anderen
die minder ambitieus, minder vredelievend en minder liefhebbend zijn, op te schorten, en probeer in plaats daarvan te begrij-

pen dat juist haat en oordeel voor de problemen zorgen. Wanneer je de haters veroordeelt en de beoordelaars haat, maak je deel uit van de kanker in plaats van de behandeling.

- Gebruik minder etiketten die je van 'de anderen' onderscheiden. Je valt niet onder de noemer Amerikaan, Californiër, Italiaan, jood, bejaarde, gedrongen, vrouwelijk of sportief, of onder welke noemer ook. Je bent een inwoner van de wereld, en wanneer je ophoudt met op alles een etiket te plakken, zul je God in elke tuin gaan zien, in elk bos, elk huis, ieder schepsel, en iedere persoon, en zul je beloond worden met innerlijke vrede.

TIJD

Over tijd

Vlieg jaloerse tijd, tot gij uw race uitloopt,
Roep aan de luie loodzware uren,
Wiens snelheid is slechts de pas van het zware schietlood;
En verzadig uzelf met alles wat uw binnenste verslindt,
Wat niet meer is dan wat is vals en ijdel,
En slechts sterfelijk schuim;
Zo onbeduidend is ons verlies,
Zo onbeduidend is uw winst.
Want wanneer gij elk slecht ding hebt begraven,
En tot slot uw hebzuchtige zelf hebt opgeslokt,
Dan zal de lange eeuwigheid ons geluk begroeten
Met elk een eigen kus;
En vreugde zal ons overspoelen als een golf,
Als alles dat werkelijk goed is
En smetteloos goddelijk,
Met Waarheid, en Vrede, en Liefde zal schijnen
Rondom de hemelse troon
Van hem tot wiens gelukzalige gelaat alleen,
Als onze ziel naar de hemel zal worden geleid,
Dan zal al deze aardse lelijkheid ophouden,
Getooid met sterren, zullen wij voor eeuwig
Triomferen over de Dood, het Toeval en gij, o Tijd.

JOHN MILTON (1608-1674)

John Miltons poëzie en proza hebben hem tot een van de bekendste en meest gerespecteerde schrijvers van de Engelse literatuur gemaakt.

*B*ij het samenstellen van dit boek heb ik de gelegenheid gehad om duizenden gedichten te lezen, geschreven door honderden van de grootste denkers aller tijden. Het thema 'tijd als vijand' is nogal populair bij de mensen die over menselijke drama's schrijven, en dan vooral bij dichters. John Milton, de man die onder meer *Het paradijs verloren* heeft geschreven, wordt als een van de grootste van dat type dichters beschouwd, en velen die lang na Milton leefden, hebben dit zeventiende-eeuwse literaire genie aangeduid als de belangrijkste invloed in hun leven.

Het menselijk dilemma ten aanzien van de tijd is begrijpelijkerwijs een blijvend thema of onderwerp, omdat het verzwakken en verwoesten van het menselijk lichaam aan de tijd wordt geweten. De waarheid die feitelijk aan onze vleselijke realiteit ten grondslag ligt, kan in één zin worden samengevat: Uiteindelijk worden we allemaal ouder en gaan we dood. Dat geldt net zo goed voor een beroemde actrice, een persoon met enorm veel macht, en een huisvrouw in Athene als het destijds voor een blinde, zeventiende-eeuwse dichter gold. Of het ons nu bevalt of niet, dat is de realiteit. John Milton erkende deze fundamentele waarheid bij het schrijven van zijn gedicht over tijd.

Hij probeert echter tegelijkertijd voorbij de zo op het oog niet te overtreffen macht van tijd te reiken. Hij schrijft over het enige wat het verstrijken van de tijd kan verslaan: het betreden van de eeuwigheid. En dan graag een warm onthaal voor de ziel, de eeuwige vriend van de dichter, die tevens de sleutel is tot gelukzaligheid, genade en verlossing. Milton schrijft dat de tijd 'zich verzadigt aan alles wat uw binnenste verslindt', maar verklaart met dichterlijke vrijheid dat alles wat het te eten krijgt, vals is, ijdel, en niets meer dan sterfelijk afval. 'Zo onbeduidend is ons verlies' (van de mens). 'Zo onbeduidend is uw winst' (van de tijd).

Hij schrijft over de eeuwigheid die ons met een kus begroet, en de vreugde wanneer we weten te ontsnappen aan de tand des tijds. De eeuwigheid neemt het over en laat ons kennismaken met de tijdloosheid van waarheid, vrede en liefde. Milton verwoordt het prachtig in zijn slotzin: 'Getooid met sterren zullen wij voor eeuwig triomferen, over de Dood, het Toeval en gij, o Tijd.' Ik vind die opsomming prachtig. Deze dichter begrijpt dat dit het enige is wat we nodig hebben om ons te bevrijden van onze angst voor het onvermijdelijke proces van oud worden en sterven.

Milton verloor zijn gezichtsvermogen toen hij begin veertig was, en moest zijn gedichten dicteren in een tijd dat zoiets heel wat moeilijker was dan tegenwoordig het geval zou zijn. Hij voelde aan den lijve welke aanvallen de 'tijd' op zijn leven pleegde. Ik zie John Milton voor me als een blinde die in een koud, stenen vertrek zit te dicteren en luistert naar een helper die zijn gedachten opschrijft, en een gevoel van diepe tevredenheid ervaart in de wetenschap dat hij de enige manier omschrijft waarmee hij over zijn voortijdige tegenslag kan triomferen. Lees zijn woorden eens aandachtig na, dan zul je het zwakke gefluister horen van de tijd die zegt: 'Uiteindelijk worden we allemaal ouder en gaan we dood.'

Maar omdat in onze fysieke wereld alles voortdurend in beweging is, en de stevige greep van de tijd het enige is wat wij met onze zintuigen waarnemen, en omdat we 'ten gronde gaan aan zijn hebzuchtigheid', komt het mij voor dat het mogelijk moet zijn om nu al de vreugde te leren kennen en 'deze aardse lelijkheid' achter ons te laten zonder op die persoonlijke kus van de eeuwigheid te moeten wachten die ons bij de dood toevalt. Ik geloof dat ieder van ons het besluit kan nemen om voortaan elke dag in waarheid, vrede en liefde te leven, en zo te glimlachen om het verstrijken van de tijd, in plaats van ervoor te beven. Door ons zo te gedragen kunnen we een lange neus trekken tegen de tijd. Op die manier vereenzelvigen we ons niet in de eerste plaats met de tijd, maar met de tijdloosheid van liefde, waarheid en vrede. Jouw tijdloze ik wordt niet ouder en kent geen vrees voor de dood.

Ik geniet van de wetenschap dat ik het met de waarheid, liefde en vrede van mijn eeuwige ik tegen de tijd kan opnemen en niet het gevoel hoef te hebben dat ik op de dood moet wachten om van de eeuwigheid te genieten. Ik geniet elke dag opnieuw van het feit dat ik de tijd kan overwinnen door zoveel mogelijk vanuit het perspectief van waarheid, vrede en liefde te leven, want dan wordt de vreugde waarover Milton spreekt, nu al mijn deel. Niet ergens in het verschiet, maar nu al!

Denk na over je fysieke ik en al zijn mogelijkheden, en doe je best om het met een vriendelijke glimlach gade te slaan. De tijd heeft het je alleen maar in bruikleen gegeven. Onder het lezen van de poëzie van de groten der aarde die hier aan jou voorbijgaan, zul je dit thema nog regelmatig tegenkomen. Vaak wordt het gezien als een strijd tussen leven en dood, kans en keus. En ja, tijd en eeuwigheid. Toch bevind jij je nu hier, en je kunt ophouden het als een slagveld te beschouwen. Lach om zijn bezigheden, en weet dat je daarvan niet het slachtoffer zult worden. Zie vanuit je eeuwigheidperspectief dat de waarnemer immuun is voor tijd.

Doorleef datgene waarvan Milton ons met zijn blinde, ouder wordende lichaam al zovele eeuwen geleden deelgenoot maakte. Een gevoel van triomf. Een gevoel van weten dat de ziel de plaats is waar onze gelukzaligheid zetelt. 'Getooid met sterren, zullen wij voor eeuwig triomferen.' Eeuwig, dat is ook nu!

Probeer elke dag de drie waarden uit Miltons poëzie in praktijk te brengen om de tweeslachtigheid van tijd en eeuwigheid te ontstijgen.

- Waarheid. Doorleef de waarheid die je aanspreekt, onverschillig hoe je bent geconditioneerd of welke goede gevoelens anderen er ook over hebben.

- Vrede. Neem het besluit om altijd voor dat te kiezen wat jou en anderen een gevoel van innerlijke en uiterlijke vrede geeft.

- Liefde. Laat de liefde zo vaak je kunt krachtig spreken en onderdruk de gedachten aan haat, oordeel en woede zodra je die voelt opkomen.

De tijdloosheid van waarheid, vrede en liefde zijn de instrumenten waarmee je de tijd recht in de ogen kunt kijken en vol overtuiging kunt zeggen: 'Ik heb geen angst voor jou, want ik ben eeuwig en jij kunt me niet raken.'

✤ NEDERIGHEID ✤

Eenzaamheid

Gelukkig is de man wiens wens en zorg is
Een aantal geërfde hectares te behouden,
Blij om de lucht in te ademen
Van zijn geboortegrond.

Wiens kuddes met melk, wiens velden met brood,
Wiens schaapskudde hem voorziet van kleding;
Wiens bomen in de zomer hem schaduw bieden,
In de winter vuur.

Gezegend die zonder zorgen ziet
De uren, dagen en jaren onbekommerd verglijden
Gezond van lichaam, gezond van geest;
Rustig door de dag,

Stevige slaap 's nachts; studie en kalmte
Samengevoegd, heerlijke ontspanning,
En onschuld, wat de meesten pleziert
Met meditatie.

Laat mij zo leven, ongezien, onbekend;
Laat mij zo onbeklaagd sterven,
Gestolen van de wereld, en nog geen steen
verraden waar ik lig.

ALEXANDER POPE (1688-1744)

*De Engelse dichter en satiricus Alexander Pope was in zijn
tijd de literair dictator, en hij werd als de belichaming van het
Engelse neoclassicisme beschouwd.*

Op het eerste oog lijkt dit heel beroemde gedicht van Alexander Pope uitsluitend te handelen over het belang van het vinden van vrede en stilte, omdat dat een voorwaarde is voor geluk. Dat is niet alleen het thema van dit gedicht, maar van een groot deel van het werk van deze achttiende-eeuwse dichter die buiten Londen in het Windsor Forest woonde. Hij had een bochel en een tuberculeuze infectie, waardoor hij niet langer werd dan een meter vijfendertig, en hij heeft zijn hele leven aan hoofdpijn geleden. Zijn mismaaktheid en ziekte maakten hem overgevoelig voor fysieke en mentale pijn, en daardoor koos hij in zijn gedichten het terugtrekken in de natuur en de kans om voldoende afstand te nemen van het lawaai en de onrust van grote menigten als onderwerp.

De natuurlijke wereld zoals wij die op het einde van de twintigste eeuw kennen, verschilt enorm van de wereld waarin Pope driehonderd jaar geleden werd geboren, wat zijn dichterlijke raad aan de wereld van nu nog meer betekenis geeft. 'Blij om de lucht in te ademen van zijn geboortegrond', betekent in de huidige wereld maar al te vaak brandende ogen vanwege de smog in onze steden, het inhaleren van giftige dampen en het inademen van luchtvervuilers. De mensen die ermee kunnen volstaan om hun kudde te melken, hun schapen te scheren en hun lichaam te verwarmen met de bomen van hun land wanneer ze niet voldoende schaduw meer afwerpen, moet je met een lantaarntje zoeken. En verder zijn er maar verdraaid weinig 'gezegend die gezond van lichaam en gezond van geest onbekommerd uren, dagen en jaren zachtjes kunnen zien verglijden'.

Integendeel, we hebben te maken met een toenemende lichamelijke teruggang, veroorzaakt door ziekten die aan een vervuild milieu zijn te wijten, met een steeds toenemende mate van stress en met een luidruchtige wereld die met behulp van machtige motoren, draagbare bladzuigers, bulldozers, pneumatische boren, vrachtwagens en sirenes het landschap misvormen en een aanslag op onze zintuigen plegen. Popes dichterlijk advies van bijna driehonderd jaar geleden is in de wereld van vandaag zeer beslist relevant.

De eerste drie verzen van zijn gedicht verwijzen naar de behoefte om schone lucht in te ademen, je levensonderhoud uit de natuur te halen, en overdag te genieten van enige afzondering en stilte. Ik raad jullie allen aan om alles in het werk te stellen om, waar je ook woont, deze elementen ook in jóúw leven in te voegen. Neem de tijd om de stad uit te gaan en de natuur in te trekken, waar je je op stille plekken gezegend kunt voelen.

In het vierde vers beschrijft Pope op poëtische wijze hoe je door middel van ontspanning, onschuld en meditatie van een gezonde slaap kunt genieten. Ik heb elders in dit boek geschreven over het belang van dagelijkse meditatie, dus dat zal ik hier niet herhalen. Maar een paar van de niet-genoemde ingrediënten voor een gelukkig leven − studie, kalmte, ontspanning en onschuld − vormen een combinatie van raadgevingen die door de seizoenen heen altijd en overal opgeld doen. Wanneer ik mezelf de vrijheid geef om bepaalde onderwerpen te bestuderen die mijn belangstelling hebben opgewekt, of mezelf de tijd gun om de druk van me af te schudden en overdag te gaan tennissen, te gaan zwemmen of te gaan hardlopen, dan ontdek ik de kinderlijke onschuld die 'de meesten plaziert', vooral wanneer die samenvalt met het mediteren.

Deze vier verzen van *Eenzaamheid*, het beroemdste gedicht van Alexander Pope uit zijn vroege jaren, nog van voor *De roof van de lok*, bevatten een groot assortiment ingrediënten voor geluk. Daarin zit opgesloten de oproep om in een zoveel mogelijk ontspannen en natuurlijke omgeving van hart tot hart met elkaar te communiceren. Ik raad je aan zijn dichterlijke advies op te volgen, hoe dichtbevolkt en lawaaiig je dagelijkse leven ook mag zijn. Wat mij betreft voel ik mezelf sterk aangetrokken tot het laatste vers van dit gedicht: 'Laat mij zo leven, ongezien, onbekend.'

Ik heb het zeldzame voorrecht genoten om in de aanwezigheid van goddelijke wezens en avatars te verkeren. De grootste indruk die deze hoogontwikkelde mensen op mij hebben gemaakt, is dat ze hun ego's hebben weten te onderdrukken en als stille wijzen hun leven leiden, zonder zich te baden in het licht van de stralenkrans van hun eigen goddelijkheid. Ze hebben er letterlijk voor gekozen om als fysieke wezens te verdwijnen. Ze zijn niet op zoek naar lof voor hun grote gaven, want feitelijk dragen ze die allemaal op aan God. Toen Franciscus van Assisi, de grote heler uit de dertiende eeuw, werd gevraagd waarom hij zijn eigen zieke lichaam niet genas, antwoordde hij dat hij iedereen wilde laten weten dat hij het niet was die de genezing tot stand bracht.

Voor míj ligt de mate van grootheid en geluk in het vermogen om het ego zodanig te onderwerpen dat het niet meer hoeft te worden geprezen om wat tot stand is gebracht, om niet langer behoefte aan dankbaarheid te hebben of applaus, om onafhankelijk te zijn van de goedkeuring van anderen, om alleen dat te doen wat ik doe, omdat het mijn bedoeling is om dat te doen. Wat het nu echt betekent om volmaakt of grandioos te zijn, om anoniem te leren geven en de verleiding te weerstaan om te willen worden geprezen, wordt prachtig tot uitdrukking gebracht in de filmklassieker *Magnificent Obsession*. Wanneer we niet langer behoefte hebben aan glorie, ervaren we een nieuw soort vrijheid. Zoals de dichter zegt: 'Laat mij zo onbeklaagd sterven. Gestolen van de wereld, en nog geen steen verraden waar ik lig.'

Ik heb ditzelfde gevoeld in de aanwezigheid van ware grootheid. Het is het soort nederigheid dat, naar ik veronderstel, Jezus van Nazareth, Boeddha en Lao-tse uitstraalden. Toen ik voor Moeder Meera was gezeten, een goddelijke leermeester uit India die in Duitsland woont, en in haar goddelijke ogen keek, kon ze me zonder woorden bereiken doordat het ego geen onderdeel meer van haar was, en ik had werkelijk het gevoel dat ze nooit erkenning voor haar ongelooflijke spiritualiteit nodig zou hebben. Toen Carlos Castaneda over zijn aansluiting bij de Naguals schreef, die grote spirituele leermeesters, raakte hij geïntrigeerd door hun anonimiteit en nederigheid. Het ging hier om gewoon uitziende wezens die een buitengewoon bewustzijn bezaten, die diepzinnig maar nederig leefden, die alom aanwezig waren maar tegelijkertijd vrijwel onzichtbaar. Dat waren de paradoxale waarden die ik in het slotvers van Alexander Popes gedicht las. Leer ongezien en onbekend te leven, vrij van de behoefte om te worden opgemerkt. Doe wat je moet doen omdat je het gevoel hebt geleid te worden, en trek je waardig en in vrede terug.

Mijn eerste fysieke contact met mijn hedendaagse leermeester Guruji voltrok zich in totale stilte, die bijna een uur aanhield. Woorden waren niet nodig. Ik kreeg een concrete meditatie te leren, maar toch heeft hij nooit laten blijken dat hij ervoor wil worden geprezen. De grootste leermeesters zijn zich bewust van de behoefte om anonimiteit en nederigheid te handhaven.

Niemand vatte deze gedachte beter samen dan Lao-tse, de Chinese leermeester uit de oudheid, aan wie in dit boek een hoofdstuk is gewijd. Hij houdt ons voor: 'Alle wateren stromen naar zee, omdat die lager is dan zijzelf. Nederigheid geeft haar macht.'

Om de wijsheid van Alexander Popes gedicht *Eenzaamheid* in jouw leven toe te passen, stel ik je voor het volgende in overweging te nemen.

- Gebruik een gedeelte van de dag om in afzondering door te brengen en niets anders te doen dan stil te zijn. Onderdruk zo mogelijk het luidruchtige lawaai in je dagelijkse leven thuis of op de zaak, door op de achtergrond zachte, klassieke muziek af te spelen. Het 'Mozart-effect' schept een gevoel van evenwicht en vrede dat letterlijk de productiviteit doet toenemen en de spanningen doet afnemen.

- Geef jezelf ruimschoots de tijd om in de natuur naar het geluid van dieren en vogels te luisteren, naar wind en branding, en om de niet-vervuilde lucht langzaam en diep in te ademen. Tijd in de natuur is een prachtige methode om jezelf weer nieuw leven in te blazen.

- Volg een yogacursus waarin je de aanvangsoefeningen worden bijgebracht om je lichaam in harmonie te brengen. Maak yoga tot een vast onderdeel van je dagelijks leven.

- Doe je best om anoniem te geven aan de behoeftigen, en daarbij niet te willen worden geprezen. Maak dat tot je belangrijkste doel. Ik raad je sterk aan om zowel *Magnificent Obsession* als *Brother Sun, Sister Moon* te gaan zien, dat het leven van de dertiende-eeuwse St. Franciscus en zijn transformatie tot een nederig en gul wezen beschrijft.

- Denk aan de metafysische beschrijving van Henry David Thoreau, waarin de essentie van de boodschap van *Eenzaamheid* wordt weergegeven: 'Net als duisternis zal nederigheid het hemels licht onthullen.'

Ode op een griekse urn

Attisch maaksel! Schone statuur! Met rand
Van marmeren mannen en meisjes bedekt,
Met bostakken en vertrapte plant;
Jij stille vorm, die ons aan 't brein onttrekt,
Gelijk de eeuwigheid: Koud herdersdicht!
Als dit geslacht oud en verteerd zal zijn,
Blijf jij, die telkens ander leed ontmoet,
Bestaan, vriend voor de mens, tot wie je zegt:
'Schoonheid is waarheid, waarheid schoonheid' – al
Wat je op aarde weet en weten moet.

JOHN KEATS (1795-1821)

*John Keats, vermoedelijk de meest getalenteerde onder de
Engelse romantische dichters, gaf zijn werk als arts op om
poëzie te gaan schrijven.*

*E*r is iets in het universum wat het sterfelijk leven van de mens
overtreft. Wat het ook is, het doet ons allemaal verstomd staan, en
de jonge John Keats beschreef het dichterlijk in zijn beroemde *Ode
op een Griekse urn*. Terwijl de dichter zijn gedachten liet gaan over de
figuren van de minnenden op de Griekse urn, zat hij zelf met de
sterfelijkheid te worstelen. Zijn broer was kort ervoor overleden,
begin twintig, en zelf had hij ook problemen met zijn gezondheid,
wat hem een jaar later het leven kostte, toen hij nog maar zesen-
twintig was. De keus van dit stukje gedicht is het vijfde en laatste
vers van *Ode op een Griekse urn*. Het eindigt met twee zinnen die een
opsomming geven van de benadering van het vergankelijke leven
en rechtstreeks tot ieders eigen bron van oprecht geluk spreken.
Elke dag dat ik vanuit mijn werkkamer naar buiten kijk, denk ik aan

de boodschap die in Keats' gedicht ligt opgesloten. Twee maanden geleden schoonden mijn zoon en ik een stuk bos op voor het huis waarin ik mijn boeken schrijf. We snoeiden struiken, hakten dode bomen om en knipten het gras langs de oprit kort. Vlak voor mijn raam lieten we een zo op het oog dode, dunne boomstam van nog geen meter hoog en met een verkleurde bast staan. We besloten die de volgende dag uit te graven, omdat we op dat moment geen spade bij de hand hadden. Er kwam van alles tussen en toen moest ik de stad uit om een serie lezingen te geven, waardoor we niet meer aan dat dode stuk hout dachten. Toen ik terugkwam, zag ik dat er wat groene blaadjes aan de verdorde uitsteeksels waren ontsproten, en besloot ik de spade te laten voor wat die was.

Wanneer ik nu naar buiten kijk, zie ik duizenden knopjes, groene takken en bladeren die het zicht op de bovenkant van dat 'dode stuk hout' ontnemen. Het is een prachtig gezicht. Die levenskracht, onzichtbaar voor mijn ogen, is de eeuwigheid waarnaar Keats verwijst als hij zegt: 'als dit geslacht oud en verteerd zal zijn, blijf jij, die telkens ander leed ontmoet, bestaan...' En ja, dit 'gij' is als een vriend voor iedereen die zegt: '"Schoonheid is waarheid, waarheid schoonheid", – al wat je op aarde weet en weten moet.'

De levenskracht die die dode stronk tot leven lijkt te brengen, kunnen we rustig de waarheid noemen. Het is gewoon zo. Iedereen kan die waarheid zien, samen met alle waarheden die de eeuwigheid ons weet te tonen, en op elke manier die we maar willen. John Keats stelt voor dat wij er ook toe moeten overgaan om pracht met waarheid en waarheid met pracht te identificeren... punt uit! Pracht is die stille vorm die eeuwig is en die onze waarheid is. Als we dit 'gij' kunnen zien als een geschenk vol pracht, kunnen we vrede in ons hele leven scheppen.

Door de eeuwen heen hebben dichters, filosofen en wetenschappers pracht gelijkgesteld aan de vrede van een volwaardig leven. Bij de intens levende mensen uit de studie van dr. Abraham Maslow blijkt het vermogen om pracht te waarderen een van de belangrijkste karaktereigenschappen. Maslow was een pionier in het bestuderen van het vermogen dat in de mens zit om tot grote hoogten te stijgen; hij ontdekte specifieke karaktereigenschappen die uitsluitend bij die mensen voorkwamen die hij 'zelfverwerkelijkers' noemde.

Maslow noemde die vredige staat van bewustzijn 'zelfverwerkelijking'. Misschien was wat hij beschreef wel de unieke verwantschap met de waarheid. Emerson omschreef pracht als 'Gods handschrift, een andersoortig sacrament', en dringt er bij ons op aan om 'nooit de kans te laten schieten om alles wat schoon is te aanschouwen'. Keats lijkt nog een stapje verder te gaan dan alleen over pracht te spreken. Hij zegt pracht gelijk te stellen aan waarheid.

En wat is nu jouw waarheid? Het belangrijkste is dat wat voor jou echt is, ook waar is. En echt is wat jij emotioneel ervaart. Dus als je het voelt, beleeft en ervaart, dan is het meer dan echt, dan is het de pracht die zich manifesteert. Je gevoelens van vervulling zijn echt en mooi. Je waardering voor een geliefde is echt en mooi. Je inspiraties zijn echt, en dus mooi. Als je op deze wijze wenst voort te gaan, dan geeft die onzichtbare eeuwige levensvonk, die volgens Keats een vriend voor de mens is, jou je waarheid, en derhalve ook de pracht.

Elke keer dat ik naar buiten kijk en die boomstronk zie waarvan ik dacht dat hij dood was, en ik zie hoe die levenskracht zich uit in prachtige groene scheuten, takken, bladeren en nieuwe uitlopers, dan bedenk ik dat diezelfde levenskracht ook door mij stroomt. Dat is mijn waarheid. Ik deel die eeuwige levenskracht met dat stuk hout in de grond, en wanneer mijn generatie verdwijnt, zal de levenskracht blijven voortbestaan in allen die mijn plaats zullen innemen. Het is een goddelijk mysterie, en toch is het onze waarheid, die door mij als prachtig wordt betiteld.

Diep vanbinnen weet ik dat ook al zouden we het hele aardoppervlak bestraten, het 'gij' van Keats toch als een grasspriet dwars door de bestrating zou opschieten. Het eeuwige 'gij' zou opnieuw vol pracht tot bloei komen. Het kan niet worden tegengehouden. Dat is de waarheid. Het is ook jouw waarheid. Om met Keats te spreken: dat is wat je op aarde weet en weten moet.

Wanneer een hart zich openstelt om de waarheid als pracht te ervaren, dan is een van de grootste raadselen van de mensheid – de dood – opgelost. Hier hebben we John Keats, nog maar pas eind twintig, besmet met tuberculose, met het vooruitzicht dat zijn lichaam het binnen afzienbare tijd zal laten afweten, en die desondanks toch openstaat voor de pracht van de waarheid van het leven. Zie de pracht op elke plek waarvan je voelt dat die echt is. Die waarheid/pracht zal je doordrenken. Ken jezelf en leef je waarheid, dan zal de pracht jouw deel worden.

Volgens mij zegt John Keats ons in deze gekwelde dichtregels dat we ieder voor onszelf onze eigen waarheid moeten leren kennen, ons eigen hart moeten volgen, en dan zullen we overal schoonheid waarnemen. Als je dat niet doet, verlies je het vermogen om de verrukking van het leven te waarderen en te beleven, diezelfde onzichtbare verrukking die er op de een of andere manier in slaagt om een zaadje, een wortel, een bloesem, en zelfs jou, tot leven te wekken.

Laat deze dichterlijke waarneming in je eigen leven tot volle bloei komen door deze suggesties op te volgen:

- Onderzoek wat voor jou het meest echt is. Waar is je eigen waarheid genesteld? Wanneer voel je je het meest geïnspireerd en vervuld? Wat geeft je de grootste innerlijke bevrediging? Je antwoorden zijn het 'gij' dat het eeuwige leven in je vertegenwoordigt en de pracht die eruit voortspruit is je echte ik.

- Vertrouw op je eigen oordeel over wat mooi en waar is. Pas je eigen waarheid toe en wees niet afhankelijk van de mening van anderen. Als je je geïnspireerd voelt en het aanvoelt als je innerlijke verrukking, dan is het echt en daarom ook mooi.

- Laat het soort oordelen varen dat andermans streven en interesse als lelijk, onjuist of onecht classificeert. Blijf bij je eigen waarheid en gun anderen het recht om zich los te maken van je bittere oordeel.

- Probeer op zoveel mogelijk plaatsen schoonheid te ontdekken. De natuur dient een virtuele verscheidenheid aan wonderen op. Leer de pracht ervan te onderscheiden. Zoek het goddelijke, onzichtbare 'gij' waarvan je weet dat het eeuwig is en overal omhoogschiet. Houd dit in gedachten en sta niet toe dat je mentale energie het met andere ogen bekijkt.

❋ PASSIE ❋

Filosofie van de liefde

I
De fonteinen mengen met de rivier
En de rivieren met de oceaan,
De winden van de hemel mengen zich altijd
Met een zoet gevoel;
Niets in de wereld is alleen;
Alle zaken worden door goddelijke wetten
Tot een geest gesmeed.
Waarom niet ik met de uwe?

II
Zie de bergen kussen de hoge hemel
En de golven grijpen elkander;
Geen zusterbloem zou worden vergeven
wanneer het zijn broer vergat;
En het zonlicht omklemt de aarde
En de manestralen kussen de zee:
Wat is al dat zoete werk waard
Als gij mij niet kust?

PERCY BYSSHE SHELLEY (1792-1822)

De Engelse filosofische dichter Percy Bysshe Shelley ver-
wierp alle conventies die naar zijn mening de liefde en de
menselijke vrijheid verstikten, en hij verzette zich tegen de
beperkingen van de Engelse politiek en religie.

*P*ercy Bysshe Shelley heeft ons zijn poëzie, waarin het belang van
een hartstochtelijke manier van leven wordt onderstreept, nagelaten. Zelfs de Encyclopaedia Brittanica, geen geringe autoriteit, zegt over

deze romantische dichter: 'Zijn hartstochtelijke zoektocht naar persoonlijke liefde en sociale rechtvaardigheid werd geleidelijk aan teruggebracht van openbare acties naar gedichten die tot de mooiste in de Engelse taal gerekend mogen worden.' Een hartstochtelijke manier van leven brengt sowieso al enorme beloningen met zich mee, die nog meer kracht krijgen wanneer men zich ervan bewust is dat de dood, willekeurig als die kan zijn, onverwachts kan toeslaan, zoals ook bij Shelley gebeurde.

Stel je voor, hier hebben we te maken met een man uit het Engeland van begin negentiende eeuw, die zijn leven op het spel zette door het verspreiden van pamfletten waarin hij pleitte voor het politieke recht en de autonomie voor de katholieken in Ierland. Op negentienjarige leeftijd trouwde hij in het geheim, waarbij beide families voor het blok werden gezet; hij verloor op vierentwintigjarige leeftijd zijn eerste vrouw door zelfmoord en twee van zijn kinderen stierven toen hij midden twintig was. Vervolgens trouwde hij met zijn minnares Mary Wollstonecraft, waarmee hij zijn verlangen vervulde naar een levenspartner die 'poëzie en filosofie aanvoelt'. Shelley reisde door heel Europa, waarbij hij door middel van het schrijven en publiceren van zijn gedichten in zijn levensonderhoud voorzag. Hij bezocht samen met lord Byron diverse Europese steden, met poëzie als doel, en verkondigde dat dichters de niet-erkende wetgevende macht van de wereld zijn omdat zij de waarden van de mens bepalen, en omdat zij de sociale rangschikking vaststellen.

Deze man was een fervent idealist, die over zijn liefde voor de liefde en zijn passie voor de passie schreef. Zijn enorme schat aan poëzie en proza kwam abrupt ten einde toen hij negenentwintig was. Hij kwam om het leven bij een schipbreuk tijdens een storm. Niet alleen zijn poëzie spreekt ons aan vanwege de enorme hartstocht die eruit spreekt, datzelfde geldt ook voor zijn levenswijze. Hij zette zich in voor idealen, zette zijn roem en zijn leven op het spel, en dronk met volle teugen van het leven. Het gedicht dat hier wordt geciteerd, *Filosofie van de liefde*, brengt iets van die passie tot uiting die Shelley in zijn idealistische hart meedroeg, en net als zoveel van zijn romantische gedichten zegt het mij: 'Voel de liefde voor je aanbedene, en breng die hartstochtelijk tot uiting; want anders zul je vol frustratie je leven slijten.'

Liefde, de hartstochtelijke liefde welteverstaan, is dat innerlijk gevoel van verlangen dat in elke gedachte doordringt. Het is een staat van gelukzaligheid die we meestal vereenzelvigen met seksuele of romantische gevoelens die je in extase met je geliefde deelt. De verstrengeling, het samenkomen, het vastgrijpen, de kussen bij de rivier, in de wind, in de bergen, bij bloemen en manestralen, zijn Shelleys metaforen voor die gedeelde staat van gelukzaligheid. Waarom, zo zegt hij, zou je ervoor kiezen om dat soort gevoelens niet tot uitdrukking te brengen? Dat levert alleen maar frustratie op. Ik kan me nog de smart herinneren die ik een aantal keren in mijn leven heb ervaren door gevoelens van liefde die ik niet met iemand kon delen. Ik geloof dat ik het gevoel had in de hemel te zijn wanneer die liefde zich uitte in lange omhelzingen en kussen en samenkomen.

Maar er is ook passie te vinden in andere omstandigheden, zoals de passie van het scheppen. Wanneer we gaan nadenken over de passie in ons eigen leven, is het belangrijk om aandacht te schenken aan de dingen die bij ons passie oproepen. Wat mij betreft, ik ken de verrukking van scheppend werk. Ik schrijf en ik houd lezingen. Ik ervaar in veel situaties die staat van gelukzaligheid, te vergelijken met wat Shelley in zijn gedichten beschrijft als hij het over het samenkomen van twee mensen heeft.

Ik heb me gelukzalig gevoeld wanneer ik me tijdens een marathon of een felle tenniswedstrijd één voelde met mijn lichaam. Ik voel me gelukzalig wanneer ik in diepe meditatie ben verzonken, of tijdens lange wandelingen met mijn vrouw, of wanneer ik zie wat mijn kinderen presteren. Shelley spreekt van liefde en een vreugdevol hart dat de schoonheid van onze wereld en van iedereen met wie we zijn verbonden, ten volle weet te waarderen. Hij heeft het niet uitsluitend over de verslavende passie van onze seksuele hartstochten. Hij heeft het niet over een manier van leven waarin je doet alsof vandaag de eerste dag van je leven is, maar alsof het de énige dag van je leven is – wat natuurlijk ook waar is – en hij zegt dat je je hartstocht moet delen, omdat gedeelde vreugd dubbele vreugd is.

Maar al te vaak vinden we hindernissen op onze weg wanneer we proberen volop van het leven te genieten, omdat we door ons verstand ons angstig, of erger nog, onverschillig voelen. Vreugde en verrukking komen van binnenuit; ze zijn tegen geen enkele prijs te koop. We zijn allemaal op zoek naar vreugde en geluk, maar hebben vaak het gevoel dat het niet helemaal in orde is wanneer ons dat lukt. Om die staat van geluk te leren kennen, moet er passie in het leven worden gebracht. Natuurlijk geldt dat voor de liefde en het seksleven, maar ook voor recreatieve bezigheden, voor je roeping en voor alles waarbij je merkt verstrengeld te raken met dit magnifieke universum. Er is zoveel wat passie kan oproepen.

Ik heb gemerkt dat gepassioneerde mensen, of mensen met een sterke wil als het erom gaat dat te bereiken waarop zij hun zinnen hebben gezet, mensen die niet toestaan dat anderen hun innerlijke beeld van wat zij tot uiting willen brengen besmeuren of onteren, dat die mensen altijd lijken te krijgen wat ze willen. Met elke hartslag en elke ademteug leefde Shelley vanuit zijn vurig idealisme. Zijn hartstocht weerspiegelt zich in dit schitterende gedicht. Lees *Filosofie van de liefde* nog eens en stel dan jezelf de vraag: waarom ook niet?

Om deze hartstocht in je leven in te voeren, dien je het volgende te doen.

* Weet dat je deel uitmaakt van een vreugdevol universum. Laat je romantische, opgetogen, gelukzalige emoties wat vaker toe in je dagelijks leven. Wanneer je je blij voelt, voel dat dan intens en laat het uitstralen. Zoals het Nieuwe Testament al zegt: 'Vreugde is de vrucht van de ziel.' Ontzeg je die vrucht niet.

* Schrijf je eigen gedichten. Neem er de tijd voor om je hartstochtelijke gevoelens vast te leggen. Het maakt niet uit of je een passie bezit voor keramiek, antieke meubels, wiskunde of muziek, maar laat het wel in je eigen woorden uitstralen.

* Sta jezelf toe om gepassioneerd te zijn. Vertoon passie voor alles en iedereen, doet er niet toe voor wat of wie, en laat je innerlijke kritische stemmetje niet tussenbeide komen. Wanneer dat stemmetje probeert je het gevoel te geven dat je je dwaas gedraagt, draag het dan vastberaden op om in de gang te blijven wachten. Als je dat wilt, kun je het er later altijd weer bij vragen.

- Vertel de mensen die je liefhebt wat je voor hen voelt, en doe dat zo vaak mogelijk. Dat zal je de kans geven om je vreugde te delen en te verdubbelen.

- Lees en herlees keer op keer de gedichten van gepassioneerde mensen als Shelley. Probeer zover te komen dat je hart in hun ritme slaat. Stel jezelf voor dat je ziet en voelt wat zij al zagen voordat jij zelfs maar geboren was.

❋ COMMUNICATIE ❋

Een gifboom

Ik was vertoornd op mijn vriend:
ik sprak over mijn toorn, en mijn toorn verdween.
Ik was vertoornd op mijn vijand:
ik sprak er niet over, mijn toorn nam toe.

En in vrezen begoot ik die met water,
's avonds en 's morgens met mijn tranen,
en ik deed er de zon van mijn glimlach op schijnen,
en van zachte misleidende listen.

En mijn toorn nam toe bij dag en bij nacht,
tot hij een glanzende appel voortbracht;
en mijn vijand zag hem blinken,
en hij wist dat hij van mij was,

En hij sloop mijn tuin binnen
toen de nacht de hemel had versluierd:
en in de ochtend zie ik verblijd
mijn vijand uitgestrekt onder de boom.

WILLIAM BLAKE (1757-1827)

William Blake was een Engelse dichter, graveur, schilder en mysticus. Zijn poëzie is het meest bekend vanwege het mysticisme en de ingewikkelde symboliek.

*W*illiam Blake is een van mijn grote voorbeelden. Tijdens zijn leven was hij een uitmuntend dichter, schilder en kunstenaar, en een beeldend mysticus die door zijn tijdgenoten grotendeels werd genegeerd en als krankzinnig werd beschouwd. Hij leefde zijn hele leven op de rand van armoede en stierf totaal verwaarloosd. Toch wordt deze man vandaag de dag beschouwd als een van de meest oorspronkelijke en belangrijke personen uit de literaire geschiedenis, en zijn originele gravures zijn zeldzame schatten die miljoenen dollars waard zijn.

Ik heb zijn epische gedichten verslonden en hem uitvoerig geciteerd. Het is een enorme uitdaging gebleken om te besluiten welke bijdrage ik van hem in dit boek zou opnemen. Zijn beroemdste woorden zijn de openingsregels van het in 1803 geschreven *Allegories of Innocence*. 'Om een wereld in een korreltje zand te zien, en een hemel in een wilde bloem, houd dan de oneindigheid in uw hand, en de eeuwigheid in een uur' gaat over het feit dat Blake totaal vervuld was van de macht van het verstand om God, of de oneindigheid, te bevatten, de waarde van onze verbeeldingskracht en de eenheid van het universum. Ik heb elders in dit boek over deze onderwerpen geschreven, en daarom heb ik voor *Een gifboom* gekozen, wat ook een uitstekend voorbeeld is van wat dit 'krankzinnige genie' jou en mij nu nog steeds te bieden heeft. Het is zo'n tweehonderd jaar geleden uit zijn pen gevloeid. Hij schreef het ten tijde van de Franse Revolutie, die zich op niet meer dan een kleine tweehonderd kilometer van zijn huis en haard afspeelde.

In *Een gifboom* ligt de fundamentele boodschap besloten over het instandhouden van liefdevolle relaties door middel van communicatie. Het belangrijkste woord hierbij is communiceren. 'Ik was vertoornd op mijn vriend: ik sprak over mijn toorn, en mijn toorn verdween.' Wat een simpele manier om een diepzinnige wijsheid onder woorden te brengen. Wanneer je bepaalde gevoelens en genoeg gezond verstand bezit, of genoeg moed om die woorden uit te spreken tegen je geliefden, dan verdwijnen boosheid en woede op haast magische wijze.

Ik ben vaak geneigd om te zwijgen wanneer ik kwaad ben. Ik geef toe dat ik er graag op zit te broeden, dat ik er voortdurend mee bezig ben en dat ik dan hele gesprekken voer met de persoon op wie ik kwaad ben. Zolang ik dat blijf doen, en daarmee mijn beminden of vrienden buitensluit, blijft de toorn bestaan. Maar zodra het eruit komt en we weer in staat zijn om met elkaar te communiceren en onze ware gevoelens kunnen uiten, hoe belachelijk ze de ander ook mogen voorkomen, verdwijnt de woede haast als sneeuw voor de zon. 'Ik was vertoornd op mijn vijand; ik sprak er niet over, mijn toorn nam toe.' Dat is nu precies de les die ik moest leren, en ik geef toe dat ik er nog elke dag iets bij leer.

Bij vorige relaties maakte ik vijanden van degenen van wie ik het meest hield. Zodra ik hen tot vijand maakte, hield ik mijn toorn diep vanbinnen in stand. Ik speelde spelletjes met mezelf, en creëerde een ongelooflijk ingewikkeld scenario, waartoe alleen ikzelf toegang had. Door de toorn vanbinnen vast te willen houden en er niet over te willen praten, wist ik een giftige boom te scheppen, zoals Blake dat noemt. Ik gaf hem water met mijn tranen en liet de zon van bedrieglijke glimlachjes erop schijnen. En wat was het resultaat? Hij bleef groeien en vrucht dragen. En de vruchten zijn beslist giftig, zo erg zelfs dat het uiteindelijk degenen zou verwoesten die ik het etiket 'vijand' had opgeplakt. Daar lagen ze, 'uitgestrekt onder de boom'.

De boodschap die dit gedicht uitdraagt is heel wijs, en slaat niet alleen op persoonlijke relaties, maar heeft betrekking op al je relaties. Elke keer dat je vanbinnen de vonk voelt overslaan en je toorn begint te groeien, loop je regelrecht op een potentieel moeras af. Je zult jezelf moeten tegenhouden om uit de buurt van dat moeras te komen, en die ene persoon tot vriend maken in plaats van tot vijand. Zeg tegen die persoon: 'Ik voel gewoon dat je probeert me te manipuleren, en ik zou graag willen dat je daarmee ophoudt!' Door dit soort eerlijke, recht-voor-zijn-raap-uitspraak zal de toorn verdwijnen en zal de groei van de gifboom verhinderd worden die jou uiteindelijk zal verwoesten, of anders de persoon die je vijand is geworden.

Ook bij familierelaties moet je, wanneer je de woede voelt opkomen, proberen om de moed te vinden eerlijk te zeggen wat je voelt. Daarbij hoef je beslist niet kwetsend te worden of de ander toe te schreeuwen. Ik heb bij mijn kinderen gemerkt dat de woede beslist niet minder wordt wanneer ik hen straf met zwijgen. Integendeel, het wordt alleen maar erger omdat we allebei vanbinnen onze giftige boom opkweken, want we hebben allebei de ander tot vijand gebombardeerd. Wanneer we de tijd nemen en ik zeg hoe ik me voel en waarom ik teleurgesteld ben, leidt dat meestal tot een openhartige discussie waarin we beiden zeggen wat we op het hart hebben, en het eindigt meestal met een knuffel en 'ik hou ook van jou, pap'. Verbazingwekkend, maar 'ik sprak over mijn toorn, en mijn toorn verdween'. Je zou er goed aan doen die paar woorden van buiten te leren wanneer je steeds vaker probeert je relatie op een hoger plan te brengen.

Het is in een relatie tussen twee mensen onvermijdelijk dat er conflicten komen. Ik zeg vaak hardop dat in een relatie tussen twee mensen die het over alles eens zijn, een van beiden overbodig is. Je zielsverwant is vaak iemand die totaal niet op je lijkt, iemand die precies weet hoe hij je buiten zinnen kan brengen. Juist vanwege die macht is die persoon je zielsverwant. Wanneer je merkt dat je woedend bent, zal de persoon die jij als de oorzaak ziet, op dat moment je voornaamste leermeester zijn. Die persoon leert je dat je jezelf nog niet helemaal in de hand hebt, en dat je nog steeds niet weet hoe je voor vrede kunt kiezen, ook al word je aangespoord.

De weg naar die vrede bereik je wanneer je je vriend of geliefde of kind of ouder of schoonmoeder precies vertelt wat je dwarszit. Doe dat afstandelijk maar eerlijk, en zie dan hoe je toorn verdwijnt. Je hebt radicaal de mogelijkheid weggenomen om een gifboom te doen ontstaan en op te kweken.

Je kunt de volgende simpele instructies opvolgen om de gedachten uit het beroemde gedicht van William Blake in je eigen leven in te passen:

- Als je je in een zwijgsituatie bevindt, door eigen schuld of door een ander z'n schuld, verbreek dan het stilzwijgen met een eenvoudige opmerking. Zeg bijvoorbeeld: 'Kunnen we afspreken dat we allebei zeggen hoe we ons op dit moment voelen, zonder meteen een oordeel over elkaar te vellen?'

- Gebruik die opmerking om meteen duidelijk te maken hoe je je voelt, en begin elke zin met: 'Ik heb het gevoel...' Leg er de nadruk op dat je op dit moment het meest behoefte hebt aan een vriendelijke reactie op je gevoelens. Kom voor je gevoelens uit en ervaar je gevoelens zoals je ook bij een vriend zou doen van wie je zeker bent dat hij je gevoelens zal delen. Het gaat hier niet om de problemen maar om het overbrengen van je gevoelens. En luister vervolgens aandachtig en vol liefde naar wat de ander zegt te voelen. Verzet je er niet tegen. Raak vertrouwd met je eigen gevoelens.

- Spreek met jezelf een vaste tijd af om te blijven zwijgen. Stel het op een uur, en probeer dan een gesprek tot stand te brengen, hoe gegeneerd of gekwetst je je ook mag voelen. Je zult zien dat communicatie vrijwel meteen een eind aan de toorn zal maken, wat niet gebeurt wanneer je alles maar blijft opkroppen.

- Ga nooit naar bed terwijl je nog boos bent. Dat zal letterlijk een aanslag plegen op het energieveld dat je beiden deelt, en de gifboom zal er alleen maar sneller door groeien. Zeg voordat je gaat slapen gewoon hoe je je voelt en probeer genegenheid te tonen, zelfs als je daardoor gezichtsverlies zou lijden en je ego zou moeten onderdrukken.

Hoe meer je een sfeer van openhartige eerlijkheid kunt scheppen, vooral wanneer het gaat om onenigheid, hoe minder waarschijnlijk het is dat die onenigheid in iets onverteerbaars zal uitvloeien. Tijdens de periode dat iets als onverteerbaar wordt ervaren, zal er een zaailing ontspruiten die uiteindelijk tot een grote giftige boom zal uitgroeien.

❋ DURVEN EN DOEN ❋

Uit *Faust*

Verlies deze dag door niets te doen

Verlies deze dag door niets te doen – 't is hetzelfde verhaal
Morgen – en overmorgen nog trager;
Elke niet-beslissing heeft een uitstel tot gevolg,
En dagen gaan voorbij door te klagen over verloren dagen.
Meen je dat? Grijp deze minuut aan –
in gedurfdheid zit genialiteit, macht en magie opgesloten.
Ga aan de slag, dan zal het brein gaan werken –
Begin, dan zal het werk voltooien!
                    JOHANN WOLFGANG VON GOETHE (1749-1832)

*De Duitse dichter, toneelschrijver en romanschrijver Johann
Wolfgang von Goethe gaf blijk van zijn belangstelling voor
de natuurlijke, organische ontwikkeling van allerlei zaken, in
plaats van ze op een idealistische manier te karakteriseren.
Hij schreef ook over de behoefte van de mens om in zichzelf
te geloven.*

Johann Wolfgang von Goethe wordt wereldwijd als een van de
reuzen onder de scheppende kunstenaars gezien. Hij had een verbijsterend scala aan interesses en was hét voorbeeld van wat wij als een
renaissancefiguur zien. Hij streefde niet alleen naar het beste, maar
hij bereikte het ook: als toneelschrijver, romanschrijver, dichter,
journalist, kunstschilder, staatsman, leermeester en naturalistisch filosoof. Tijdens zijn leven, hij werd tweeëntachtig, heeft hij een gi-
gantisch oeuvre bij elkaar geschreven, inclusief honderddrieëndertig
omvangrijke boeken, waarvan veertien wetenschappelijke. Hij
schreef sprookjes, romans en historische toneelstukken over uiteen-

117

lopende onderwerpen, en deed dat op fenomenale wijze. Hij bekroonde zijn werk met *Faust*, een van de meesterstukken van de moderne literatuur.

De boodschap die Goethe ons doet toekomen, ligt niet zozeer in de omvang van zijn werk als wel in zijn levenswijze. Hij heeft duidelijk laten zien dat hij een rijk en schitterend leven wenste te leven, dat hij veel interesses had, en bereid was een ziel vol hartstocht in zijn werk te laten doorklinken. Goethe was een en al leven, een man met een enorme scheppende energie. We kunnen heel wat leren als we ons in onze wereld door zijn grote geest laten leiden.

Dit citaat uit *Faust* is een van de meest geciteerde stukken in de literatuur over zelfrealisatie. Je hebt vermoedelijk de zesde regel wel eens gehoord of gelezen: 'In gedurfdheid zit genialiteit, macht en magie opgesloten.' Die regel is in vele boeken aangehaald, inclusief een van de mijne, dat ik meer dan twintig jaar geleden heb geschreven. In deze verzameling van wijsheden, afkomstig van zestig van de meest vooraanstaande creatieve geesten, besloot ik om het totale concept van dit universeel geaccepteerde ideaal van gedurfdheid op te nemen.

Terwijl ik met dit boek bezig was, las ik mijn redacteur elke dag door de telefoon voor wat ik had geschreven. Elke dag weer zei ze zoiets als: 'Wayne, je bent echt verbazingwekkend! Ik begrijp niet waar je al dat fantastische materiaal vandaan haalt. Je schrijft en produceert niet alleen, je leest eerst alles, je doet research, en dan zet je je eigen indrukken op papier van wat al die filosofen en dichters schreven. Je werkt echt inspirerend!' Ik moest dan heimelijk glimlachen om het compliment en zei hardop dat het echt niet zo bijzonder was. Om creatief bezig te blijven, zijn alleen de woorden 'Begin, dan zal het werk voltooien,' nodig, wat de laatste regel van *Verlies deze dag door niets te doen* is.

Als ik verkies om deze dag lanterfantend door te brengen, dan is het een verloren dag en dat geldt ook voor morgen, en uiteindelijk zal ik al die verloren dagen betreuren. Wanneer Goethe vraagt: 'Meent u dat?' antwoord ik: 'Ja', en 'Ik vat nog deze minuut de koe bij de hoorns'. Ik handel overeenkomstig die indringende raad die is geschreven door een man die in zijn tweeëntachtig levensjaren van een enorme veelzijdigheid blijk heeft gegeven.

Denk niet aan het voltooien van een project, denk ook niet hoeveel tijd ermee gemoeid kan zijn. Begin gewoon, nu, op dit moment. Moet je een brief schrijven, of een telefoontje plegen? Leg dan dit boek weg en doe het nu. Je hoeft er alleen maar mee te beginnen. Leg hier een bladwijzer, en wanneer je aan je taak bent begonnen, ga dan weer verderlezen. Dan zul je ontdekken wat Goethe bedoelt met 'In gedurfdheid zit genialiteit, macht en magie opgesloten'.

Bij de beroemde uitspraak van Thomas Edison: 'Genialiteit bestaat uit één procent inspiratie en negenennegentig procent transpiratie' draait erom dat je het juiste moment weet te kiezen. Dat ene procent is nodig voor het erkennen van je gedachten en gevoelens. Om het genie dat je bent te verwezenlijken, zul je je inspiratie aan het werk moeten zetten. Ik zeg tegen mijn redacteur dat er eigenlijk niets geheimzinnigs zit in het op tijd klaar krijgen van dit boek en al het werk dat het met zich meebrengt, omdat het er alleen maar om draait dat ik elke dag op een voorgeschreven tijd aan het volgende essay begin, onverschillig hoe vaak ik word gestoord of dringend iets anders moet doen. Ik beloof mezelf niet dat ik het zal afmaken, alleen dat ik zal beginnen. En daarin ligt inderdaad genialiteit, macht en magie opgesloten, want als ik eenmaal met lezen, onderzoek en het opschrijven van de eerste zin ben begonnen, merk ik dat ik mijn taak toch tot een goed einde weet te brengen. Dit is zonder uitzondering elke keer weer waar gebleken.

Ik raad je aan om cassettebandjes met Goethes *Verlies deze dag door niets te doen* op die plekken neer te leggen waar je regelmatig komt wanneer je je taken probeert te ontlopen. Het zal je herinneren aan de creatieve aspecten van je leven die je niet voltooit, tenzij je die gedurfde eerste stap zet. Je blijft steken en je hersens roesten vast als je zoveel weerzin hebt om aan het werk te gaan. De neiging om het uit te stellen, om te luieren, zal er de oorzaak van zijn dat deze dag een verloren dag is. Gewoon beginnen, dat is de waardevolle techniek die mij helpt bij het voltooien van het schrijven van een boek, werk dat ik echt heerlijk vind. Het helpt me ook bij het kiezen van het juiste moment om andere facetten van mijn leven op gang te brengen, die me evenveel plezier bezorgen en me compleet maken en me het gevoel geven in evenwicht te zijn.

In plaats van toekomstplannen te maken waarin mijn vrouw en ik er even tussenuit kunnen om van elkaar te genieten, maar het bij praten laten, houd ik me voor dat in gedurfdheid macht ligt opgesloten en dat aan het werk gaan inderdaad het lichaam en de geest aanvuurt. Dan zeg ik dus: 'Genoeg gepraat, laten we nu meteen reserveren. Ik zet het gewoon op de kalender en we zullen ervoor zorgen dat het gebeurt.' En elke keer dat we ons verzetten tegen een verloren dag door lanterfanten, lukt het ook. Op die manier hebben we heel wat dingen ondernomen, enkel en alleen omdat we allebei ophielden met lanterfanten en ervoor zorgden dat het gebeurde. Nu, op dit moment!

De aanmoediging om gedurfd te handelen, krijgen we van een man die uitzonderlijk gedurfd en gedreven was. Lees Goethes bemoedigende woorden zorgvuldig na en pas ze op de volgende wijze toe in je eigen leven.

- Schrijf vijf dingen op waarover je om welke reden dan ook al een tijdje hebt lopen denken, maar die je in je leven niet hebt weten te verwezenlijken. Alleen al het opschrijven van die vijf onderwerpen is een begin.

- Onverschillig hoeveel tegenzin het opwekt, neem het eerste van die vijf onderwerpen ter hand en begin er iets aan te doen. Doe de volgende vier dagen precies hetzelfde met de vier andere onderwerpen. Beloof jezelf niet om het helemaal af te maken, zet alleen maar een eerste stap. Je zult zien wat Goethe bedoelde toen hij zei dat het vuur vanzelf komt wanneer je je ergens mee bezighoudt.

- Kom niet met de gebruikelijke smoesjes aandragen waarmee je verklaart waarom je het niet klaarspeelt om echt belangrijke dingen gedaan te krijgen. De voornaamste reden voor het niet bereiken van wat je volgens jezelf graag zou willen, is dat je hebt geweigerd om er zelfs maar aan te beginnen. Al die verontschuldigingen zijn niet meer dan dat: verontschuldigingen. Diep vanbinnen weet je dat ook wel.

- Omring jezelf met doeners. Zorg dat je in de buurt bent van mensen die van durf getuigen. En verkeer niet langer in de nabijheid van mensen die je aanmoedigen om in je smoesjes en verklaringen te zwelgen. Zorg dat je het jou omringende energieveld vrij van vervuiling houdt.

❋ VERBEELDING ❋

Wat als je sliep?
En wat als je
In je slaap
Droomde?
En wat als je
In je droom
Naar de hemel ging
En daar een vreemde
En prachtige bloem
Plukte?
En wat als je,
Toen je ontwaakte
Die bloem
In je hand had?

SAMUEL TAYLOR COLERIDGE
(1772-1834)

*De Engelse dichter en essayist Samuel Taylor Coleridge was
in zijn tijd de meest vooruitziende criticus en woordvoerder
van de Engelse romantische beweging.*

*I*k heb zoveel waardering voor dit gedicht van deze grote dichter,
literair criticus, theoloog en filosoof, dat ik het als citaat voor de
(Amerikaanse) omslag heb gekozen van Lessen in levenskunst, een boek
dat ik over het creëren van wonderen schreef. Coleridge heeft er
zijn hele leven aan besteed om een fundamenteel creatief principe
uit te leggen dat zowel op de mens als op het universum in zijn geheel van toepassing is. De eerste stap op weg naar het scheppen,
deze eenwording, is de verbeeldingskracht.
Dit ontroerend eenvoudige gedicht nodigt je uit om in je verbeelding te duiken en je eigen inzichten ten aanzien van de realiteit nog

eens grondig te bekijken. Wat wij als werkelijkheid beschouwen heeft zijn beperkingen, maar onze verbeeldingskracht is tijdens onze dromen onbegrensd. Wat wij als werkelijkheid beschouwen maakt het onmogelijk om een voorwerp vanuit een droom mee te nemen naar de realiteit. Maar Samuel Taylor Coleridge wil graag dat je er nog eens over nadenkt. Veronderstél nu eens dat je zoiets zou kunnen doen? Ja, wat dan?

Bedenk eens waartoe je in je dromen allemaal in staat bent. Acht uur slapen per dag betekent dat je, als je negentig jaar mocht worden, dertig jaar lang in die status zult verkeren. Dat is een derde van je leven waarin je een staat van bewustzijn betreedt waarin je idee van de werkelijkheid vervaagt en waarin je aantoont dat je voor je droom alleen maar de kracht van je gedachten nodig hebt. Je hebt geen idee van tijd. Feitelijk kun je je naar willekeur door de tijd bewegen, zowel terug als vooruit. Je praat met de doden, je kunt hen zien, als je wilt kun je vliegen, dwars door bomen en gebouwen lopen, op slag van gestalte veranderen, een dier worden als je dat zou wensen, onder water ademhalen en op verschillende plaatsen tegelijk zijn.

Het meest verbazingwekkende van al die droomactiviteit is dat je er, zolang de droom duurt, voor honderd procent van overtuigd bent dat het allemaal echt is. Je onbegrensde verbeeldingskracht is zo overtuigend en zo sterk, dat je voor een derde van je leven je eigen ideeën over de werkelijkheid kwijtraakt.

Wanneer je wakker wordt zeg je tegen jezelf: dit is echt en al dat gedoe in mijn droomstatus is onecht. Samuel Taylor Coleridge was zijn hele leven bezig om te onderzoeken in hoeverre de macht van de verbeelding iets kan veranderen aan de standpunten die in het overgebleven twee derde deel van je leven − ook wel bewustzijn genoemd − heersen. Hij bracht dat als volgt onder woorden: 'En wat als je, toen je ontwaakte die bloem in je hand had?' Dan komt het fenomeen 'bi-plaatselijkheid' ter sprake, dat wil zeggen: je zou daarvoor bij machte moeten zijn om op verschillende plaatsen tegelijk te zijn.

Laten we dat fenomeen eens nader bekijken, dat vermogen om op een zeer hoog bewustzijnsniveau op verschillende plaatsen tegelijk te zijn. Hoe zou men iets dergelijks ooit tot stand kunnen brengen? Keer eens terug naar je droomstatus. Je bent iedere persoon in je droom, want in gedachten neem je elke rol op je. Wanneer je in je droom met mensen praat, ben je dat zelf, maar tegelijkertijd ben je ook de ander tegen wie je praat. In je droom heb je echt geen gesprekken met anderen, je bent al die personen tegelijk, en ook nog eens jezelf. Hier manifesteert zich het fenomeen bi-plaatselijkheid. Zo is ook de bloem uit je dromen niet dezelfde bloem die je ziet wanneer je wakker bent. In feite ben jij de bloem uit je droom, maar omdat er van je verbeeldingskracht bijna niets overblijft wanneer je wakker bent, verlies je het vermogen om, zodra je uit je droom stapt, zonder beperking te scheppen.

Het is niet bespottelijk om te denken dat het mogelijk is om een bloem uit een ingebeelde droomstatus mee te nemen naar dit niveau dat we volgens de regels wakend bewustzijn noemen. Alles wat je tot stand kunt brengen, ervaren en weten in een derde deel van je leven, dat in pure verbeeldingskracht wordt doorgebracht, kun je tot stand brengen, ervaren en weten in het overgebleven twee derde deel. Daarvoor is het noodzakelijk om alle twijfel te verdrijven en jezelf de vrijheid te gunnen om regelrecht in die verrukkelijke status te gaan terwijl je nog wakker bent.

De poëtische woorden waarin de droom en de bloem worden vertolkt, en die ik duizenden keren heb herlezen, helpt me er altijd weer aan herinneren om mijn best te doen een wakende dromer te zijn, en mezelf dezelfde privileges, vrijheden, en ja, macht, te gunnen die ik in mijn droomstatus als vanzelfsprekend ervaar. Ik herinner mezelf dan aan wat William Blake, een andere favoriete dichter van mij, zei over die fascinerende wereld van de verbeelding. 'De verbeelding is de echte en eeuwige wereld, waarop dit groene universum slechts een vage schaduw is... de verbeelding is het eeuwige lichaam van de mens: dat is God zelf, het goddelijke lichaam...'

Zelf vind ik het dwaas om te denken dat wakker zijn en dromen twee totaal verschillende ervaringen van de werkelijkheid zijn. Ik weet dat mijn dromen mij niet voorspellen wat er zal gebeuren wanneer ik wakker ben, en dat ze me evenmin inzicht geven in mijn werkelijke ik. Voor mij is die droomstatus een open invitatie naar de mystieke wereld van de verbeelding. Het geeft mij de kans om alles onbeperkt te onderzoeken, om de dingen uit de eerste hand te weten te komen, en om me zonder enig gevoel van twijfel van het bestaan van dit verbeeldingsrijk te overtuigen. En daarom kan ik, wanneer ik wakker ben, naar mijn verbeelding terugkeren en die gebruiken om me ver buiten mijn normale waakzame bewustzijn te begeven.

Wanneer je je idee over de werkelijkheid gaat herzien, kun je, zonder dat je hoeft te gaan slapen, je ervaring uit dat derde deel van je leven, waarin je stevig verankerd zit in je verbeelding, gebruiken om alles te bereiken wat je maar verlangt. Je hoeft je alleen maar te verbeelden dat je in je materiële wereld in staat bent om in gedachten alles voor de geest te halen, en alle twijfels laten varen die misschien nog zijn binnengeslopen.

Ik kan me nog herinneren dat ik, toen ik als jonge knul op een overvolle middelbare school in Detroit zat, enorm in de problemen raakte vanwege mijn eerlijkheid ten aanzien van het dualisme dromen/waken. Ik zat diep in een dagdroom en voelde me enorm gelukkig tijdens dat mentale uitstapje, toen een leraar me opschrikte door te vragen: 'Zou u weer bij de les willen komen, meneer Dyer?' Ik antwoordde meteen: 'Eigenlijk niet!' waarvoor ik voor de zoveelste keer naar de directeur werd gestuurd. Dat was mijn straf omdat ik mijn verbeelding liet overheersen terwijl ik wakker in de klas zat.

Geloof jij dat het mogelijk is om een bloem in de hand te hebben die je in de tuin uit je dromen hebt geplukt? Ik weet dat het mogelijk is, net als Samuel Taylor Coleridge, de dichter van de verbeelding.

Om die scheppende verbeeldingskracht in je leven in te voeren, kun je het volgende doen:

- Houd altijd voor ogen dat je wordt wat je denkt, en pas goed op dat er geen gedachten binnendringen die met twijfel hebben te maken.

- Hou je dromen bij, dat wil zeggen herinner je al die 'onwerkelijke' ervaringen die je als absoluut werkelijk voorkwamen toen ze plaatsvonden. En ga vervolgens aan de gang om je voorgeprogrammeerde ideeën ten aanzien van het onmogelijke bij te schaven. Je moet het woord 'onmogelijk' volledig uit je bewustzijn bannen. Want het is echt waar: wat je kunt bevatten, kun je tot stand brengen.

- Ga je ideeën over werkelijkheid volledig herschrijven, zodat er komt te staan: 'Alles waartoe ik in een derde deel van mijn leven in staat ben, kan ik, als ik dat wil, ook in het resterende twee derde deel voor elkaar krijgen.'

- Ga meer in je verbeelding leven. Geef jezelf de vrijheid om rond te dwalen in dat onbekende deel van je geest, om in je fantasie nieuwe mogelijkheden te onderzoeken, zonder ook maar iets uit te sluiten. Deze ingebeelde omzwervingen zullen uiteindelijk de katalysator worden die jou kans geeft op een ongelimiteerd leven.

Je verbeeldingskracht neemt, net als je lichaam, in kracht toe door oefening. Ontwaak met die bloem in je hand.

NATUUR

Nachtegaal! Gij bent waarlijk

Ik hoorde een houtduif zingen of zeggen
Zijn kleine verhaal, vandaag de dag;
Zijn stem was begraven tussen de bomen,
Maar kon gehoord worden door de bries:
Hij hield niet op; maar koerde – en koerde;
En ietwat bedachtzaam maakte hij het hof;
Hij zong over liefde, met een kalme harmonie,
Zacht in het begin, maar zonder ophouden;
Over serieuze trouw, en innerlijke blijdschap;
Hij zong... hij zong dit lied voor mij!

WILLIAM WORDSWORTH (1770-1850)

William Wordsworth was een Engels dichter die op poëtische wijze zijn liefde voor de natuur en respect voor het menselijk ras tot uiting bracht, zonder aanziens des persoons.

Tijdens de voorbereidingen voor het schrijven van deze verzameling essays over het toepassen van eeuwenoude wijsheden heb ik duizenden bijdragen van grote denkers en dichters gelezen, vanaf het heden tot duizenden jaren voor Christus. Eén thema dat steeds weer opdook, vooral bij de oudere dichters, was de geboeidheid door de natuur. Deze bezielende schrijvers leken zich te laven aan de natuur en ze hebben gedichten geschreven die zijn voortgesproten uit hun verbijstering en verrukking.

Van al die duizenden gedichten over de natuur die ik heb bestudeerd, heb ik deze gekozen. Het is afkomstig van William Wordsworth, een van 's werelds begaafdste en productiefste dichters, die zijn gedichten schreef aan het eind van de achttiende eeuw, terwijl de revolutie hoogtij vierde in de rest van Europa.

Naam Vergouwen, B

materiaal ligt voor u klaar tot

de Bibliotheek
Breda

Nachtegaal! Gij bent waarlijk kan als toelichting dienen van Wordsworths vermogen om in gedramatiseerde vorm weer te geven hoe de verbeelding spirituele waarden laat ontstaan uit herinneringen aan uit de natuur afkomstige beelden en geluiden. Hij leert ons dat de natuur therapeutisch werkt. Stel je de dichter eens voor die alleen maar luistert naar de geluiden van een vogel, en wel zo aandachtig dat hij deze heel elementaire en toch universeel menselijke ervaring (wie heeft nooit een vogel horen zingen?) kon verwoorden en overbrengen: 'Hij zong... hij zong dit lied voor mij!' Laat Wordsworths dichterlijke waarnemingen je inspireren om de natuur in te trekken, al heb je niet meer dan je eigen achtertuin, een park, of plantsoen tot je beschikking, en luister, en doe alsof je een van de vele dichters bent die je zijn voorgegaan. Houd de geluiden en beelden van de natuur in herinnering. Beleef die wereld, weer alle vorm van afleiding die gewoonlijk in je hoofd rondtolt, en laat die ene 'houtduif... vandaag de dag', want dan zingt hij inderdaad voor jou alleen. Het is waar, de natuur met alle bijbehorende beelden en geluiden is meer dan een therapie: het is een connectie, een schakel tussen jouw ziel en de eeuwig scheppende energie van God.

Het is de energie die de natuur elk voorjaar gebruikt om weer een hoofdstuk voor het boek Genesis te schrijven. Emerson nam ten westen van de Atlantische Oceaan waar wat Wordsworth vrijwel gelijktijdig aan de oostelijke kant waarnam: 'Alles in de natuur bevat alle krachten van de natuur, alles is ontstaan uit een en hetzelfde, ongeziene, materiaal.' Alles in de natuur, daarbij ben ook jij inbegrepen. Ja, jij maakt ook deel uit van de natuurlijke wereld. Je verlangen om alleen te zijn, vrij te zijn, jezelf te kunnen zijn, je eigen instincten te kunnen volgen, te zingen zonder kritiek te krijgen, je eigen weg te volgen zoals ook rivieren dat doen, zijn natuurlijke instincten die maar al te vaak worden genegeerd.

Vraag jezelf eens af wat je plezierigste herinnering is. Naar alle waarschijnlijkheid heeft je eigen moment van verrukking met de natuur te maken. Het geluid van het kabbelende water of de bulderende wind aan de kust. Het gevoel van ijzige kou op je gezicht, of de zon die je lichaam op het strand doordrenkt. Het zien en horen van herfstbladeren tijdens een wandeling door het bos. Een kampeertocht waarbij je onder de blote hemel sliep en luisterde naar de mysterieuze geluiden uit het duister. Hoe komt het dat je je ogen en oren kwijtraakte? Hoe komt het dat je dat verrukte gevoel over de natuur bent vergeten? Ga terug naar de plek die Wordsworth omschrijft: bomen en bries, ruisend en koerend. Dat zijn niet alleen regels die in een dichterlijk schema passen. Dat zijn vrijkaartjes naar een verloren zaligheid.

Een aantal decennia geleden was ik docent aan de St. John's University in New York. De uren vlak voordat ik 's middags les moest geven waren de meest hectische van de hele dag. Het kantoor van mijn secretaresse werd overspoeld door studenten die iets van mij, hun raadgever, wilden. Mijn secretaresse was me aan een stuk door aan het doorverbinden, er kwam een decaan langs die mijn aandacht wilde voor een of andere administratieve kwestie, en ik raakte steeds meer gespannen door alle druk die op me werd uitgeoefend, omdat ik wist dat ik over een paar uur college moest geven.

Te midden van al die chaos kwam het regelmatig voor dat ik mezelf verontschuldigde en tegen mijn secretaresse zei dat ik zo terug zou komen, maar dat zich iets urgents had voorgedaan. Dan trok ik me terug in een openbaar park dat vlak bij mijn kantoor lag. Daar zocht ik mijn favoriete bankje op, omringd door bomen en vol van de beelden en geluiden van de natuur, en daar bleef ik dan gewoon een kwartier lang zitten luisteren. Die rustgevende omgeving was mijn therapie, mijn manier om mijn verstand te behouden. Niemand van mijn afdeling heeft ooit geweten waar ik bij die urgente aangelegenheden naartoe ging en waarom, maar wanneer ik terugkwam, waren de meeste problemen al opgelost, en wat dan nog mijn aandacht vereiste, werd door een ontstreste professor afgehandeld. Nu ik eraan terugdenk, realiseer ik me dat ik destijds de wijsheid uit Wordsworths poëzie op mezelf toepaste, dat ik de natuur in beeld en geluid op me liet inwerken.

Het is niet toevallig dat zoveel van onze meest geëerde dichters en schrijvers de natuur als hun bron van inspiratie hebben gevonden. Juist in de natuur verliezen elk vooroordeel en elke valse pretentie zijn waarde, want de natuur oordeelt niet. Zoals de beroemde naturalist John Muir eens zei: 'Die schitterende voorstelling gaat eeuwig door. De zon komt altijd wel ergens op, de dauw is nooit in één klap opgedroogd; een regenbui blijft vallen; de damp blijft opstijgen...' Wanneer je je aan de natuur vergast, word je één met die eeuwig voortgaande voorstelling. Je ziel krijgt de kans om in harmonie te komen met jou en met je wereld.

Het lyrische gedichtje van Wordsworth verwoordt meer dan een waarneming van een vogel in de natuur. Het is een smeekbede aan ieder van ons om onze bezetenheid van al die onbenulligheden die ons krankzinnig maken los te laten en op zoek te gaan naar en te leven volgens de harmonie die in de beelden en geluiden van de natuur ligt opgesloten. Het is waar, ze zingen allemaal voor jou.

Als je wilt ontdekken wat William Wordsworth je aanbiedt, probeer dan eens het volgende:

- Maak op een van tevoren vastgesteld tijdstip eens per week, of als het kan eens per dag, tijd vrij om blootsvoets door het gras te lopen, of je over te geven aan de natuur en alleen maar te luisteren. Geen afspraken, geen plichten, alleen luisteren en kijken naar de volmaaktheid van de wereld van de natuur. Denk erom: de natuur werkt therapeutisch.

- Schrijf je reacties op de natuur op in je eigen gedicht of essay. Denk niet aan rijm, denk niet aan de regels van de grammatica. Nadat hij enige tijd in een natuurlijke omgeving had doorgebracht, omschreef een van mijn vrienden zijn ervaringen als volgt: 'Ik ging van pissig naar paradijselijk.' Doe als een dichter en leg je eigen goddelijke instincten vast terwijl je met de natuur verbonden bent, precies zoals Wordsworth het een paar eeuwen geleden deed.

- Zorg ervoor dat je bij je volgende vakantie langere tijd in de natuur doorbrengt. Denk eens aan een trektocht door de bergen, wildwatervaren, skiën, kamperen. Dat zijn heerlijke dingen die je de vreugde zullen schenken waarnaar je op zoek bent, en die je je hele leven bij zullen blijven.

- Ga eens buiten slapen, ook al staat je tent in je achtertuin. Doe dat samen met je gezin, en vooral met je kinderen, en zie dan hoe opgewonden ze raken door het gevoel van in de natuur te zijn. Dat opwindende gevoel is nu precies wat je in alle facetten van je leven kunt heroveren wanneer je de natuur de kans geeft een wat dominantere en vurige rol in je leven te spelen.

Uit *Portugese sonnetten*

Hoe bemin ik u?

Hoe bemin ik u? – Mijn liefde is van veler aard.
Mijn liefde reikt zo breed, zo diep, zo hoog
Als reikt mijn ziel tot wat geen sterflijk oog
Aanschouwt, haar heerlijk wordt geopenbaard,
In eenvoud kalm, bij licht van lamp en haard,
Met al mijn drift, zoals 't bloed mij vloog,
En als een bloem die onder regen boog
En als een leeuw'rik in zijn hemelvaart;
Met argeloos teer geloof van kindertijd
In lieve heiligen, die mijn hart verloor,
Met elke lach die langs mijn lippen glijdt,
Met al de tranen, levenslang geschreid,
En ik zal (wil God!) o lief, die mij verkoor!
U beter liefhebben in Gods eeuwigheid.

ELIZABETH BARRETT BROWNING (1806-1861)

*De Engelse Elizabeth Barrett Browning was een dichteres en
de vrouw van de dichter Robert Browning. Haar thema's gaan
over haar brede humanitaire interesses, haar onorthodoxe religieuze gevoelens, haar genegenheid voor haar nieuwe vader-
land Italië, en haar liefde voor haar echtgenoot.*

Dit sonnet van Elizabeth Barrett Browning is misschien wel het
bekendste gedicht over pure romantische liefde dat ooit is geschreven, met de beroemde openingszin: 'Hoe bemin ik u?' en het antwoord: 'Mijn leven is van veler aard.' Het is inderdaad een schitterend idee om de vele redenen op te tellen waarom je een ander

liefhebt, vooral wanneer je die ander liefhebt in de romantische zin van het woord.

Het verhaal van Elizabeth Barrett en Robert Browning (een vooraanstaand dichter die ook in dit boek is opgenomen) behoort tot de grootste liefdesgeschiedenissen aller tijden. Deze beide gevoelige poëten waren, voordat ze elkaar zelfs maar hadden ontmoet, al door hun poëzie met elkaar verbonden. Elizabeth had in 1844 haar tweede bundel met liefdesgedichten gepubliceerd, die door de literaire critici in Londen goed was ontvangen. In januari 1845 kreeg ze een brief van de in hoog aanzien staande dichter Robert Browning, waarin stond: 'Ik heb uw verzen met heel mijn hart lief, mijn beste mejuffrouw Barrett. Ik heb – zoals ik al zei – deze boeken met heel mijn hart lief, en ik heb ook u lief.' Ze ontmoetten elkaar later in de zomer, en trouwden het daaropvolgende jaar. Elizabeth, die in haar jeugd veel ziek was geweest, woonde bij haar vader, die niet op de hoogte was van het feit dat Robert Browning haar per brief het hof maakte. In feite trouwden ze in het geheim en ze verhuisden zonder toestemming van haar vader voor haar gezondheid naar Italië. Hij stierf in 1856 zonder zijn dochter haar handelwijze ooit te hebben vergeven.

Elizabeth en Robert Browning waren zielsgelukkig in Italië, waar ze in 1849 het leven schonk aan hun enige kind. Ze schreef een groot aantal bezielde gedichten die tegen de slavernij in de Verenigde Staten waren gericht. In 1861, toen ze vijfenvijftig was, stak haar ziekte weer de kop op en ze stierf in de armen van haar echtgenoot terwijl hij haar vertelde van zijn nooit eindigende liefde voor haar.

Het verhaal van Elizabeth Barrett Browning is verwerkt in dit bekende gedicht uit haar verzameling *Portugese sonnetten*. De laatste regel gaat letterlijk over haar grote liefde voor haar echtgenoot, die zelfs al van haar hield voordat hij haar ooit in levenden lijve had aanschouwd, enkel en alleen vanwege de gratie van haar ziel, die in al haar gedichten over liefde tot uiting komt: 'En ik zal (wil God!) o lief, die mij verkoor! U beter liefhebben in Gods eeuwigheid.'

In dit sonnet geeft een vrouw uiting aan haar diepe liefde voor de man die ze liefheeft, en ze zegt tegen ieder van ons dat liefhebben niet het resultaat is van een blikseminslag die je treft en je sprakeloos maakt en waarbij je ineenkrimpt onder de overweldigende kracht van de liefdesenergie. Het is niet alleen de fysieke aantrekkingskracht die iemand doet liefhebben. Nee, het is een veelvoud van kleine dingen die samen dat gevoel van romantische liefde tot stand brengen. Zoals het sonnet ook zegt: 'Aanschouwt, haar heerlijk wordt geopenbaard, in eenvoud kalm...' Wanneer jij dat verlokkende gevoel ook voelt opkomen, 'mijn liefde is van veler aard', laat dit dan deel uitmaken van je relatie.

Mijn vrouw Marcelene is een mooie vrouw, en elke keer dat ik naar haar kijk, prijs ik me gelukkig dat ik van zo'n engelachtig wezen ben gaan houden en dat ze op haar beurt ook van mij houdt. Maar toch is haar uiterlijk niet de bron van mijn vreugde, net zomin als Elizabeth Barrett Browning over het knappe uiterlijk van haar echtgenoot spreekt wanneer ze een opsomming geeft van de talloze redenen waarom ze van hem houdt. Die redenen lijken onbeduidend wanneer we ze afzonderlijk bekijken, maar samen vormen ze de bron voor de romantische liefde.

Ik kijk naar mijn vrouw als ze slaapt, haar handen als in gebed gevouwen. Zo ligt ze de hele nacht, zonder zich te bewegen, en ze lijkt dan precies een engel. Dat is een van de redenen.

Ik kijk naar haar als ze met de kinderen bezig is, en ik zie haar tevreden lachje over hun blijheid en hun prestaties, hoewel het heel subtiel is en vaak niet door mij wordt geregistreerd. Dat is ook een van de redenen.

Ik kijk naar haar in de vroege ochtend, wanneer ik voor alle anderen ben opgestaan om mijn ochtendrondje hardlopen te doen en als ik dan het licht in de keuken aanknip, zie ik dat ze het weer heeft gedaan. Ze heeft een glas voor me klaargezet en een roerstaafje zodat ik mijn shake kan bereiden. Niets bijzonders, maar het valt me wel op. Dat is ook een van de redenen.

Ik zie haar wanneer ze terugkomt van haar eigen training, glimmend van het zweet, en schokkend mooi wanneer ze onder de douche stapt. Niets wonderbaarlijks. Maar ik zie het wel. En dat is ook een van de redenen.

Ik sla de ziel in haar lichaam gade, de stem die geluidloos zegt: 'Ik ben er om te dienen. Ik geef om iedereen die ik ontmoet. Ik geef om de anderen en vraag maar zelden om erkenning. Ik heb een liefhebbend hart voor al diegenen die minder gelukkig zijn dan ik. Ik heb enorm veel eerbied voor God. Ik raak diepbedroefd door geweld. Ik ben met jou verbonden, en ik zal er altijd voor je zijn, en het is oneindig. De dood zal er geen einde aan maken.' Ik zie die zwijgende ziel die zich alleen tegen mij uit. En dat is ook een van de redenen. Ik zou duizenden pagina's kunnen doorgaan met het opschrijven van al die redenen waarom ik van haar houd, maar ik denk dat het zo wel duidelijk is. Het gaat om het veelvoud van de dagelijkse waarnemingen waarin onze liefde tot uiting komt. Het is een gevoel dat tot in het diepst van je wezen doordringt, en toch komt het meestal niet tot uiting.

Vooral in dit sonnet zegt de dichteres dat ze volledig liefheeft, en toch drukt ze het als volgt uit: 'Hoe bemin ik u, met elke lach die langs mijn lippen glijdt, met al de tranen, levenslang geschreid!' Dat gevoel ken ik ook. Mijn adem is het leven zelf, en ik houd van jou, Marcelene, met dezelfde energie die me toestaat om te blijven ademen. Jouw adem en de mijne zijn een, en zo houd ik van jou. De glimlachjes van ons leven zijn de goede tijden, de vreugde van een romantisch diner, het aanraken van je hand in een donkere bioscoopzaal, de liefde bedrijven op een verlaten strand na een picknick met ons tweeën, de geboorte van ieder kind. Er zijn zeer veel glimlachjes, en daarin ligt mijn liefde voor jou.

De tranen van ons leven vormen ook een belangrijk deel van het geheel dat wij liefde noemen. De teleurstellingen, de ruzies, de keren in het begin wanneer we ons zorgen maakten wanneer we gescheiden werden en we nog niet precies wisten hoe het in elkaar zat. Alle tranen van ons leven zijn redenen die als antwoord dienen op de vraag: 'Hoe bemin ik u?'

Ja, het is het vermogen om vrij en puur lief te hebben, om al die zogenaamd onbeduidende redenen, die maken dat de passie tot leven komt en blijft voortduren. Dit ene sonnet spreekt ons allen aan, ook nog zo'n honderdvijftig jaar nadat het werd geschreven, en het zal duizenden jaren na nu nog steeds iedereen aanspreken die het vuur van de vrije en pure liefde in zijn hart en ziel voelt branden. De boodschap zal ons allemaal duidelijk zijn. Neem de tijd om de redenen te tellen, en neem zeker de tijd om ze tegen je geliefde te uiten, en dan zul je voelen wat Elizabeth Barrett Brownings gevoelens waren voor haar geliefde, en hoe ik me op dit moment voel. 'Mijn liefde reikt zo breed, zo diep, zo hoog als reikt mijn ziel tot wat geen sterflijk oog aanschouwt.' Beter dan dat kan niet! Om de essentiële boodschap van dit sonnet in jouw leven in te voeren, kun je het volgende doen:

- Vertel van nu af aan je geliefde van alle kleine dingen die je opvallen en die maken waarom je hem of haar zo aantrekkelijk vindt. Door ze hardop uit te spreken laat je de liefde horen die je samen deelt en schep je een sfeer van waardering.

- Zorg dat je je ervan bewust wordt wie de persoon in het lichaam is, in plaats van onevenredig veel aandacht te schenken aan het uiterlijk van dat lichaam. Toon genegenheid voor de vriendelijkheid die ze uitstralen, voor de liefde die ze voor elkaar voelen, de eerbied die ze hebben voor de ziel in het hele leven.

- Schrijf je eigen liefdesgedicht voor je geliefde. Denk niet aan perfectie bij het schrijven, maar benadruk de wijze waarop je je gevoelens uit zoals die in je leven. Een persoonlijk gedicht dat rechtstreeks uit je hart komt, zal door je geliefde voor altijd als een schat worden bewaard. Het zal ingelijst worden, en op een goed zichtbare plaats worden opgehangen, omdat het zoveel betekent.

NON-CONFORMISME

Uit *Walden*

Als een man niet tegelijk oploopt met zijn metgezellen, dan komt dat misschien omdat hij een andere trommelaar hoort. Laat hem marcheren op de muziek die hij hoort, hoe afgemeten en ver verwijderd die ook is.

HENRY DAVID THOREAU (1817-1862)

Henry David Thoreau kreeg zijn opleiding op Harvard, maar verkoos de onpopulaire carrière van schrijver en dichter om de aandrang van zijn ziel te bevredigen. Hij was, samen met Emerson, een drijvende kracht in de transcendentale beweging in New England.

*H*et commentaar van al diegenen die door de jaren heen mijn boeken hebben gelezen of mijn banden hebben beluisterd, dat me groot genoegen doet, klinkt als volgt: 'Jouw woorden hebben me er eindelijk van overtuigd dat ik niet gek ben. Mijn hele leven hebben ze me proberen wijs te maken dat er iets mis is met mijn manier van denken. Jouw woorden hebben me doen beseffen dat ik niet gek ben.' Ik denk dat mij bij het lezen van Thoreau hetzelfde overkwam.

Ik heb vaak geprobeerd me in de plaats van Thoreau te stellen en ook doelbewust en zelfstandig zo'n simpel leven in de bossen te leiden, terwijl ik alles opschreef wat ik diep in mijn ziel voelde. Maar nog meer dan het opschrijven leek het me op de een of andere manier een nobele gedachte om naar deze ideeën te leven, onverschillig hoe anderen er tegenover stonden.

In ons allemaal is er een stemmetje dat fluistert: 'Neem het risico, volg je dromen, leef je eigen leven. Waarom niet, zolang je maar niemand anders pijn doet?' Maar buiten zijn er de stemmen die schreeuwen: 'Doe niet zo stom, het zal je niet lukken, gedraag je als ieder ander, als je doet wat je wilt, ben je zelfzuchtig en doe je anderen pijn.'

Die luide, eindeloos doorgaande bevelen van onze metgezellen dringen erop aan dat we ons aan hen aanpassen en dreigen om ons buiten te sluiten wanneer we dat niet doen.

Het is mij opgevallen dat de gemeenschap in het algemeen altijd haar levende conformisten en haar dode rebellen eert. Iedereen die veranderingen in zijn beroep heeft bewerkstelligd, heeft naar een ander soort muziek geluisterd en is, onafhankelijk van de mening van anderen, zijn eigen weg gegaan. Door dat te doen wordt zo iemand aangemerkt als onruststoker, als onverbeterlijk, zelfs soms als mislukkeling. Toch worden ze na hun dood geëerd. Dat geldt ook voor Henry David Thoreau, die werd verguisd vanwege het standpunt dat hij innam in zijn essay *Over de noodzaak van burgerlijke ongehoorzaamheid* en gevangenisstraf kreeg omdat hij weigerde de regels te gehoorzamen die hij als absurd beschouwde. Toch wordt tegenwoordig op vrijwel alle middelbare scholen en universiteiten geëist dat zijn werk wordt gelezen.

De muziek die je binnen in jezelf hoort weerklinken, is de connectie met wat je ziel wil zeggen. Die zal je blijven plagen zolang je hem negeert of onderdrukt in je pogingen om met de maatschappij in overeenstemming te blijven. Degenen die je smeken voort te gaan op de muziek die zij horen, hebben meestal de beste bedoelingen en hun woorden komen voort uit liefde. Ze zullen je zeggen: 'Ik heb echt het beste met je voor', en: 'Ik vertolk de ervaring; het zal je spijten als je mijn raad niet opvolgt.' Je luistert en probeert zo goed mogelijk om dat te zijn wat iedereen graag wil. Maar desondanks blijft dat tergende getrommel, die andere muziek die niemand lijkt te horen, heel zwak in de verste uithoeken van je bewustzijn doorklinken. Als je die blijft negeren, zul je een leven vol frustraties leven. Je leert misschien zelfs wel om 'getroost te lijden', want dat is het beste wat je ooit zult bereiken.

Thoreau richt vanuit het midden van de negentiende eeuw rechtstreeks het woord tot jou over je eigen zelfstandigheid, en over je eigen geluk. Wat je ook vanuit jezelf wordt gedwongen te doen of te zijn, het is de stem van je ziel die je smeekt de moed op te brengen om te luisteren en te handelen naar de melodie die alleen jij kunt horen, zolang het maar niet andermans recht belemmert om zijn of haar dromen te volgen. Dat geldt ook voor iedereen om je heen die ook een tempo hoort aangeven dat jou vreemd is. Ook zij moeten de kans krijgen om op de maat van de muziek te lopen die zij horen, zelfs al klinkt het jou schel en vals in de oren.

Als iedereen op dezelfde muziek had gemarcheerd en niemand ooit was afgedwaald van dat conformisme, zouden we allemaal nog steeds in grotten leven en hetzelfde oude recept bereiden: 'Neem een buffel, vil hem, braad hem en eet hem op.' Voortgang is het resultaat van individuen die eerst luisteren naar wat hun hart heeft te vertellen en vervolgens, ondanks alle protesten van de stamgenoten, handelen naar de overgekomen boodschap.

In mijn eigen gezin hebben we acht prachtige kinderen. Zou het niet fijn zijn als ze allemaal mijn voordrachten bijwoonden en allemaal besloten mijn interesses over te nemen en mijn zaken voort te zetten als ik eenmaal deze wereld verlaat? Maar mijn vrouw en ik weten wel beter. Een paar van mijn kinderen geven geen barst om wat mij bezielt, terwijl anderen er niet genoeg van lijken te krijgen. Enkelen willen alleen paardrijden, anderen willen alleen zingen of optreden. Een van de kinderen is dol op economie en cijferwerk (bah!) en weer een ander houdt van het reclamevak en van skiën. Ze horen allemaal hun eigen muziek. En in sommige gevallen ligt die heel ver verwijderd van wat ik hoor. Ik moet hun instincten en keuzen respecteren, en alleen zorgen dat hun geen kwaad geschiedt, net zolang tot ze zichzelf kunnen leiden. Ik heb altijd op mijn eigen muziek gelopen. Heel vaak was die niet in overeenstemming met mijn gezin, en zelfs niet met mijn cultuur.

Ik heb boeken geschreven die de conventionele psychologische praktijken trotseerden. Ik heb in mijn boeken gezegd wat mijn gezonde verstand me ingaf, zelfs wanneer het haaks stond op de geldende populaire vakwijsheid. Ik kon het nooit over mijn hart verkrijgen om tegen mijn luisteraars te prediken dat ze het op mijn manier moesten doen, want zelf had ik vrijwel altijd mijn oren gesloten voor wat tegen mij werd gepredikt.

Stel je eens voor dat je samen met Thoreau door de bossen loopt, rond 1840, nog voor de burgeroorlog. Zijn waarnemingen waren niet gebaseerd op de een of andere filosofie waarover hij had gelezen of waarvan hij had gehoord, maar op de gruwelen van het conformisme en de wrede wijze waarop de autochtone Amerikanen door de blanke mens werden behandeld, wat hij zelf had waargenomen. Hij wist dat wij onze eigen holocaust creëerden omdat we het destijds doodnormaal vonden om de indianen van hun eigen land te verdrijven. Daarom trok hij zich terug in de natuur en leefde daar zelfstandig, ver verwijderd van de druk die de menigte op hem kon uitoefenen. Hij luisterde niet naar de muziek van zijn metgezellen, en destijds werd hij erom bekritiseerd.

Toch bleek hij na verloop van tijd een van die onruststokers die we tegenwoordig hoogachten. Loop in gedachten met Thoreau mee. Luister naar de stem die je hoort en de muziek die alleen jij kunt voelen en respecteer die, maar respecteer ook de muziek die weerklinkt in al diegenen die jij liefhebt. Dat is de ultieme daad van onvoorwaardelijke liefde. Hoewel je er tijdens je leven misschien geen prijzen mee wint, kun je wel troost putten uit de wetenschap dat je je eigen goddelijke doel vervulde en dat je anderen aanmoedigde hetzelfde te doen.

Als je Thoreaus raad in praktijk wilt brengen, doe dan het volgende:

- Weiger om je gezonde verstand of krankzinnigheid af te meten aan de mate waarin je in staat bent om aan de verwachtingen van de mensen om je heen te voldoen. Als je het zo voelt en het doet de anderen geen kwaad, dan is het echt en heel zinnig.

- Houd jezelf voor ogen dat je niet zult worden begrepen en je misschien zelfs de toorn van iedereen in je naaste omgeving op de hals haalt omdat je het lef hebt op je eigen muziek te marcheren. Vat het echter nooit persoonlijk op. Het is alleen een methode om je zover te krijgen dat je je conformeert, en wanneer je niet reageert, zal de toorn snel verdwijnen.

- Geef iedereen in je nabije omgeving – familie en vrienden – de kans om de vreugde te beleven op hun eigen muziek verder te gaan, zonder daarbij hun keuzen te hoeven verklaren of te verdedigen. Dan breng je vrede en liefde waar boosheid en tegenzin heersten en zal iedereen kunnen genieten van zijn eigen muziek.

Er is geen rustige plek in (jullie) steden, geen plek om de bladeren van de lente of de vleugels van een insect te horen ruisen... De indianen geven de voorkeur aan het zachte geluid van de wind die over het oppervlak van de vijver speelt, de geur van de wind zelf, schoongespoeld door de middagregen, of met de geur van de piñon-den. De lucht is een kostbaar goed voor de rode man, want alle dingen delen dezelfde lucht: de dieren, de bomen, de mens. Net als de man die vele dagen heeft liggen sterven, is de mens in jullie steden ongevoelig voor de stank.

CHIEF SEATTLE (1790-1866)

Chief Seattle, lid van de Suquamish-Duwamish-stammen die vriendschap sloten met de blanke kolonisten rondom de Puget Sound, was betrokken bij het Port Elliott Pact van 1855, waarbij land aan de indianen werd afgestaan en reservaten werden opgezet.

Dit hoofdstuk is gewijd aan de wijsheid van de autochtone Amerikanen in wier woorden de eerbied reflecteert voor alles wat heilig is in onze natuurlijke wereld. Ik zal enkele autochtone Amerikanen citeren wier beschouwende woorden van wijsheid en vrede voor ons bewaard zijn gebleven, opdat wij die kunnen nalezen en delen. Dit hoofdstuk is opgedragen aan hun nagedachtenis en aan de overleving van ons volk in zijn geheel. Hun nalatenschap is er een van diepe liefde en eerbied voor ons milieu.

Chief Seattle

Chief Seattle staat het best bekend als de man die een nu beroemde brief aan de president van de Verenigde Staten schreef, waarin hij hem vroeg om ook het standpunt van de indianen in ogenschouw te nemen. Elk deel van de aarde is heilig voor zijn volk, schreef hij, we maken allen deel uit van de kostbare aarde, en bovendien zijn we broeders in de geest. In het hierboven aangehaalde citaat vraagt Chief Seattle ons om ons meer bewust te worden van de zachte geluiden en de zoete geuren van het leven zelf. Door dat te doen, zullen we ons milieu met meer respect behandelen, en dan niet alleen om de schoonheid van de natuur, maar omdat we ons bewust worden dat we deel uitmaken van dit onderling verbonden levensweb. We delen allemaal dezelfde lucht, de dieren, de bomen en elkaar.

Oren Lyons

In het volgende citaat vertelt Oren Lyons, bekend als de Onondaga Faithkeeper, ons hoe zijn volk zeven generaties vooruitdenkt wanneer het een besluit moet nemen:

> In onze manier van leven, in ons bestuur, houden we bij elk besluit dat wordt genomen altijd rekening met de zeven komende generaties. Het is onze taak om erop toe te zien dat de komende mensen, de nog ongeboren generaties, een wereld krijgen die niet slechter is dan de onze en hopelijk zelfs beter. Wanneer wij op Moeder Aarde rondlopen, zetten we altijd zorgvuldig onze voeten neer, omdat we weten dat de gezichten van onze toekomstige generaties van onder de grond naar ons opkijken. We vergeten hen nooit.

Ik wilde maar dat wij aan die ongeboren generaties dachten wanneer we onze bossen vertrappen en onze lucht uit naam van de vooruitgang vervuilen en omdat we vinden dat we er recht op hebben.

Wolf Song

Ik wilde maar dat we ons ook eens voor ogen hielden dat alles een cirkel is en dat ieder levend schepsel deel uitmaakt van de heilige cirkel van het leven, zoals Wolf Song van de Abenaki stam het stelt:

Respect en eerbied hebben, betekent: denken aan het land en het water en de planten, en begrijpen dat de dieren die daar leven net zoveel recht van bestaan hebben als wijzelf. Wij zijn niet de almachtige en alwetende wezens die op de top van de evolutie leven, nee, wij maken ook deel uit van de heilige cirkel van het leven, samen met de bomen en de rotsen, de coyotes en de arenden en de vissen en de padden, die elk hun eigen doel vervullen. Elk verricht de hem opgedragen taak in de heilige cirkel, en wij hebben er ook een.

In onze steden zijn we in naam van de civilisatie veel van onze welwillendheid en natuurlijkheid kwijtgeraakt. We hebben rumoerige, overbevolkte plekken geschapen waar we samenkomen en leven, en in dit proces hebben we onze spiritualiteit de weg geblokkeerd. Voor mij is er niets zo verfrissend als in de natuur te zijn en die heilige cirkel rechtstreeks te beleven.

Walking Buffalo

Waar onze boeken en studie-inrichtingen ons van een krachtgevende omgeving voorzien, komt het me voor dat Walking Buffalo (Tatanga Mani: de Stenige indiaan) ons een alternatief milieu aanbiedt, waarin het erom gaat je voordeel te doen met het terrein, het landschap en je onmiddellijke omgeving. Hij zegt:

O, ja, ik ben naar de school van de blanke man gegaan. Ik leerde schoolboeken, kranten en de bijbel te lezen. Maar in de loop der jaren ontdekte ik dat dit niet genoeg was. Beschaafde mensen zijn te veel afhankelijk van door de mens vervaardigde bedrukte pagina's. Ik wend me naar het boek van de Grote Geest, naar de hele schepping. Je kunt een groot deel van dat boek lezen als je de natuur bestudeert. Want zie je, als je al je boeken neemt en ze buiten in de zon legt en de sneeuw en de regen en de insecten een tijdje hun gang laat gaan, dan zal er niets van overblijven. Maar de Grote Geest heeft jou en mij de kans gegeven om in de universiteit van de natuur een studie te maken van de bossen, de rivieren, de bergen en de dieren, waartoe ook wij behoren.

Ons wordt gevraagd om de hele schepping in ogenschouw te nemen en alle levende schepsels en de natuur in haar geheel te omarmen als iets wat net zo met ons verbonden is als onze voeten en handen en harten. Voor deze denkwijze wordt van ons verlangd om verder te kijken dan het eerst opkomende gevoel dat we gescheiden zijn van de rest, en het gevoel dat we beperkt zijn in tijd en ruimte. De autochtone Amerikanen geloven dat 'overal het centrum van de wereld is. Alles is heilig.'

Luther Standing Bear

De indiaanse stammen die hier woonden voordat wij onze 'beschavingen' en 'cultuur' invoerden in een poging tot civilisatie, hebben een boodschap voor ons bij onze zoektocht naar het vergroten van onze spiritualiteit en het behouden van onze band met God. De indiaan kende God als Wakan Tanka, en het hele leven was doordrenkt van deze essentie. De winden en de overdrijvende wolken waren Wakan Tanka in actie, de doodgewone takken en stenen werden vol eerbied gezien als manifestaties van de allesomvattende mysterieuze macht die het hele universum vult. Luther Standing Bear, opperhoofd van de Oglala Sioux, drukt het poëtisch uit:

> De indiaan vindt het heerlijk om te aanbidden.
> Van de geboorte tot aan de dood aanbidt hij zijn
> Omgeving. Hij beschouwt zichzelf
> Als geboren in de weelderige schoot
> Van Moeder Aarde en geen enkele plek
> Werd door hem als nederig beschouwd.
> Tussen hem en het Grote Heilige
> Was er niets.
> Er was rechtstreeks contact en
> Het was persoonlijk en de zegeningen van
> Wakan Tanka stroomden over de
> Indianen als regen die
> Uit de hemel viel.

Je ziet wel hoeveel vrediger en vreugdevoller je leven zou zijn als je niet zoveel eerbied had voor alles waarmee je je hebt omringd. Het concept van het rechtstreekse contact met de 'Grote Heilige' spreekt mij erg aan. Dit is iets wat we stuk voor stuk weer graag in ons leven zouden zien terugkeren, en de beschouwingen van Luther Standing Bear zijn daartoe misschien het middel. Kijk om je heen en wees eerbiedig, en moedig anderen aan dat ook te doen.

Walking Buffalo

Het zou belachelijk zijn om voor te stellen je leven in de stad achter je te laten en de natuur in te trekken. Het moderne leven heeft veel te bieden en onze steden zullen beslist blijven bestaan, met al het goede en het slechte dat erbij hoort. Toch hebben onze steedse gewoonten ons misschien losgemaakt van de wetten van de natuur betreffende spirituele harmonie.

Walking Buffalo stierf in 1967 op zevenennegentigjarige leeftijd. Hij had veel van beide werelden gezien, en hij liet ons deze woorden na:

> Heuvels zijn altijd mooier dan stenen gebouwen, weet je. Het leven in de stad is een kunstmatig bestaan. Maar weinig mensen voelen ooit echte aarde onder hun voeten, of zien planten anders dan in potten, of raken ver genoeg buiten het bereik van de straatverlichting om de verrukkingen van een nachtelijke hemel vol sterren te beleven. Wanneer mensen ver weg wonen van de beelden van de Grote Geest, is het gemakkelijk om zijn wetten te vergeten.

Hij vraagt ons niet om weg te trekken, maar om het ons te herinneren. Om ons de heiligheid van alle leven te herinneren, en ons er te allen tijde van bewust te zijn hoe die natuurwetten altijd hun werk doen in die heilige cirkel. Waar je ook woont, hoe je nabije omgeving er ook uitziet, die natuurwetten doen hun werk. De lucht, het water, de bomen, de mineralen, de wolken, de dieren, de vogels en insecten, alle houden ze het leven in stand. Besteed aandacht aan onze verre voorouders die duizenden jaren deze aarde bewoonden en diepe eerbied hadden voor de natuurwetten. Dit noemen we tegenwoordig ecologisch bewustzijn. De autochtone Amerikanen dachten zeven generaties vooruit, zodat het kostbare leven zou voortduren. De poëzie van deze autochtone Amerikanen vraagt ons om die vlam weer aan te wakkeren. Denk er eens over na en begin wat van die oude wijsheid in je dagelijks leven in te voeren.

Ik sluit deze reeks van boodschappen van een aantal indianen af met het onderstaande Ojibway-gebed, dat we allemaal maar eens goed moesten lezen, om het vervolgens elke dag opnieuw toe te passen.

> Grootvader,
> Kijk eens naar onze verdeeldheid.
> We weten dat in de hele schepping
> Alleen de mens is afgedwaald
> Van de heilige weg.
> We weten dat wij het zijn
> Die zijn verdeeld
> En dat wij het zijn
> Die weer samen moeten komen
> Om de heilige weg te bewandelen.
> Grootvader,
> Gij Heilige,
> Leer ons liefde, medeleven, eerbied
> Opdat wij de aarde kunnen helen
> En elkaar kunnen helen.

Om de essentie van de boodschappen van al deze autochtone Amerikanen in je leven aan het werk te zetten, begin dan vandaag nog met het volgende:

- Betuig eerbied voor je omgeving door voortdurend je dankbaarheid te tonen voor zoveel van wat als vanzelfsprekend wordt aangenomen. Zegen elke dag met een stil dankgebed de dieren, de zonneschijn, de regen, de lucht, de bomen en de grond.

- Verhoog je ecologisch bewustzijn door bijdragen aan organisaties die voor het behoud van het milieu werkzaam zijn. Probeer doelbewust de vervuiling tegen te gaan, let op het afval, en probeer zoveel mogelijk alles opnieuw te gebruiken. Je individuele acties kunnen het respect en de eerbied voor de aarde en het universum, ons heilige levensweb, opnieuw tot stand brengen.

- Breng meer tijd alleen in de natuur door, luister naar de natuurlijke geluiden en loop blootsvoets op de aarde om jezelf opnieuw te verbinden met datgene wat het leven ondersteunt en in stand houdt.

- Wees zelf een voorbeeld. In plaats van te jammeren over het feit dat de mensen troep maken, kun je dat blikje oppakken en het op de juiste plaats weggooien, ook al was jij niet degene die zorgeloos was. Laat de jonge mensen zien dat je op die manier te werk gaat.

- Zeg het Ojibway-gebed na. Help de aarde en elkaar te helen met deze aanmaning om elke dag van je leven met liefde, medeleven en respect door te brengen.

❈ OORDEEL ❈

Een fabel

De berg en de eekhoorn
hadden een gevecht;
En de eerste noemde de laatste 'verwaande kwast'.
Die antwoordde:
'U bent ongetwijfeld zeer groot;
Maar alle soorten dingen en het weer
Moeten samengevoegd worden
Om een jaar te maken
En een bol.

En ik vind het echt geen schande
Mijn plekje te bezetten.
Als ik niet groot ben zoals u,
U bent niet zo klein als ik,
En niet half zo levendig.
Ik zal niet ontkennen dat
U een aardige eekhoornplek inneemt;
Talenten zijn wisselend: zoals het is zo hoort het;
Zoals ik geen bossen op mijn rug kan dragen,
kun jij nog geen noot kraken.'

RALPH WALDO EMERSON (1803-1882)

*De Amerikaanse dichter, essayist en filosoof Emerson was de
eeuwige optimist die geloofde dat de natuur een manifestatie
is van de geest.*

Mijn ontzag voor Ralph Waldo Emerson is zo groot dat hij de
enige is van wie ik voor deze verzameling twee bijdragen heb uitgekozen: een gedicht en een van zijn baanbrekende essays. Emerson

was de stichter van de transcendentale traditie in de Verenigde Staten. In zijn filosofie legt hij de nadruk op de alomvattende geest van het universum waarin God overal is. In *Een fabel* heeft Emerson een dichterlijke ruzie tussen een eekhoorn en een berg weergegeven, waarin hij zijn standpunt duidelijk maakt.

Om de grootsheid van Ralph Waldo Emerson te begrijpen, is het van belang om te onthouden dat tijdens zijn leven spirituele begeleiding uitsluitend was voorbeschikt aan de gevestigde religies: Emerson daagde het dogma en de retoriek van de traditionele religie uit. Omdat hij overal de goddelijkheid in zag, sprak Emerson tot een nieuw bewustzijn waarin God niet groter of minder is, in welke vorm hij zich ook materialiseert.

De eekhoorn, een knaagdiertje met een dikke vacht, bezit onzichtbare goddelijke macht, net als de berg, die wel een bos op zijn rug kan torsen maar geen noot kan kraken. In dit gedicht zegt Emerson dat wij allemaal, onafhankelijk van onze gestalte, lengte of mobiliteit, en onafhankelijk van hoe anderen dat doen, een goddelijke schepping zijn, met unieke mogelijkheden om onze taak te vervullen. Dat betreft alle levensvormen in alle gedaanten en op alle manieren.

Ik herinner me een gelijkluidend verhaal van een van mijn grote leermeesters, Nisargadatta Maharaj, die in India woonde en bij velen in hoog aanzien stond als mystiek spiritueel heilige. Een van zijn volgelingen vroeg zich af hoe Nisargadatta kon zeggen: 'In mijn wereld gaat nooit iets verkeerd.' Nisargadatta maakte dat duidelijk met het volgende verhaal van een aap die met een boom in gesprek is.

'Wil jij me vertellen,' zei de aap tegen de boom, 'dat je echt je hele leven op één plek blijft en nooit van je plaats komt? Dat begrijp ik niet!'

'Wil jij me vertellen,' zei de boom tegen de aap, 'dat jij echt van plek naar plek gaat en de hele dag al je energie verbruikt? Dat begrijp ik niet!'

Nisargadatta's verhaal was bedoeld om zijn volgelinge aan het verstand te brengen dat haar lichaam haar in de weg stond bij het begrijpen van zijn spirituele perspectief. Omdat er betrokkenheid was bij het beoordelen van de ander, ontstond er een scenario dat te vergelijken was met de aap die de boom probeerde te begrijpen, en omgekeerd. Zoals in Emersons gedicht gaat het ook hier om de uiteindelijke realiteit dat beide levensvormen hetzelfde universele ordenende intellect bezitten, maar dat ze elkaar nooit zullen begrijpen. De fabel van Emerson en het verhaal van Nisargadatta zijn voor mij in gelijke mate relevant.

Ik heb onlangs samen met mijn vrouw Marcelene een boek geschreven dat als titel kreeg *A Promise Is a Promise*. Het is het ware verhaal van een moeder die meer dan achtentwintig jaar voor haar comateuze dochter heeft gezorgd, die haar het klokje rond om de twee uur voedde, haar omdraaide, haar elke twee uur insuline toediende, het geld bij elkaar bedelde om alle onkosten te betalen, en elke nacht in een stoel naast haar dochters bed sliep. Achtentwintig jaar geleden smeekte Edwarda, toen zestien jaar oud, haar: 'Je laat me toch niet alleen, hè, mama?' terwijl ze wegglipte in een diabetisch coma. Kaye, haar moeder, antwoordde: 'Ik zal je nooit alleen laten, schat, dat beloof ik. Beloofd is beloofd.'

In de daaropvolgende achtentwintig jaar is Edwarda O'Bara van fase een, waarin ze catatonisch was en waarbij haar ogen moesten worden dichtgeplakt, naar fase negen gegaan, waarin ze stemmen lijkt te herkennen, lacht, en huilt wanneer ze verdriet heeft. Ze sluit vrijwillig haar ogen en lijkt soms te reageren op geluiden vanuit de kamer. Maar het meest verbazingwekkende in dit verhaal gaat over de uitwerking die Edwarda op al haar bezoek heeft. Sommigen beweren wonderbaarlijke helingen te hebben meegemaakt, en iedereen voelt de onvoorwaardelijke liefde die Edwarda vanuit haar onbeweeglijke lichaam uitstraalt.

Mijn vrouw en ik hebben op intense wijze het mededogen en de liefde mogen voelen uit ons contact met Kaye en Edwarda. Ik voel me gezegend dat ik de kans heb gekregen om mijn gaven te gebruiken voor het schrijven en vertellen van dit ongelooflijke verhaal van liefde en mededogen, en om met de opbrengsten hun enorme schuldenlast te verlichten. Door Kaye en Edwarda ben ik in staat geweest om het zelfbelang van mijn ego te ontkrachten en op een meer gevend spiritueel niveau mijn bijdrage te leveren.

Ook al kan Edwarda zich niet bewegen en wordt ze door de rest van de wereld als invalide bestempeld, ook al praat ze nooit en heeft ze voortdurend zorg nodig, ik weet dat zij haar taak vervult. En wie weet bereikt ze misschien wel meer mensen door mijn boek en mijn lezingen dan ze ooit zou hebben bereikt wanneer ze niet in coma was. Misschien is zij in staat om wonderen in anderen te laten plaatsvinden, omdat zij haar lichaam en zijn beperkingen heeft achtergelaten. Wie zal het zeggen?

Eén ding weet ik echter zeker. Het leven van Edwarda O'Bara is net zo waardevol als dat van ieder ander levend wezen op deze aarde. Leven betekent niet per se rondlopen en praten. De levenskracht die in haar comateuze lichaam zit, is dezelfde levenskracht die in elk lichaam zit en in elke berg, in elke eekhoorn en in elke noot die de eekhoorn kraakt. Edwarda's leven heeft een missie te volbrengen, en dat doet ze elke dag op de haar toegewezen manier. Ze leert ons om mededogen te hebben en ze leert ons wat onvoorwaardelijke liefde is. Ze heeft mij de kans gegeven om uit de eerste hand te zien dat alle leven van oneindige waarde is. Ik pretendeer niet te begrijpen hoe deze jonge vrouw meer dan een kwarteeuw in leven is gebleven zonder te zijn aangesloten op een levensmachine. Er zijn dingen die ik nooit zal begrijpen, en zo wil ik het graag houden.

Wat ik wel door mijn contact met Kaye en Edwarda O'Bara en door het schrijven van mijn boek *A Promise Is a Promise* heb geleerd, is dat ik op de aap lijk die tegen de boom praat, of op de eekhoorn die in gesprek is met de berg. Zij gaan allebei van hot naar haar en kwebbelen tegen de stille die niet van zijn plaats komt, maar wiens immobiliteit en stilzwijgendheid een andere vorm van dezelfde levenskracht zijn.

Emersons fabel geeft ons een dichterlijk inzicht in deze levenskracht die overal aanwezig is. In staat te zijn om die levenskracht te erkennen, zonder jezelf op welke wijze dan ook superieur te vinden vanwege de verschillen in fysiek, is een belangrijke les die we op de weg naar spirituele groei moeten leren.

Wil je deze belangrijke les in je eigen leven zijn werk laten doen, let dan op het volgende:

• Weiger om, gebaseerd op wat je als normaal bent gaan beschouwen, een oordeel te vellen over het belang of de waarde van anderen. Let op het ontplooien van God in iedereen en alle leven. Begrijp dat niemand superieur is in het onzichtbare rijk van de geest, en dat ons uiterlijk omhulsel in vele vormen, maten en gedaanten voorkomt.

- Zie het genie in iedereen die je op je levensweg aantreft. Zoals de berg geen noot kan kraken, hoewel hij wel een bos op zijn rug kan torsen, zo heeft elk levend schepsel zijn eigen ingebouwde perfectie. Span je tot het uiterste in om die perfectie op te zoeken in plaats van je te laten misleiden door het uiterlijk van degene die het omhulsel met zich meedraagt.

- Pas de volgende eenvoudige wijsheid toe: 'Er zijn veel dingen die ik niet begrijp, en zo wil ik het graag houden.'

- Laat je vooroordelen varen waarbij je anderen afmeet aan wat als normaal wordt gezien. Uit het feit dat de meeste mensen kunnen zien, vloeit niet automatisch voort dat de blinden onbelangrijk zijn. En al kunnen de meeste mensen lopen en praten, dat wil nog niet zeggen dat zij die stilliggen, minder waardevol zijn.

ZELFVERTROUWEN

Uit *Zelfvertrouwen*

Dit zijn de stemmen die we in afzondering horen, maar ze worden zachter en worden onhoorbaar wanneer we de wereld betreden. Overal spant de gemeenschap samen tegen de mannelijkheid van haar leden. De gemeenschap is een bedrijf met gezamenlijk kapitaal, waarin de leden overeenkomen om het hoofd te buigen voor de vrijheid en de cultuur van de eter, om zijn brood voor iedere aandeelhouder veilig te stellen. Conformiteit, dat is wat er vooral gevraagd wordt. Zelfvertrouwen is een bewijs van onwil. *De gemeenschap houdt niet van realiteiten en scheppende krachten, maar van namen en gewoonten.*
Wie een volwaardig man wil zijn, moet beslist niet conformistisch zijn. Hij die onsterfelijke eerbetuigingen verkrijgt, moet niet in de naam van goedheid worden gehinderd, *maar moet het, als het om goedheid gaat, verder onderzoeken.* Uiteindelijk is niets heilig, behalve de integriteit van je eigen geest.
[Cursivering toegevoegd.]

RALPH WALDO EMERSON (1803-1882)

Emerson was een Amerikaans dichter, essayist en filosoof die bekendstond vanwege het feit dat hij de traditionele manier van denken uitdaagde, en hij heeft een filosofie ontwikkeld die de intuïtie ondersteunt als de enige manier om de realiteit te begrijpen.

De ideeën uit dit ene essay Zelfvertrouwen hebben invloed gehad op alles wat ik ooit heb geschreven, en ik beschouw Emerson als een van mijn grootste leermeesters, ook al is hij meer dan een eeuw geleden overleden. Ralph Waldo Emerson was net zo bekend vanwege zijn essays als vanwege zijn gedichten. In het misschien wel beroemdste en meest geciteerde essay Zelfvertrouwen deed deze provocerende Amerikaanse auteur, die bekendstaat als de vader van de transcendentale beweging, een diepgaand onderzoek naar de basisprincipes van wat het betekent om jezelf te zijn. Ik kan me nog levendig herinneren hoeveel indruk de essays Zelfvertrouwen en Over de noodzaak van burgerlijke ongehoorzaamheid – van Emersons tijdgenoot Henry David Thoreau – op mij als zeventienjarige leerling van de middelbare school maakten.

In deze korte samenvatting spreekt Emerson over de noodzaak nonconformistisch te zijn wil je ten volle kunnen leven, en over het afweren van verculturisering. De gemeenschap eist conformiteit ten koste van individuele vrijheid, verklaart hij, ze eist dat je je aanpast, anders word je buitengesloten. Emerson eist integriteit van de individuele geest, en houdt vol dat het in die essentie heilig is. Vergeet niet dat Emerson ook predikant was, en dat is dus de man die ons vertelt dat de geest heilig is: niet de voorschriften, de wetten, de normen en waarden van de gemeenschap, maar je geest. Verderop in Zelfvertrouwen verklaart Emerson: 'Geen wet kan voor mij heilig zijn, behalve die van mijn eigen inborst.' Dit uitermate moedige testimonium komt van een man zonder vrees, die wist dat goddelijkheid en heiligheid niet in het instituut Kerk zitten, maar in de geest van het individu. Ons gedrag, niet het lidmaatschap van die Kerk, maakt ons tot goddelijke schepsels. Wat ons heilig maakt, is de wijze waarop we onze geest als vrijdenkende mensen gebruiken, niet hoe goed we de wetten kunnen citeren die dienen om onze boosaardigheid en ijdelheid te beschermen.

Wanneer je even de tijd neemt voor een nadere beschouwing van de meeste misstanden die de mensheid heeft gepleegd, dan zul je zien dat ze zo goed als allemaal tot stand zijn gekomen onder de beschermende dwang van de wetten van de gemeenschap. Socrates werd vermoord omdat de wet zei dat het juist was om je van intellectuele dissidenten te ontdoen. Jeanne d'Arc werd op de brandstapel gezet omdat het de wet was. Herodus gaf opdracht om alle mannelijke baby's in het hele land systematisch om het leven te brengen omdat het volgens de voorschriften was. Toen mijn eigen moeder werd geboren, was in de Verenigde Staten de ene helft van de bevolking – dat wil zeggen honderd procent van alle vrouwen – niet stemgerechtigd, omdat de wet dat zo bepaalde. Toen ik werd geboren, werden op basis van onmenselijke wetten miljoenen mensen naar de vernietigingskampen gedeporteerd en al hun bezittingen geconfisqueerd. Het was de wet die eiste dat zwarte mensen achter in de bus zaten, van aparte waterfonteinen dronken, en gescheiden en onder infericure omstandigheden hun leven leefden. Dus citeer alsjeblieft nooit de wetten en voorschriften van de gemeenschap om je daden te rechtvaardigen.

Mensen die werkelijk begrijpen wat met zelfvertrouwen wordt bedoeld, weten dat zij volgens hun eigen ethiek moeten leven in plaats van volgens de voorschriften. Het is altijd mogelijk om onduidelijke wetten of voorschriften of tradities van de gemeenschap te vinden waarmee je letterlijk alles kunt rechtvaardigen. Zij die geen voorrang verlenen aan de integriteit van hun eigen geest, zullen inderdaad die wetten citeren om uit te leggen waarom ze doen wat ze doen. Wanneer je ernaar wilt streven een heiliger mens te worden, dien je je vertrouwen in de conformiteit op te zeggen.

Emerson ging in zijn provocerende essay nog verder en zei: 'Ik schaam me te bedenken hoe gemakkelijk we capituleren voor onderscheidingen en namen, voor grote maatschappijen en levenloze instituten.' Hij sprak openlijk over het lang staande gehouden immorele instituut van de slavernij, die door de wet werd beschermd. 'Het is noodzakelijk dat ik voor mijn mening uitkom, en dat ik op alle manieren de wrede waarheid ter sprake breng. Als boosaardigheid en ijdelheid met de mantel van filantropie worden bedekt, is het dan goed?' Bedenk wel dat Emerson sprak en schreef in de tijd dat slavernij nog wettelijk geoorloofd was en door de gemeenschap werd goedgekeurd.

Wat betekent voor ons vandaag de dag nog zelfvertrouwen? Het moedigt ons aan om, in plaats van voorschriften en wetten, de moraal te cultiveren en die als ons baken te gaan hanteren. Als we weten dat het goed is, zal het in harmonie zijn met de spirituele principes die voor een deel in dit boek zijn beschreven.

Neem bijvoorbeeld barmhartigheid. De wet toont geen barmhartigheid wanneer het overeenkomstig de wet gevangenen executeert. Wanneer de opstellers van de wet, de juryleden of de pers zeggen dat de overtreder geen barmhartigheid toonde, dus waarom zou de wet het dan wel doen, dan moet je afgaan op je eigen gevoel van wat goed is om je mening onder woorden te brengen. Je negeert je eigen innerlijke waarheid als je de voorschriften citeert, terwijl barmhartigheid een essentieel aspect dient te zijn van je spirituele routine. Dat is zelfvertrouwen: niet klakkeloos de gedachten van de kudde overnemen en die tot het fundament van je eigen innerlijke waarheid maken. Emerson vraagt niet om opzettelijk ongehoorzaam te zijn aan de wet, maar om je eigen gevoel voor moraal te gebruiken voor je manier van leven. Hij maakt het met de volgende woorden duidelijk: 'Wie dus een volwaardig man [of vrouw] wil zijn, moet beslist niet conformistisch zijn.'

Volgens mij kun je van deze wijze woorden van Emerson het best gebruikmaken door te leren hoe je rustig maar effectief te werk kunt gaan. Dat wil zeggen dat je niet publiekelijk hoeft te verklaren dat je weigert je uniform te gedragen, maar dat je steun vindt in je eigen innerlijke kracht, en dat je je eigen gang gaat als een stilzwijgend persoon en dat je weet dat je op jezelf kunt vertrouwen.

Ik heb Emersons filosofie toegepast vanaf het moment waarop ik op zeventienjarige leeftijd dit essay ontdekte. In 1959, toen ik negentien was, zat ik bij de marine, gestationeerd op een vliegdekschip, de USS Ranger. President Eisenhower zou over ons schip vliegen en alle matrozen moesten groot tenue aan en samen op het vliegdek de woorden HI IKE! vormen terwijl de president naar een politieke bijeenkomst in San Francisco vloog. Toen ik hoorde dat ik ook mee moest doen, was ik woedend over die beledigende opdracht, maar ik leek duidelijk in de minderheid te zijn. Kennelijk vond het grootste deel van de bemanning het niet erg om zich te conformeren in 'groepsformatie' om die groet in menselijke letters uit te beelden. In plaats van protest aan te tekenen, herinnerde ik me de woorden van Emerson: 'Wie dus een volwaardig man [of vrouw] wil zijn, moet beslist niet conformistisch zijn', maar ik diende het in stilte te doen. Ik liet de conformisten hun gang gaan terwijl ik me in de ingewanden van het schip terugtrok totdat die belediging van mijn zelfvertrouwen als persoon achter de rug was. Geen uitbarstingen, geen onnodige strijd, eenvoudig rustig maar effectief te werk gaan.

De voorschriften vormen geen reden om op een bepaalde manier te leven. Het is de integriteit van je eigen geest die je dient te raadplegen als je ooit wilt ervaren wat zelfvertrouwen precies inhoudt. Deze les is in alle facetten van je leven toe te passen: over hoe je je vrije tijd wilt doorbrengen, hoe je je wilt kleden, wat je wilt eten, hoe je je kinderen wilt opvoeden. Laat de stemmen vanbinnen niet verzwakken en onhoorbaar worden ten gunste van de samenzwerende gemeenschap. Wees jezelf en leef overeenkomstig de regels die je juist acht en die in harmonie zijn met je spirituele basis. Dat wil zeggen, overeenkomstig de integriteit van je eigen geest.

Hier zijn een paar ideeën om je te helpen Ralph Waldo Emersons les over zelfvertrouwen in je eigen leven toe te passen:

- Lees het hele essay *Zelfvertrouwen* en luister naar de opmerkingen die Emerson in dit klassieke stuk maakt.

- Wanneer je op het punt staat je achter een voorschrift of een wet te verstoppen om je eigen doen en laten te rechtvaardigen, houd er dan mee op en ga te rade bij je eigen integriteit. Doe wat je doet omdat het juist is en omdat het aansluit bij je spirituele waarheden. Als je weet dat vergeving goddelijk is, val dan niet terug op een wet om je onbereidwilligheid tot vergiffenis te rechtvaardigen.

- Doe je best om je te kleden en te gedragen zoals je dat graag wilt, niet om erbij te horen. 'Draag ik dit of doe ik dat omdat het me bevalt, of doe ik het omdat het zo belangrijk voor me is om erbij te horen?' Maak de keus volgens je eigen regels, en kijk eens hoeveel beter je je voelt.

- Verklaar jezelf onafhankelijk van de normen van je gemeenschap ten aanzien van je eigen persoon. Vijfentwintighonderd jaar geleden verklaarde Socrates al: 'Ook jij bent een schepping van God, en wordt niet begrensd door de etiketten die de gemeenschap je heeft opgeplakt.'

- Weiger om dingen te doen alleen omdat iedereen het doet. Maar als het bij je definitie past van wat moreel verantwoord en juist is, doe het dan vooral wel, wat de mensen om je heen ook zeggen of doen.

- Kort samengevat, wees jezelf. Heb respect voor jezelf, en schep een harmonieuze relatie tussen de integriteit van je eigen geest en hoe je je gedraagt.

ENTHOUSIASME

Psalm over het leven

Vertel mij niet, in sombere getallen,
Dat het leven een lege droom is!–
Want de ziel die sluimert is dood,
En de dingen zijn niet wat ze lijken.

Het leven is echt! Het leven is serieus!
En het graf is niet het doel;
Stof zijt gij, tot stof keert gij weder,
Was niet bedoeld voor de ziel.

Niet genot en niet verdriet,
Is het bedoelde einde van ons pad;
Maar te handelen, opdat elke morgen
ons verder weg brengt dan vandaag.

De kunst is eeuwig, en tijd vervliegt,
En onze harten, hoewel moedig en dapper,
Blijven, als stille troms, maar kloppen
begrafenismarsen naar het graf.

In het brede slagveld van de wereld,
In het bivak van het leven,
Wees niet als dom, voortgedreven vee!
Wees een held in het conflict

Vertrouw geen toekomst, hoe plezierig ook!
Laat het dode verleden zijn doden begraven
Handel, – handel in het levende heden!
Naar je hart vanbinnen en God daarboven!

Het leven van grote mannen herinnert ons
Dat wij allen ons leven groots kunnen maken,
En, vertrekkend, achter ons laten
Voetstappen in het zand van de tijd.

Voetstappen, die wellicht iemand anders,
Zeilend over de plechtige zee van het leven,
Een verloren schipbreukeling,
Zal zien en er opgewekt van zal raken.

Laat ons opstaan en aan het werk gaan,
Met een hart voor elk lot;
Nog steeds bereiken, steeds volbrengen,
Leer te werken en te wachten.

HENRY WADSWORTH LONGFELLOW (1807-1882)

Henry Wadsworth Longfellow, een Amerikaans dichter, vertaler en docent aan een universiteit, wordt als een populaire maar serieuze dichter beschouwd.

*L*ongfellow is een van de weinige dichters uit dit boek die tijdens hun hele leven grote populariteit genoten. Psalm over het leven, voor het eerst gepubliceerd in 1839 en opgenomen in de gedichtenbundel Voices of the Night, werd in de Verenigde Staten en Europa enorm populair, net als zijn latere, nog beroemdere werken The Wreck of the Hesperus en zijn klassieker The Song of Hiawatha. Dit gedicht, geschreven door de man die als de populairste Amerikaanse dichter van de negentiende eeuw wordt aangemerkt, is een eerbetoon aan een enkel woord, en dat woord is 'enthousiasme'. Het oorspronkelijke Griekse woord is enthousiasmos en betekent 'het bezield-zijn door God'. Longfellows Psalm over het leven moedigt ons allemaal aan om eens goed na te denken over de korte tijd die ons is gegeven en wat ons leven behelst, en om enthousiast en dankbaar te zijn voor alles wat we zijn en beleven.

In 1861 werd Longfellow zwaar depressief toen zijn tweede vrouw om het leven kwam nadat haar japon per ongeluk in brand was gevlogen. Na het voortijdige verlies van twee echtgenotes verlangde Longfellow naar geestelijk soelaas, en veel van de gedichten uit de laatste twintig jaar van zijn leven weerspiegelen zijn verlangen om een band met het goddelijke te scheppen. *Psalm over het leven* is een gedenkteken voor de geest van deze grote, populaire dichter.

In zijn gedicht vertelt Longfellow ons dat de ziel onze ware basis is, 'en de dingen zijn niet wat ze lijken'. Ons lichaam en onze stoffelijke omgeving zijn niet meer dan een mythe, een denkbeeld dat ons naar een saai en onvervuld leven leidt. Hij houdt ons voor dat het graf niet ons doel is; wanneer we over ouder worden spreken, zouden we het alleen over het lichaam moeten hebben, want de ziel, de bron van onze 'God binnenin' is niet stoffelijk. Hij vraagt ons om onze treurnissen en vreugden te vergeten en onze aandacht te richten op onze groei en op ons plechtig voornemen om morgen een stapje verder te komen dan vandaag. Ons lichaam maakt deel uit van een begrafenisstoet op weg naar het graf, maar de God binnen in ons zal nooit zoiets als een begrafenis beleven.

Ik houd van de woorden waarmee hij ons uit de depressie haalt van een leven waarin we ons vaak als domme, opgejaagde kuddedieren gedragen en in de geest gewoon met de kudde meelopen. Wees liever een held, zegt hij, en ik lees daarin: enthousiast zijn totdat je er echt door wordt opgebeurd. Toon je enthousiasme voor het leven en laat het uitstralen in alles wat je doet, totdat iedereen om je heen erdoor wordt aangestoken. Dat is heldendom. Om een held te zijn hoef je niet een brandend gebouw binnen te rennen om een kind te redden, je moet alleen zorgen dat je in aanraking blijft met de God vanbinnen.

Enthousiasme is niet iets wat sommigen wel en anderen niet hebben meegekregen. We hebben allemaal een God vanbinnen. Sommigen willen ermee in aanraking zijn en het laten zien, anderen maskeren het en laten het sluimeren. We laten onze innerlijke God tot stof worden, ook al houdt de dichter ons voor: 'Stof zijt gij, tot stof keert gij weder, was niet bedoeld voor de ziel.' Enthousiasme is een voedingsbodem voor succes. Wanneer men mij vraagt wat het geheim is voor het geven van een mooie lezing, dan zeg ik dat het voortkomt uit het feit dat ik oprecht enthousiast ben. Dat roept liefde op en vergiffenis voor onvolkomenheden.

Zoals de grote Griekse toneelschrijver Aeschylus ooit verkondigde:

'Wanneer een mens bereid is en leergierig, zal God zich bij hem voegen...' Enthousiasme verspreidt vreugde, omdat er niets deprimerends aan is. En het wordt vergezeld door vertrouwen, omdat alle angst verdwijnt zodra er enthousiasme is. Het brengt ook acceptatie met zich mee, omdat alle twijfel is verbannen en er geen onzekerheid meer bestaat. Je kunt er op dit moment voor kiezen om enthousiasme de boventoon te laten voeren.

Een tijdgenoot van Longfellow, Ralph Waldo Emerson, had ook al ontdekt dat het waardevol is om enthousiast te zijn. Hij schreef: 'Elke grote, imponerende beweging in de geschiedschrijving van de wereld is een triomf van enthousiasme...' Maak je eigen leven tot een grote, imponerende beweging door toe te passen wat deze Psalm over het leven je biedt: 'Laat ons opstaan en aan het werk gaan, met een hart voor elk lot.'

Bekijk de mensen die 'hart voor elk lot' hebben en, zonder acht te slaan op hun omstandigheden, blijven doorgaan om hun doel na te streven. Ze lachen graag. Ze raken over de kleinste dingen opgewonden. Ze lijken niet te weten wat verveling betekent. Geef hun een geschenk en ze zullen je uit dank in de armen sluiten en het meteen in gebruik nemen. Geef hun een vrijkaartje voor een concert, en ze worden dol van uitzinnigheid om die onverwachte meevaller. Ga met hen winkelen, en zie hoe ze met grote ogen naar alles kijken wat onder hun aandacht komt. Je hoort hen nooit klagen. Vind je het niet heerlijk om in de buurt van dergelijke mensen te zijn? Dat is nu wat enthousiasme doet. Het is de God binnen in ons allen die ons wil duidelijk maken wat Longfellow bedoelt wanneer hij zegt: 'Het leven is echt! Het leven is serieus!'

En echt waar, het is zoals hij het stelt: 'De ziel die sluimert is dood.' Laat je ziel tot leven komen en beleef het leven door middel van je fysieke lichaam. Je kunt beginnen met het elke dag herlezen van dit populaire gedicht en je door Longfellows grote geest tot enthousiasme laten inspireren. En probeer dan eens een paar van deze praktische suggesties uit:

- Elke keer dat je ergens aan begint, bijvoorbeeld een strandwandeling of het bijwonen van een voetbalwedstrijd, doe dan alsof het zowel de éérste als de láátste keer is dat je dit meemaakt. Dat geeft je een frisse kijk op en een gevoel van enthousiasme voor alles wat je onderneemt. Ik heb acht kinderen, en ik zou niet meer weten hoeveel talentenjachten, audities, recitals, voetbal-, basketbal- en honkbal-try-outs, wedstrijden en play-offs ik heb bijgewoond. Maar elke keer dat ik ga, doe ik ook alsof ik het voor de allereerste keer meemaak, en dan komt het geheel veel meer tot leven. Of ik doe alsof het de allerlaatste keer is dat ik ooit zoiets zal meemaken, en ook daardoor stijgt mijn enthousiasme.

- Ga eens anders over jezelf denken dan je tot nu toe hebt gedaan. Zeg niet langer 'ik ben geen demonstratief type', maar zeg 'ik ga laten blijken hoe enthousiast ik ben over het leven'. Je hebt altijd de keus om je ziel te laten sluimeren of je ziel in jou te laten leven.

- Stel je niet meer zo vaak op langs de zijlijn van het leven. Het is allemaal goed en wel om jezelf buitenspel te zetten terwijl anderen actief deelnemen, maar laat je enthousiasme voor het leven triomferen, want dan zul je ervaren wat Longfellow bedoelt wanneer hij je voorhoudt dat je 'opstaat en aan het werk gaat, met een hart voor elk lot'.

De eenzame jachthond

Dit stille stof was dames en heren,
En jongens en meisjes;
Was gelach en talent en gezicht,
En jurken en krullen.
Deze rustige plaats een sierlijk zomerverblijf,
Waar bloemen en bijen
Hun oosterse route volbrachten,
En dan stopten, als hen.

EMILY DICKINSON (1830-1886)

Emily Dickinson was een Amerikaans dichteres die haar hele leven in Amherst in Massachusetts heeft gewoond. Ze schreef tegen de tweeduizend gedichten tijdens haar leven, dat ze, met een dominante, streng-calvinistische vader, in afzondering heeft gesleten. Net als Walt Whitman, Robert Frost en Ralph Waldo Emerson schreef ze over de innerlijke zielskracht in de natuur en de mens.

*D*it gedicht heeft me altijd geïntrigeerd, en ik haal het regelmatig aan in mijn voordrachten. Ik heb dan het gevoel dat ik persoonlijk een boodschap overbreng van een van mijn favoriete negentiende-eeuwse dichters. Wanneer je je lichaam en je wereld eens door de ogen van dit gedicht bekijkt, zul je moeten toegeven dat alles wat je ziet, alles wat je met je zintuigen ervaart, op een goede dag 'stil stof' zal zijn. Toch zal dat deel van je dat dit registreert, nooit tot 'stil stof' vergaan.

Wanneer je sterft, zal je lichaam, zodra je het hebt verlaten, precies hetzelfde wegen als toen je nog in leven was. Stel je dat eens voor! Je lichaam weegt hetzelfde, dood of levend. Ik kom daarom tot de conclusie dat, als het lichaam hetzelfde weegt met en zonder het leven het leven dus gewichtsloos is. Het leven is niet te wegen, te meten, onder te verdelen, te identificeren of op welke manier dan ook af te bakenen. Emily Dickinson beschrijft op poëtische wijze dit deel van onszelf, het deel dat aan de stoffelijke wereld weet te ontkomen.

Wetenschappers omschrijven deze materiële wereld als een planeet met een gelimiteerde voorraad mineralen. Daarmee bedoelen ze dat de totale voorraad van mineralen al op deze planeet aanwezig is; er is daarbuiten geen extra bron voor mineralen. Als je bijvoorbeeld kon vaststellen hoeveel ijzer er is, dan zou je ook precies weten hoe groot de wereldvoorraad ijzer is. Het is een beperkte voorraad, en wanneer we die hebben opgebruikt, kunnen we niet naar een ander universum gaan om onze ijzervoorraad aan te vullen.

In je eigen lichaam zit een afgemeten deeltje van de totale voorraad ijzer. Wanneer je een bloedproef ondergaat, kunnen ze je vertellen of je ijzergehalte aan de hoge of de lage kant is. En nu de hamvraag. Waar was het ijzer dat nu door je bloed stroomt voordat je geboren werd? En waar zal het blijven als je gestorven bent? Dit is het deel van het mysterie dat Emily Dickinson in haar dichterlijke waarnemingen aan de orde stelt.

Neem eens een handjevol stil stof en vraag jezelf af wat het gisteren of vorig jaar was. Was het de slurf van een olifant? Een Jurassic-achtig creatuur? De oogbol van Michelangelo? Elk partikeltje stof is aan voortdurende verandering onderhevig. De wetenschappers die zich wat plastischer uitdrukken, zeggen dat wij met ons allen het voedsel van morgen zijn. Alles in ons fysieke universum zal uiteindelijk tot dit stille stof terugkeren.

In zekere zin zegt Emily Dickinson in dit gedicht op poëtische wijze hetzelfde als wat Aristoteles schreef: 'Laten we leven alsof we onsterfelijk waren.' Beiden zeggen ons dat alles en iedereen zijn weg moet afleggen, en dat wanneer die in zijn geheel is afgelegd, het zijn huidige vorm verliest en in een andere vorm overgaat. Het materiaal van ons lichaam wordt gerecycled, maar ons wezenlijke ik blijft bestaan. In een van haar andere korte gedichten schrijft Emily Dickinson:

Omdat ik niet kon stoppen voor de dood,
Was hij zo goed voor mij te stoppen.
Het rijtuig droeg alleen ons beiden
En onsterfelijkheid.

Dit bewust te zijn geeft een groot gevoel van bevrijding; het is je paspoort naar de eeuwigheid. Je hoeft niet langer bang te zijn voor de dood. In veel opzichten kan de dood van je lichaam je veel leren. Het is niet iets wat je moet vrezen.

Ik herinner me dat mij eens door een leermeester werd gevraagd in diepe meditatie te verzinken. Gedurende die stille oefening kreeg ik de opdracht om me voor te stellen dat ik buiten mijn lichaam trad en het van bovenaf bekeek, dat ik daarna verder weg moest gaan en uiteindelijk dat ik de stad, het land, het halfrond en ten slotte de hele wereld moest verlaten. Terwijl ik de aarde van een ingebeelde plek in de ruimte aanschouwde, kreeg ik de opdracht om me onze wereld voor ogen te halen, maar dan zonder mij. Dat was een fantastische les in het onderdrukken van mijn ego. Eerst leek het zo'n buitensporige opdracht dat ik die nooit meende te kunnen uitvoeren, omdat mijn ego bleef zeggen: 'Wat heeft het voor zin? Wat voor zin heeft een planeet zonder mij erop!' Maar toen ging ik me meer vereenzelvigen met dat deel van mij dat bezig was met kijken dan met het deel van mij dat werd bekeken.

Het is het stille stof dat we gadeslaan, en dat is exact het chemische materiaal waaruit onze voorouders bestonden. Maar de toeschouwer heeft geen behoefte aan chemicaliën of stof. Wanneer je zover komt dat je altijd de toeschouwer bent, zul je je angst voor het doodgaan volledig verliezen. Je wezenlijke ik werd nooit geboren en kan ook nooit sterven. Eeuwigheid is niet iets waarin je overgaat, nee, je bevindt je er al in. Met andere woorden: nu is de eeuwigheid.

Je geest is er niet op getraind om in je onsterfelijkheid te geloven, en daarom weet die niet dat je onsterfelijk bent. Hij is erop getraind om zich alleen te vereenzelvigen met wat hij ziet. Er zit een commandopost in je hersens waar al je beslissingen worden genomen, en waar de emoties en menselijke ervaringen hun oorsprong lijken te hebben. Toch zit er in die commandopost een onzichtbare, vormloze commandant die niet kan sterven. Alleen door het tot leven wekken van die goddelijke inborst zul je je ervan bewust worden dat je onsterfelijk bent. Die commandant in je commandopost deelt de bevelen uit, maar toch zul je hem of haar nooit met je ogen kunnen aanschouwen. Om je interne commandant te leren kennen, moet je je ogen sluiten en direct je eeuwige, goddelijke inborst ervaren.

Het ervaren van je onsterfelijke ik heeft niets met opleiding, opvoeding of wetenschap te maken. Die gedachte komt uit je diepste wezen en je wéét gewoon dat het waar is. Je onzichtbare inborst is echt, en toch weten we ook dat die nooit kan worden verkend en in kaart gebracht. We weten dat omdat we verder kunnen kijken dan het stof van ons lichaam en omdat we in stille meditatie voor onszelf de eeuwigheid kunnen ervaren.

Emily Dickinson vraagt ons in haar prachtige, eenvoudige gedicht om er eens bij stil te staan dat het lichaam dat we bewonen, de auto die we besturen, de kleren die we dragen, en alle andere dingen die zijn samengesteld uit chemicaliën en stof, zijn voorbestemd om hun voorgeschreven weg af te leggen en dan ophouden te bestaan. Het einde van dat proces noemen wij 'de dood'. Maar datgene wat vrij is van de chemicaliën, is vrij om voor eeuwig in dat rijtuig met jou mee te rijden; met als enige passagiers jij en de onsterfelijkheid.

Wat Emily Dickinson schreef, kun je nog directer ervaren als je probeert de volgende suggesties uit te voeren:

• Gebruik je eigen dood om ervan te leren, de zekerheid die altijd bij je is. Stel je voor dat je vanuit een aanvaardend en liefhebbend perspectief over je stervende lichaam praat, in plaats van met angst. Onthoud dat de dood maar één keer wordt ervaren. Maar als je die vreest, zul je elke minuut van je leven sterven. Gebruik je dood als een aanmaning om elke dag van het leven te genieten.

• Voer de meditatieoefening uit waarin je de aarde zonder jou bekijkt, zoals ik hierboven heb beschreven. Dat zal je helpen om je aanhankelijkheid en je identiteit te verplaatsen naar de onsterfelijke toeschouwer die je altijd vergezelt.

- Houd voor ogen dat alle tijd die is verstreken voordat je werd geboren, er niet de oorzaak van is dat je vol angsten en zorgen zit, en dat de tijd die zal volgen nadat je dit lichaam hebt verlaten, je evenmin zorgen zal geven.

- Denk aan de laatste woorden van Robert Louis Stevenson: 'Als dit de dood is, dan is het gemakkelijker dan het leven...' En ook de laatste woorden van Thomas Edison: 'Het is hier werkelijk prachtig.' Het is inderdaad niets anders dan stof dat tot stof wederkeert, terwijl het eeuwige blijft. Dat te weten is je paspoort naar de eeuwigheid.

❊ VOLMAAKTHEID ❊

Het jaar is in de lente
En de dag is in de morgen
De morgen is om zeven;
De heuvel is bedauwd;
De leeuwerik op wieken;
De slak zit op een doorn;
God is in de hemel –
Alles in de wereld is zoals het hoort.

ROBERT BROWNING (1812-1889)

Robert Browning, de Engelse dichter, wiens romance en huwelijk met Elizabeth Barrett werd verhaald in het toneelstuk The Barretts of Wimpole Street, *had, nadat hij veertig jaar lang gevoelige poëzie had geschreven, enorm veel succes met de publicatie van* The Ring and the Book.

*R*obert Browning en zijn even beroemde vrouw, Elizabeth Barrett Browning, waren dichters uit het Victoriaanse tijdperk. Hun werd het spirituele en metafysische optimisme verweten dat ze in hun poëzie en dramatische geschriften tot uiting brachten. Meer dan een eeuw na zijn dood weerspiegelt het achtregelige meesterwerkje van Robert Browning nog steeds datzelfde metafysische optimisme dat hem tijdens zijn leven zo werd verweten. Browning spreekt met ontzagwekkende eerbied over de volmaaktheid van het universum wanneer hij zegt: 'Kijk om u heen. Alles is zoals het hoort te zijn.' Als je Browning kunt waarderen, dan zul je het met hem eens zijn dat de lente en de ochtend wonderen zijn die moeten worden gezien. Een paar weken na de conceptie gaat een hartje kloppen in de baarmoeder van de moeder, en zelfs de grootste wetenschappelijke en pessimistische waarnemers zijn volslagen verbijsterd. Waar was dat leven voor die tijd? Waar wil het na die tijd naartoe? Wat zet het in werking? Wat beëindigt het? Waarom? Die vragen verbijsteren de critici, maar ze inspireren de grote poëzie.

Om een leven vol 'eerbied' te kunnen leiden in plaats van vol 'ontzetting', komt het er in feite op neer dat je de simpele, spirituele waarheid in Brownings poëtische waarnemingen gaat zien. De dauw zal ook nog over de hellingen van de heuvel liggen als de dichter er al onder begraven ligt, en de leeuwerik vliegt boven alle graven. God is in Zijn hemel en alles in de wereld is zoals het hoort te zijn. Als je iets van inconsistentie ontdekt in de dichterlijke waarnemingen van Robert Browning, dan is dat niet de schuld van God. In plaats van onszelf verbonden te beschouwen met deze wereld, hebben we vaak het gevoel dat we hier zijn om op alle mogelijke manieren te proberen hem aan ons aan te passen. In plaats van de wereld te accepteren zoals hij is, proberen we hem te hervormen om ons ego te behagen, en daarbij scheppen we chaos en verstoren we het evenwicht, en daarna zeggen we dat hij niet volmaakt is. En vervolgens de ultieme ironie: we geven God de schuld voor die omstandigheden die we zelf uit de volmaaktheid hebben geschapen die Gods geschenk aan ons was. De dichter zegt: 'Wees tevreden, vel geen oordeel over de wereld, sla hem alleen gade. Probeer niet de zaken recht te zeggen, aanvaard de volmaaktheid van de oneffenheden en leer er in harmonie mee te leven. Schep geen problemen. Heb eerbied voor de volmaaktheid van het al.'

In een andere passage merkt Robert Browning op: 'Alle wonderen en rijkdommen van de mijn liggen in het hart van een enkel juweel: in die ene parel ligt alle schaduw en gloed van de zee... De waarheid, die is stralender dan het juweel, die is reiner dan de parel.' Hij vraagt ons om onze wereld met andere ogen te bezien. Ogen die met verbazing zijn gevuld over het wonder dat in elke vierkante centimeter ligt opgesloten. Ogen die vochtig worden van dankbaarheid voor de waarheid en het vertrouwen, die uitstijgen boven hun stoffelijke gelijken, die we juwelen en parelen noemen. Een visioen dat vrij is van vooroordelen en gericht is op het oogverblindende landschap, kan elke dag met depressie, zorg of spanning ombuigen. Door te zeggen dat de wereld volmaakt is, haal je de grimmigheid weg van veel van die maatschappijcritici die liever een overvloed aan onvolmaaktheden zien. Zij richten zich op alles wat er mis is met de wereld, en moedigen ons aan om dat ook te doen en zo

deel te gaan uitmaken van de grote menigte voor wie de onvol-
maaktheid van de wereld een wanhoop is. Tegenover diegenen die
Robert Browning nazeggen: 'Alles in de wereld is zoals het hoort',
staat een menigte sceptici die je zullen vertellen hoe belachelijk
jouw gedachten zijn, net zoals het in die Victoriaanse tijd gebeurde
toen de critici reageerden met op de slavernij, economische ramp-
spoeden en oorlogen te wijzen. Toch verkoos Browning om voorbij die door de mens vervaardigde wereld te kijken, en dat is precies wat ik jou ook zou willen aanraden.

Kijk naar de volmaaktheid van het universum waarvan je deel uitmaakt. Zie hoe de aarde zijn baan blijft vervolgen en door de
ruimte blijft wentelen, onverschillig hoe jij of wie dan ook erover
denkt. Elke dag is het opnieuw 'de morgen is om zeven' en vergeet
die 'ismen' die dat probeerden tegen te spreken, faalden en het opnieuw probeerden, want nog steeds is er 'de morgen is om zeven;
de heuvel is bedauwd.' Je hoeft je maar even af te wenden van het
zien van alles wat 'verkeerd' is om de volmaaktheid van onze wereld te kunnen opmerken.

Denk bijvoorbeeld eens na over de noodzaak van door blikseminslag veroorzaakte bosbranden door de eeuwen heen, waardoor een
ecologisch evenwicht in stand werd gehouden. We hebben de neiging om te zeggen dat God onze bossen niet in rook hoort te laten
opgaan, en evenmin zo hard mag blazen dat er orkanen ontstaan,
of zo hard mag rommelen dat er aardbevingen van komen. We
denken dat die dingen niet horen te gebeuren, maar toch maken
ook zij deel uit van de volmaaktheid van het geheel, en wanneer
we er vanuit een breder perspectief naar kijken, beginnen we de
volmaaktheid in de chaos te herkennen.

De weg naar een vredig leven is het zien van de volmaaktheid in
Gods wereld en in onszelf, en dat perspectief te koesteren. Robert
Brownings vrouw, Elizabeth Barrett Browning, schreef twee regels
in *Mijn Kate*, dat het keurig samenvat: 'De zwakken en de zachtaardi-
gen, de spotters en de brutalen, ze nam hen voor wat ze waren, en
deed allen goed.' Wanneer je met open ogen vol verbazing om je
heen kijkt en erkent dat alles wat je ziet een geschenk van God is,
ook je eigen leven dat in harmonie is met de natuur, dan zul je weten wat de dichter bedoelde toen hij schreef: 'God is in de hemel –
alles in de wereld is zoals het hoort.'

Doe het volgende om je dit metafysische optimisme eigen te maken:

- Schenk jezelf vijf minuten waarin je vol eerbied nadenkt over alles wat je rondom je ziet. Ga naar buiten en richt je aandacht op de vele kleine wonderen die binnen handbereik liggen. Die vijf minuten per dag vol waardering en dankbaarheid zullen je helpen om je ogen vol eerbied op je leven te richten.

- Neem het woord 'volmaaktheid' op in je vocabulaire. Uit *The Prince of Peace*: 'Weest volmaakt, net als uw Vader die in de Hemelen is, volmaakt is.' Je hoeft niet altijd jezelf en de wereld vanuit een oordelend perspectief te bekijken terwijl je poogt om beide te verbeteren. Genieten van de volmaaktheid is ook een manier om de wijsheid van alle eeuwen toe te passen.

- Houd voor ogen dat je precies zo'n wonder bent als de dauw, de leeuwerik en de slak. Je bent in feite wat God doet. Vertrouw op je eigen goddelijkheid, die je naar waarde moet weten te schatten, en vertrouw op je verbondenheid met de natuur. Je beloning zal zijn dat je overal Gods werk zult zien.

Uit *Moby Dick*

Zoals deze verbijsterende oceaan het groene eiland
omringt, zo ligt in de ziel van de mens een afgelegen
Tahiti, vol vrede en vreugde, maar wel omringd door alle
ontzettingen van het ten dele geleefde leven.

HERMAN MELVILLE (1819–1891)

*Herman Melville, de Amerikaanse dichter en schrijver van
romans en korte verhalen, is het best bekend door* Moby
Dick, *zijn prozaïsche verhaal over een heroïsche reis.*

*W*anneer ik dit citaat lees, krijg ik een levendig beeld voor ogen
van het bezoek aan het snoezige kapelletje in Assisi in Italië, waar
St. Franciscus in de dertiende eeuw woonde en er zijn zorgvuldig
gedocumenteerde wonderen verrichtte. Zoals vrijwel heel Assisi is
ook de kapel bewaard gebleven, zodat de bezoekers precies zoals St.
Franciscus deze heilige plek kunnen ervaren. Je hebt er zomaar het
gevoel alsof je in de Middeleeuwen bent beland. Miljoenen mensen
vanuit de hele wereld zijn als pelgrims naar deze zeer oude maar
goed onderhouden kerk getogen om er te bidden.
De oorspronkelijke kapel bevindt zich midden in een veel groter,
veel sierlijker gebouw, dat honderden jaren na de dood van St.
Franciscus werd gebouwd. Dat omringende bouwwerk is voorzien
van majestueuze zuilen, enorme gewelfde plafonds en een grote
verzameling aan St. Franciscus gewijde kerkattributen, die een simpel, vriendelijk en buitengewoon bevlogen man was. Terwijl ik
door die buitenste ruimten liep, had ik het gevoel alsof ik me in
een museum bevond dat aan een hoogspirituele man was gewijd.
Toen mijn vrouw en ik de oorspronkelijke kapel betraden, die in
het midden ligt, voelden we beiden de vreugde en vredigheid die

er van deze plek uitstralen. Dat gevoel komt elke keer weer bij me boven wanneer ik lees: '... in de ziel van de mens ligt een afgelegen Tahiti.' We voelden ons gezegend, we huilden tranen van vreugde, en we voelden de energie van de onvoorwaardelijke liefde die St. Franciscus vertegenwoordigt. Nadat we ongeveer een halfuur hadden gemediteerd, vertrokken we met het gevoel dat we met iets goddelijks hadden gecommuniceerd. Sinds die tijd hebben we vaak tegen elkaar gezegd dat dit een keerpunt in ons leven samen was geweest. Ons huwelijk veranderde in een spiritueel deelgenootschap, waarin het onze taak is om elkaar bij te staan in onze spirituele groei.

De woorden van Herman Melville voeren me terug naar die piekervaring in Assisi. De oorspronkelijke kapel in het midden vertegenwoordigt de ziel, een plek van goddelijke waarheid en zegen. Het omringende bouwwerk is als ons fysieke lichaam. Het is altijd een stap verwijderd van de schoonheid en de waarheid die in de kern zetelen. Een ten dele geleefd leven, zoals Melville het beschrijft, is een leven waarin we niet die innerlijke plek van vrede en vreugde kennen, dat 'afgelegen Tahiti'.

Het ten dele geleefde leven wordt uitsluitend geleefd binnen de beperkingen en de structuren van de buitenwereld. Dat zijn de verschrikkingen die volgens Melville de ziel omgeven, waardoor de mens niet in staat lijkt om die kern te vinden waar de zegen woont. Je voelt dat er een diepere, rijkere manier bestaat om het leven te ervaren, maar toch blijf je op de een of andere manier in de omringende oceaan rondzwerven, waarbij je af en toe in de verte een glimp opvangt van dat groene Tahiti, die vredige kapel.

De dood tegemoet treden in de wetenschap dat je, wellicht uit ingebeelde angst, maar ten dele geleefd hebt en vermeden hebt te doen wat je hart je ingaf, is misschien wel het ergste wat er is. Heb de moed om aan land te gaan om je afgelegen Tahiti te ervaren, en leef op die wijze verder.

Ik moedig je aan om steeds opnieuw de bitterzoete woorden te lezen die Herman Melville in de negentiende eeuw schreef en die je vandaag in je leven kunt toepassen. Die plek in het midden, je ziel, noemt hij het, kent geen grenzen, geen vorm, geen meetbare dimensies. Toch is het de kern van je wezen. Wanneer je in staat bent die plek te ervaren, zul je de vrede en vreugde leren kennen die voortkomen uit een leven dat ten volle is geleefd en ten volle is genoten. Die innerlijke plek die Melville je ziel noemt, is stil en niet-deelbaar.

Je kunt die plek door mediteren bereiken en daarna moet je naar je hart in plaats van naar je hoofd luisteren. Je hart spreekt de stille taal van de zin, terwijl je hoofd je vaak met allerlei intelligente redenen vertelt dat je je zegen niet achterna mag lopen. Volleerde musici zeggen: 'Het is de stilte tussen de noten die de muziek maakt.' Zonder die vormloze, dimensieloze stilte kan er geen muziek zijn.

Je kunt je groene Tahiti betreden, je vredige kapel, door je weg te zoeken in die afschrikwekkende oceaan en die bouwkundige structuren, voorbij de buitenkant van je lichaam die uit botten en pezen bestaat, om die ondeelbare, stille plek binnenin te bereiken. En dan hoef je alleen te luisteren en te gloeien en te weten dat een ten dele geleefd leven niets voor jou is. Schrijf je waarheid op, spreek je diepste gevoelens uit, let niet meer op wat je volgens de anderen moet en niet moet. Je zult je vervuld voelen in je werk, in je gezin, in je hele leven.

Wat is het dat je hart je smeekt te doen? Welk groen eiland in de oceaan van je lichaam wenkt jou om het te komen bezoeken? Het zou het verlangen naar reizen kunnen zijn, om de Galapagoseilanden of de Himalaya te gaan onderzoeken. Of misschien is het een gevoel in je hart dat je smeekt een kunstgalerie te openen, of met de eskimo's te gaan werken. Of misschien is het het knagende verlangen om je eigen gedichten of je eigen symfonie te schrijven.

Wat is je geheim diep vanbinnen? Robert Frost schreef: 'We dansen in een kring vol vermoedens,/ Maar het geheim zit in het midden en weet.' Hij moet hebben geweten waarover Melville het in *Moby Dick* had. Wat je vanbinnen ook voelt maar tot nu toe om welke verstandelijk geformuleerde reden dan ook hebt vermeden, geef jezelf de kans om het met nieuwe ogen en oren te onderzoeken. Als je jezelf blijft voorhouden dat het allemaal mooi en goed is om je innerlijke kapel te onderzoeken, maar dat het heel iets anders is om daar ook te leven, let dan goed op en begrijp dat je redenen zoekt om in die buitenste vertrekken te blijven leven. Je zult onherroepelijk doen wat je gedachten je ingeven. En als je denkt: het kan niet, het is niet praktisch, en ver buiten mijn bereik, dan zul je daarnaar handelen, en dan word je weer naar de oceaan teruggestuurd.

Melville schreef zijn verhalen in de negentiende eeuw, maar hij schreef ze toen al voor jou en mij. Hij was allang overleden voordat wij geboren werden, en toch zit er waarheid in zijn woorden. Dezelfde levenskracht die door hem stroomde, stroomt nu door ons. Hij had het gevoel dat het afschuwelijke van een ten dele geleefd leven te wijten was aan het negeren van die innerlijke, stille vonk van leven die vrede en vreugde schenkt aan ieder van ons.

Hier zijn mijn suggesties om deze wijsheid ook nu toe te passen:

- Ga elke dag mediteren, waarbij je naar die stille plek binnenin keert. Die innerlijke plek zal je een gevoel van vrede bezorgen die je onmogelijk zult leren kennen als je gevangenzit in de roerselen van die afschrikwekkende oceaan.

- Luister naar je hart, niet naar je hoofd. Je gevoelens zijn een uitstekende graadmeter voor wat je dolgraag zou willen doen. Stel jezelf voor dat je naar datgene gaat wat het groene Tahiti voor jou vertegenwoordigt. Beleef in je ziel en daarna in je hoofd alle bijzonderheden die je moet ondernemen om dat te doen waarnaar je verlangt en graag wilt doen.

- Neem het risico dat verbonden is aan het luisteren naar je ziel, maar vermijd daarbij gedachten aan de angst, het falen en de catastrofes die op je besluit zouden kunnen volgen. Herinner je er elke dag weer aan dat Herman Melville ook voor je schreef, en dat wanneer de Engel des Doods je roept – en die roep komt onherroepelijk – je niet hoeft te zeggen: 'Ik ben ontzet, wacht nog even, ik heb maar ten dele geleefd.' Maar je zult de vreugde van het luisteren naar je ziel kennen als je kunt zeggen: 'Ik heb vrede gevonden. Ik ken geen angst. Ik ben naar Tahiti geweest.'

❈ SPIJT ❈

Uit *Maud Muller*

Helaas voor de maagd, helaas voor de rechter,
Voor de rijke onvree en het dagelijks gezwoeg!
God hebbe medelijden met beiden! En met ons allen
Die vergeefs de dromen uit de jeugd terugroepen:
Van alle droeve woorden van tong of pen
Zijn dit de droefste: 'Het had gekund!'
Ach, ja! voor iedereen ligt er wat zoete hoop
Diep in het mensenoog verborgen;
En in het hiernamaals zeggen engelen misschien:
'Hef de steen van het graf!'

JOHN GREENLEAF WHITTIER (1807-1892)

John Greenleaf Whittier, een populaire dichter uit New England, was een quaker, begaan met sociale aangelegenheden en hervormingen. Na de Burgeroorlog legde hij in zijn poëzie de nadruk op de religie, de natuur en het leven in New England.

*H*et bovenstaande citaat is het laatste vers van de vijftien verzen die samen het gedicht *Maud Muller* vormen, dat werd geschreven door John Greenleaf Whittier, een productieve en gevoelige negentiende-eeuwse Amerikaanse dichter. Ik raad je sterk aan om dit hele gedicht te lezen en te herlezen. Het vertelt een verhaal dat een diepzinnige boodschap bevat voor iedereen die de moed heeft deze wijze raad op te volgen.

Het gedicht gaat over Maud Muller, een mooie jonge maagd, die bezig was het hooi bij elkaar te harken in een weide, opkeek en een knappe rechter op een paard zag die naar haar toe kwam rijden. Haar hart ging tekeer terwijl ze met de rechter praatte en hem water te drinken gaf uit haar tinnen beker. Haar hoofd sloeg op hol toen ze zich afvroeg hoe het zou zijn om bij deze vriendelijke, gevoelige man te zijn, die tegen haar sprak 'over het gras, en de bloemen, en de bomen. Over de zingende vogels en de zoemende bijen.' Ze vergat de haveloze kleren die ze droeg, en haar slordige uiterlijk, en gaf zich over aan de fantasieën van haar dromen: 'Een wens die ze nauwelijks durfde te hebben, voor iets wat beter was dan ze ooit had gekend.'

Terwijl de rechter wegreed, was haar oprechte wens: 'Ach ik! Mocht ik toch ooit des rechters bruid zijn!' Maar dat zat er niet in. In plaats daarvan trouwde ze met een man die haar verdriet en pijn bezorgde. Zoals Whittier het zegt: 'Een mannelijke vorm aan haar zijde zag zij, en vreugde was plicht, en liefde was wet.' Toen nam ze de last van het leven weer op haar schouders, en zei alleen: 'Het had gekund!'

De dichter beschrijft de jonge, knappe rechter die op die dag wegreed met een diep verlangen in zijn hart, dat hij niet durfde vervullen. Bang om zijn positie in gevaar te brengen, kon hij niet reageren op zijn gevoelens voor de jonge maagd en haar manier van leven. 'Ik wilde maar dat ze de mijne was, en ik vandaag, net als zij, het hooi aan het oogsten was; geen weifelend afwegen van goed en kwaad, geen uitgebluste advocaten met eindeloze tong.' En dus liet hij zijn liefste wens varen en streefde hij naar een leven dat door anderen voor hem was geregeld. 'Maar hij dacht aan zijn zusters, trots en koud, en zijn moeder, ijdel op haar rang en goud; dus sloot hij zijn hart en reed heen, en liet Maud in het veld alleen.'

Whittier vertelt dan dat de rechter met iemand van zijn eigen rang en stand trouwt en hoe hij dagdroomt over zijn zielsverwante ginds in het veld: 'Vaak wanneer de wijn in zijn glas rood kleurde, verlangde hij in plaats daarvan naar de andere kant van het leven.'

> En de trotse man zuchtte,
> met een geheime pijn,
> 'Ach, ware ik weer vrij!
> Vrij zoals die dag dat ik reed
> Waar de maagd op blote voeten
> Het hooi bij elkaar harkte.'

En terwijl het verhaal van Maud en de rechter tot zijn poëtisch einde komt, wordt in het laatste vers de emotioneel geladen conclusie getrokken. De twee regels van Whittier die men zich het meest herinnert, zijn de woorden die ik met grote letters op het prikbord voor mijn studenten had geprikt, zodat ze het konden lezen in de tijd dat ik, vele jaren geleden, nog schoolconsulent was. Wanneer mijn kinderen vrezen dat ze een vergissing zullen begaan, of wanneer ze, uit vrees voor bepaalde risico's, hun mond houden, raad ik hun altijd aan die woorden uit het hoofd te leren. Het zijn woorden om naar te leven, meer dan een eeuw geleden door een briljant dichter geschreven. 'Van alle droeve woorden van tong of pen zijn dit de droefste: "Het had gekund!"' Inderdaad, *het had gekund* is de klaagzang van de onvervulde dromers die met spijt aan het verleden denken en aan wat ze niet hebben gezegd of gedaan omdat ze de gevolgen vreesden.

In mijn leven heb ik vele fouten begaan, maar ik kan oprecht zeggen dat ik geen spijt heb van wat ik heb gedaan. Totaal geen spijt. Toch zijn er dingen die ik heb gezegd, die ik nu niet meer zou zeggen. Ja, ik heb door de jaren heen mensen gekwetst, maar ik heb daaruit lering getrokken. Ja, ik heb een paar foute investeringen gedaan, ik heb vreselijke woorden geschreven, ik heb verslavende middelen gebruikt, ik heb een paar wedstrijden verloren, en zelfs heb ik me in het verleden veel te vaak overgegeven aan mijn eigenbelang. Maar zoals ik al zei, ik heb geen spijt van wat ik heb gedaan. Ik heb mijn best gedaan om die blunders niet nog eens te begaan, en ik weet dat ik het verleden niet ongedaan kan maken. Toch ben ik niet vrij van spijt. Mijn eigen spijt ligt in wat ik níét heb gedaan.

Op een schoolreünie kwam ik na twintig jaar een vrouw tegen die ik als zeventienjarige had aanbeden. Ik had na die twintig jaar eindelijk de moed om haar te vertellen wat ik destijds voelde! Ze reageerde met: 'Ik heb je altijd aardig gevonden en had er alles voor overgehad als je me had gebeld om een afspraakje te maken.' De spijt was zo hevig dat ik erdoor gevloerd werd. Als zeventienjarige had ik getrild van angst bij de gedachte afgewezen te worden of als belachelijk te worden beschouwd. Ik had gedacht dat ze veel te cool en te verrukkelijk was om met me uit te willen, en als gevolg daarvan had ik de gelegenheid voorbij laten gaan.

Als jij iets in je hart voelt en je weet diep vanbinnen dat je het zou moeten proberen terwijl je er uit angst voor terugdeinst, krijg je er onherroepelijk spijt van. Vergis je niet, spijt is een verschrikkelijke verspilling van energie. Je kunt er niet op bouwen, je kunt er niets uit leren; je raakt er alleen maar door gefrustreerd.

Alles wat je diep vanbinnen doet, maar nalaat uit te voeren, zal je spijt bezorgen. De woorden die je niet zei uit angst belachelijk te worden gevonden, de daad die je niet verrichtte uit angst te falen, de reis die je niet maakte uit angst alleen achter te blijven, is de trap die je tree voor tree jaren later naar je zolder vol wanhoop zal brengen. Zoals Whittier het zo bondig zegt: 'God hebbe medelijden met hen beiden! En met ons allen die vergeefs de dromen uit de jeugd terugroepen.'

Je zult ongetwijfeld wel eens afkeurende blikken krijgen. Enkele resultaten die je hebt geboekt, zullen je niet bevallen. Je zult belachelijk worden gemaakt. Maar je zult geen spijt hebben als je je mond opendoet of handelend optreedt. Wat je, onverschillig waarover, wel zult krijgen, is een gevoel van je eigen spirituele lot. Zoals Jezus al zei: 'Geen man die met het lot in zijn hand terugkijkt, is geschikt voor het Koninkrijk der Hemelen.'

Als je het advies om geen spijt te hebben uit Whittiers klassieke gedicht over Maud Muller en de rechter in je leven wilt toepassen, denk dan eens over het volgende na:

- Zie jezelf op oudere leeftijd terwijl je terugkijkt op deze tijd. Hoe zou je je dan willen voelen? Vol spijt, of tevreden omdat je deed wat je hart je ingaf?

- Vraag jezelf liever af: hoe wil ik mijn leven leiden? in plaats van jezelf af te vragen wat iedereen ervan zal vinden en met welke ogen je daden door anderen zullen worden bekeken. Ga op die weg door en neem een klein risico door een stapje in de richting van die ene daad te zetten.

- Denk er eens over na hoe je je in de toekomst zult voelen. Stel je om te beginnen voor dat je de weg van nietsdoen bewandelt, die je naar alle waarschijnlijkheid spijt zal bezorgen. En stel je vervolgens eens voor wat het allerbeste resultaat zou zijn als je het risico wel durfde te nemen. Door beide mogelijkheden van tevoren te beschouwen, kun je vermijden spijt te hebben over wat had kunnen zijn.

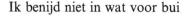

Ik benijd niet in wat voor bui

Ik benijd niet in wat voor bui
De gesloten leegte van edele woede,
De vogel geboren in een kooi,
Die nooit de zomerse wouden heeft gekend:

Ik benijd niet het beest dat
Tekeer gaat zonder ophouden,
Ongehinderd door een gevoel voor misdaad,
Wiens geweten nooit ontwaakt;

Noch, wat zichzelf gezegend voelt,
Het hart dat nooit de waarheid heeft gezworen
Maar stilstaat in het onkruid van de luiheid,
Noch elke slecht verkregen rust.

Ik houd ervan, wat er ook moge gebeuren;
Ik voel het, wanneer ik het meeste pijn lijd;
't Is beter te hebben liefgehad en te hebben verloren
Dan nooit te nimmer te hebben liefgehad.

ALFRED, LORD TENNYSON (1809-1892)

*De Engelse dichter Alfred, Lord Tennyson, die in 1850 ge-
lauwerd werd, wordt in Engeland als een van de beste repre-
sentanten van het Victoriaanse tijdperk gezien.*

*A*lfred Tennyson was de voornaamste vertegenwoordiger van wat
als het tijdperk van de Victoriaanse poëzie wordt beschouwd. Toch
is hij wel de minst Victoriaanse dichter die ik ooit heb gelezen. Hij
was hopeloos verslaafd aan tabak en port, hij was een zwerver, en

hij wist zich in zijn hele leven vrijwel nooit ergens te vestigen. De dichter Thomas Carlyle beschreef hem eens in een brief aan Ralph Waldo Emerson als: 'Een man die broeit en treurt, met een element van somberte (...) een van de knapste mannen ter wereld (...) Zijn stem klinkt machtig ongebonden. Geschikt voor luid gelach en snerpend gekrijs.' Uit alles wat ik over Alfred Tennyson heb gelezen, komt hij naar voren als een diep gepassioneerd man die het heerlijk vond om risico's te nemen en bereid was de gevolgen te aanvaarden wanneer zijn inbreng of zijn ambities niet het gewenste resultaat opleverden.

In dit gedicht heeft de dichter een boodschap opgenomen die maar al te vaak wordt genegeerd door diegenen die bang zijn om te falen. Hij vertelt ons verder te gaan met ons leven alsof mislukking niet bestond, en bij het voortgaan onze angsten te negeren. Hij is niet jaloers op de zangvogel die veilig opgesloten in een kooitje zit; vrijheid, daar hecht hij waarde aan, ondanks de bijbehorende risico's. Hij is niet jaloers op al diegenen die de veilige weg kiezen en niet voor hun mening uitkomen, uit vrees anders het huwelijk of het verbond op het spel te zetten. De laatste vier regels van dit gedicht behoren tot de gedenkwaardigste en meest geciteerde van de hele literatuur. Toch zijn ze misschien ook wel het meest veronachtzaamd.

> Ik houd ervan, wat er ook moge gebeuren;
> Ik voel het, wanneer ik het meeste pijn lijd;
> 't Is beter te hebben liefgehad en te hebben
> verloren
> Dan nooit te nimmer te hebben liefgehad.

Ik sta daar pal achter en wijs er nog even op dat Tennyson niet alleen over liefdesrelaties schrijft. Hij had net zo goed kunnen schrijven:

> 't Is beter te hebben gehandeld en gefaald
> Dan nooit te hebben gehandeld.

Ik stel je voor eens een radicale gedachte in overweging te nemen: falen bestaat niet! Falen is een oordeel dat wij mensen op een bepaalde handeling plakken. In plaats van te oordelen, zouden we de volgende houding kunnen aannemen: je kunt niet falen, je kunt alleen resultaten boeken! Dan is de belangrijkste vraag die je jezelf moet stellen: wat doe je met de resultaten die je hebt?

Stel je bijvoorbeeld eens voor dat je wilt leren om een honkbal te raken, of een cake te bakken. Je gaat op de plaat staan en na een paar mislukkingen zie je kans de bal van het slaghout te laten rollen. Of in het geval van het bakken: je cake komt in kruimels uit de vorm. In werkelijkheid heb je niet gefaald, je hebt gehandeld en je hebt resultaat geboekt. Maar wat doe je nu met die resultaten? Noem je jezelf dan een mislukkeling, verkondig je dat je ongecoördineerd bent, of geen kooktalent hebt en mopper je over je genetische gebreken, of zet je een stapje terug op de plaat – of ga je regelrecht de keuken weer in – om lering te trekken uit de resultaten die je hebt geboekt? Dat is wat Tennyson je wil laten begrijpen en dat wil hij in je leven toegepast zien, onverschillig waarover het gaat.

Je hebt niet in een relatie gefaald als je uit elkaar bent gegaan of bent gescheiden. Je hebt resultaat geboekt. Het is beter om vol in het leven te duiken en het aan den lijve te ervaren, dan aan de zijlijn te blijven staan uit vrees dat er iets mis kan gaan.

Denk eens even na over hoe je bent. Als kind, nog voordat je werd geleerd dat je nooit risico's moest nemen als je bang was te falen, leerde je lopen. Een tijdlang bleef je liggen, totdat iets in je zei 'zit', en dat deed je dan. Vervolgens zei dat iets 'kruip' en je gehoorzaamde. Uiteindelijk zei dat iets 'sta op, hou je in evenwicht en beweeg je in staande positie voort'. En je luisterde.

De eerste keer dat je dat probeerde, viel je om en ging je kruipend verder. Maar vanbinnen wilde je niet dat je daarmee tevreden was, en je sloeg geen acht op je angst en op de resultaten die het had opgeleverd, en je stond weer op. Dit keer volgden een paar waggelende stapjes en een nieuwe valpartij. Uiteindelijk won je en liep je rechtop. Stel je eens voor dat je erin was geslaagd je natuurlijke programmering de kop in te drukken. Dan zou je nog steeds op handen en voeten rondkruipen en niet weten welke voordelen een verticaal leven heeft!

En zo is het met alles in het leven. Het is veel beter om te hebben gehandeld en resultaten te hebben geboekt waarvan je kunt leren, dan te negeren hoe je bent en in vrees verder te leven.

Het woord *fear* (vrees) kan worden gezien als een acroniem dat zich laat vertalen met *False Evidence Appearing Real* (valse bewijzen die echt lijken). Met andere woorden: we zoeken, zelfs nog voordat we een poging hebben ondernomen, naar wat naar ons idee een goede reden is om niet te handelen, en dan maken we daarvan onze realiteit. Onze angst wordt ondersteund door de illusie dat het mogelijk is om te falen, en dat falen betekent dat we waardeloos zijn. Een ander acroniem van *fear* is *Forget Everything And Run* (vergeet alles en maak dat je wegkomt). Dat is de vluchtmentaliteit bij de kans van mogelijk falen. Dat is niet wat Tennyson voorstaat!

Alfred Tennyson werd acht jaar voor zijn dood in de adelstand verheven, en hij werd in zijn latere jaren de nationale dichter van Engeland. Maar de jongere Alfred Tennyson was een man die geestdriftig zijn interesses nastreefde, bereid was om fouten te maken, en dolgraag wilde liefhebben. Zelfs ondanks de wetenschap dat er grote kans was dat hij zou verliezen, verkoos hij toch dat, dan nooit te hebben liefgehad. Hij is inderdaad afgewezen, hij heeft verdriet gehad, maar zoals hij zo ontroerend zegt: 'Ik ben nooit jaloers, in welke stemming ook.'

Leer te begrijpen dat je nooit hebt gefaald, bij wat dan ook, en dat je nooit zult falen. Door te denken dat je kunt falen word je er alleen van weerhouden ooit vergissingen te maken of iets verkeerd te doen. Maar je leert juist van vergissingen en een foute aanpak. Ik lees met genoegen het antwoord van Thomas Edison aan een verslaggever die hem vroeg hoe het voelde om vijfentwintigduizend keer te hebben gefaald in zijn pogingen een batterij te vervaardigen. 'Gefaald?' zei Edison. 'Ik heb niet gefaald. Nu ken ik vijfentwintigduizend manieren waarop je geen batterij kunt maken!'

Zet aan de hand van de volgende suggesties de les uit Tennysons klassieke gedicht aan het werk in je eigen leven:

• Weiger om ooit nog het woord 'falen' tegenover jezelf en tegenover ieder ander te gebruiken. Hou voor ogen dat wanneer het niet gaat zoals je wilt, je niet gefaald hebt maar resultaat hebt geboekt.

• Stel jezelf vervolgens deze machtige, levensverrijkende vraag: wat ga ik met de resultaten doen die ik heb geboekt? En doe dan met dankbaarheid in het hart een nieuwe poging, in plaats van met ergernis over de verre van schitterende resultaten.

- Wanneer anderen het woord 'falen' gebruiken, verbeter hen dan vriendelijk en zeg: 'Ik heb niet gefaald, maar vandaag heb ik geleerd hoe ik een cake niet moet bakken.'

- Onderneem opzettelijk activiteiten waartoe je eerder niet of nauwelijks geneigd was. De manier om van faalangst af te komen, is het onder ogen te zien en te lachen om de resultaten, in plaats van ze beschamend te vinden en te worden weerhouden door vroegere resultaten.

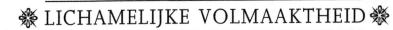

Voor mij is elke kubieke centimeter ruimte een wonder...
Welkom is elk orgaan en elke denktrant...
Geen centimeter, noch een partikel van een centimeter is
   verfoeilijk...

WALT WHITMAN (1819-1892)

De Amerikaanse essayist, journalist en dichter Walt Whit-
man had als voornaamste onderwerpen de heiligheid van het
leven in al zijn vormen, zelfs de dood, en de gelijkheid van
alle mensen.

*H*et fysieke lichaam, bestaande uit moleculen en atomen, verandert voortdurend. Binnen in het lichaam, in een 'plaatsloze plek', zit
de eeuwige waarnemer, en dat is de onveranderlijke goddelijke natuur. Walt Whitman eerde vanuit dit heilige perspectief zijn lichaam
en de voortdurende veranderingen die erin plaatsvonden. Ooit
merkte hij eens op: 'Als er iets heilig is, dan is het wel het menselijk
lichaam...' Wat is je reactie op die uitspraak? Hoe denk jíj over het
lichaam dat je bewoont? Je antwoord heeft voor een groot deel te
maken met de kwaliteit van je leven, zowel in materieel als spiritueel opzicht.
Je houding ten opzichte van je lichaam heeft letterlijk uitwerking
op de atomen en de moleculen waaruit je lichaam bestaat. Dr. Deepak Chopra zegt dikwijls tegen zijn toehoorders: 'Gelukkige gedachten maken gelukkige moleculen aan', waarmee hij aangeeft dat
de chemische samenstelling van tranen van vreugde dramatisch verschilt van de chemische samenstelling van tranen van verdriet.
Wees dus tevreden met je lichaam en koester de diverse organen,
de rivieren vol vloeistof en de stevige constructies van botten, en
sla het vol eerbied gade wanneer het beweegt, denkt, droomt, re-
kent, liefheeft en voortdurend bezig is te veranderen. Walt Whit-

man vraagt van jou dat je je ook die staat van verwondering eigen maakt wanneer je over het wonder nadenkt van je voortdurend veranderende lichaam.

Er is niets onvolmaakts of verfoeilijks aan je lichaam. Het is niet te kort, te lang, te dik, te blond of wat dan ook. De kleur van je haar, de hoeveelheid die is overgebleven, de plekken waar het groeit, zijn allemaal goddelijk vastgelegd. Je borsten hebben precies de omvang die ze horen te hebben, je ogen hebben de juiste kleur, en je lippen precies de goede volheid. Ook al kunnen je gelukkige gedachten gezonde moleculen creëren, en heeft je geest grote invloed op de mate van je gezondheid, je lichaam is in feite een natuurlijk functionerend systeem. Je kwam werkelijk in dit lichaam terecht. De vorm, de maat en wat abusievelijk handicaps worden genoemd, zijn allemaal zoals het hoort.

Een paar weken na de conceptie begon een hart te kloppen in de baarmoeder van je moeder, en je lichaam begon zich te vormen, onafhankelijk van wat je ervan dacht. Dit proces van lichaamsopbouw is voor iedereen op deze aarde een mysterie. Wie kan het verklaren? Uit het niets begon je lichaam aan zijn reis, vingers en tenen vormden zich uit een nietig druppeltje menselijk protoplasma. Hoe? Waarvandaan? Wie zal de wijsheid van de aankomende drijfkracht in dat zaadje betwisten? Je verblijft nu in dit lichaam dat net zo drastisch buiten de baarmoeder verandert als het daarbinnen deed. En je slaat het allemaal gade. Jij, de onzichtbare ik, de geest in het apparaat, de bezetter van deze volmaakte schepping.

Dit lichaam van jou is als een vakkenpakket voor school, alleen is dit je vakkenpakket voor God. Dit is je godshuis, en het is in dit lichaam, zolang het hier op aarde is, dat je God kunt verwerkelijken. Niemand kan het proces van het voortdurend veranderende lichaam tot stilstand brengen. Niemand kan de fundamentele bouw van het lichaam veranderen. Je leeft in iets wat een onzichtbare aankomende drijfkracht bezit, en brengt het waar zijn natuur het zal brengen. Verafschuw geen enkel deel ervan, tenzij je de wijsheid wenst te ontkennen die jou heeft geschapen.

Behandel je lichaam als een gast die op bezoek is en later weer moet vertrekken. Verwaarloos het niet, vergiftig het niet zolang het er is. Eer het, verwelkom het, en laat het zijn eigen weg volgen, wat uiteindelijk betekent dat het zal gaan zoals het is gekomen, terug naar waar het vandaan kwam. Maak het bekijken van je lichaam terwijl het door zijn voorgeschreven fasen gaat, tot iets prettigs. Heb eerbied voor elke kubieke centimeter van dat lichaam.

Wanneer je je teen stoot, of je in de vinger snijdt, of een spier verrekt, en voortdurend herinnerd wordt aan dat ene pijntje dat zelfs bij de geringste beweging zijn kop opsteekt, wijs jezelf er dan op hoe dankbaar je bent om tenen, vingers en spieren te hebben. Wijs jezelf erop dat het voor het grootste deel van de tijd perfect werkte, zonder dat je je er zelfs maar van bewust was. Waarom zou je in vredesnaam een onaangename gedachte over je lichaam hebben, of ooit met minachting naar die voortdurend veranderende goddelijke schepping kijken? Je bent bevoorrecht dit lichaam te mogen bezitten. Eer het als ware het de garage waarin je je ziel hebt geparkeerd. Weiger minachtende gedachten te hebben over de garage van je ziel, je lichaam. Klaag niet over zijn afmetingen, kleur of sleetse plekken.

Zolang je dankbaar bent en ontzag toont, zul je het vermoedelijk niet verwaarlozen. Het is veel waarschijnlijker dat je het in goede staat houdt, fonkelend schoon, gezond en levend, en wanneer je zelf binnenin met verbazing en verwondering toekijkt en het met ontzag gadeslaat, zal elke centimeter van dit universum weten dat er niets mis mee is. Als er haar in je oren wil groeien, tot op je schouders, en in je neus in plaats van boven op je hoofd, welnu, het zij zo! Als je huid slapper om je botten gaat zitten, juich het losser gaan zitten dan toe. Weiger om je aan het vlees vast te klampen alsof het er eeuwig zou zijn. Elk lichaam zit in de greep van de dood, en toch zit daar het paradoxale in: in datzelfde lichaam huist het onsterfelijke ik. Zie je lichaam als een plek van waaruit het de wereld aanschouwt. Doe jij dat ook, vanuit het miraculeuze, heilige perspectief dat Walt Whitman zo vaak aanhaalt in zijn schitterende poëzie.

Hier zijn een paar suggesties om de wijsheid van Walt Whitmans waarnemingen in je eigen leven toe te passen:

- Zeg elke dag dank voor deze tempel waarin je ziel huist. Spreek je waardering uit voor je lever, je gezichtsvermogen, je pancreas, voor elk orgaan, voor elke centimeter van je lichaam. Zeg gewoon: 'Dank u, God voor deze voortdurend veranderende en altijd volmaakte plek van waaruit ik alles gade kan slaan.'

- Word je meer bewust van de manier waarop je dit wonder van je lichaam wilt behandelen. Praat ertegen wanneer je het oefeningen geeft, eten, en royale hoeveelheden water. 'Ik zeg je, mijn wonderbaarlijke lichaam. Door me meer bewust te zijn van de volmaakte schepping, zal ik vermijden je te mishandelen.'

- Aanschouw de veranderingen die in je lichaam plaatsvinden met genoegen, in plaats van met misnoegen. Weiger een deel, welk deel ook, van je lichaam misvormd te noemen. God handelt niet in misvormd materiaal.

- Een lichaam waarvoor gezorgd wordt, heeft meer kans om het geestelijke leven te bevorderen. Vanuit de spirituele, onzichtbare dimensie wordt de materiële wereld geschapen. Reinheid van gedachte zal je helpen om een rein, gezond lichaam te hebben. Denk erom: gedachten helen het lichaam, niet andersom. Daarom is een verwelkomende, eerbiedige houding vol dankbaarheid tegenover het lichaam zo'n belangrijke factor bij het verhogen van je spirituele leven!

LEEFTIJDSLOOS

Uit *Alice in Wonderland*

Vader William
(naar Southey)

'U bent oud, vader William,' zei de jongeman,
'En uw haar is heel wit geworden;
En toch staat u voortdurend op uw hoofd...
Denkt u dat dat op uw leeftijd nog kan?'

'In mijn jeugd,' antwoordde vader William zijn zoon,
'Was ik bang mijn hersens te beschadigen;
Maar nu ik zeker weet dat ik die niet bezit,
Nou, nu doe ik het keer op keer.'

'U bent oud,' zei de jongeling, 'zoals ik al zei,
En u bent abnormaal dik geworden;
Toch deed u een salto achterover bij de deur,
Mag ik weten wat daarvoor de reden was?'

'In mijn jeugd,' zei de wijze, en hij schudde zijn grijze
 lokken,
'Hield ik al mijn ledematen heel soepel
Door het gebruik van dit zalfje – een dubbeltje per doos –
Mag ik jou er ook wat verkopen?'

'U bent oud,' zei de jongeling, 'en uw kaken zijn te zwak
Voor alles wat taaier is dan schapenvet;
Toch verslond u de gans, met botten en snavel,
Mag ik weten hoe u dat kon?'

'In mijn jeugd,' zei zijn vader, 'diende ik de wet,
En ik betwistte elke zaak met mijn vrouw;
En de kracht die mijn kaakspieren heeft versterkt,
Is mijn hele leven gebleven.'

'U bent oud,' zei de jongeling, 'men kan nauwelijks
    denken
Dat uw blik net zo vast is als vroeger;
Toch balanceerde u een aal op het puntje van uw neus,
Hoe wist u zo slim te worden?'

'Ik heb drie vragen beantwoord en dat is genoeg,'
Zei zijn vader, 'verbeeld jij je maar niks!
Denk je dat ik de hele dag naar die flauwekul kan
    luisteren?
Scheer je weg, anders schop ik je de trap af!'

Lewis Carroll (1832-1898)

*De Engelse auteur, wiskundige en fotograaf Lewis Carroll is
wereldwijd beroemd vanwege* De avonturen van Alice in
Wonderland *en* Door de spiegel.

Charles L. Dodgson, een Engelsman, was een verlegen wiskundige, fotograaf en romanschrijver, die doof was aan een oor, stotterde, nooit was getrouwd en toch werd gefascineerd door kinderen en graag in hun buurt vertoefde. Hij kon heel natuurlijk en gemakkelijk met kinderen praten en genoot van het verzinnen van verhaaltjes die hij hun vertelde. Hij nam zijn jonge vriendjes vaak mee op picknicks, waar hij dan de verhalen over Alice en haar ondergrondse avonturen verzon. Hij herinnerde zich een jaar of vijfentwintig na de publicatie van De avonturen van Alice in Wonderland 'dat ik, in een wanhopige poging om een nieuw foefje van de fee te bedenken, om te beginnen mijn heldin een konijnenhol in stuurde, hoewel ik er geen flauw idee van had wat er daarna zou gebeuren'. Het vertellen van eindeloze, uitdagende verhaaltjes over een heldin die Alice heette, zou uiteindelijk leiden tot De avonturen van Alice in

Wonderland, en Charles Dodgson zou bekend worden onder de naam Lewis Carroll, tot op de dag van vandaag een van de bekendste kinderboekenschrijvers. Het stukje hierboven komt uit het beroemde verhaal dat voor het eerst in 1862 aan een groepje kinderen werd verteld, dat Charles vergezelde toen ze vanuit Oxford stroomopwaarts de Theems op roeiden om ergens op de oever te gaan picknicken. Tegenwoordig worden zijn verhalen wereldwijd door kinderen en volwassenen gelezen.

'Vader William' is een koddige ballade waarin een gesprek wordt weergegeven tussen een zoon en zijn vader, die door het kind als een oude, opgedroogde schertsfiguur wordt beschouwd. De antwoorden van vader William bevatten een dubbele boodschap voor ieder van ons die de realiteit onder ogen moet zien dat zijn lichaam bezig is te verouderen, maar tegelijkertijd een leeftijdsloze ziel huisvest. Die twee boodschappen zijn: 1) je bent alleen oud als je dat gelooft; en 2) je kunt uitblinken in alles wat je maar wilt. Vader William antwoordt op elke vraag van het kind met een verwijzing naar zijn eigen jeugd, die, dat weten we allemaal, overal ter wereld door kinderen als onbelangrijk wordt gezien, en bovendien met een dwaze, ironische daad. Hij staat op zijn hoofd omdat ouderdom zijn jeugdige idee heeft weggevaagd dat hij zijn hersens moest beschermen, beweert hij. Hij doet salto's achterover hoewel hij dik is, en hij eet botten hoewel zijn kaken zwak zijn. De schoonheid van Lewis Carrolls verhalen ligt in de ironie en de humor. Hij vertelt ons dat al dat gedoe over oud worden een gegeven is, en dat het te verwachten is dat je door de jongere generaties belachelijk wordt gemaakt en verkeerd begrepen, maar dat het in feite niets heeft te maken met de manier waarop we ons eigen leven blijven leven.

Het antwoord van vader William aan de jongeman is voor mij een teken om een oude, zwakke persoon niet toe te staan mijn lichaam binnen te dringen. Hij wijst mij erop dat ik me opgewekt en levendig kan blijven gedragen, en dat dit innerlijke besluit me zal toestaan om alles wat ik maar wil op elk niveau te verrichten, onafhankelijk van mijn leeftijd. Ik vind zijn advies prachtig en ik pas het elke dag toe.

Al meer dan twintig jaar, in feite al bijna een kwarteeuw, heb ik mijn lichaam gezegd dat het elke dag naar buiten moet om te gaan hardlopen, hoe beroerd het zich ook mag voelen. Ik heb mijn lichaam opdracht gegeven om regelmatig in zee te gaan zwemmen en minstens vijf keer per week tennis te spelen. Ik geef het opdracht om wanneer mogelijk de trap op te lopen in plaats van met de lift naar boven te gaan. Ik geef het opdracht om rek- en strekoefeningen te doen, en om samen met mijn kinderen te basketballen en te voetballen en alles wat maar in hun hoofd opkomt. En dat niet alleen, ik wijs diezelfde jongelingen en hun vrienden er net zo humoristisch en met net zoveel luchthartig sarcasme op dat ik het de hele dag door kan doen zonder dat ik moe word, wat zij me niet kunnen nazeggen. Op hun geplaag zeg ik net als vader William: 'Denken jullie dat ik de hele dag naar die flauwekul kan luisteren? Scheer je weg, anders schop ik je de trap af.'

Je hoeft in je gedrag geen gelijke tred te houden met de natuurlijke progressie van de reis door de levensfasen die je lichaam aflegt. Je kunt gemakkelijk toegeven en jezelf oud noemen, en met dat zelf opgeplakte etiket maak je je niet alleen invalide, maar ook waardeloos. Of je kunt een voorbeeld nemen aan vader William en je lichaam recht aankijken en zeggen: 'Jij zult me er niet van weerhouden om voluit te leven.'

De tweede boodschap die ik oppik uit vader Williams onzinnige antwoorden op de vragen van zijn jonge zoon, is dat het niet nodig is om jezelf tot één gebied te beperken waar je kunt uitblinken. Je kunt werkelijk in zowel sportief als in intellectueel opzicht uitmunten, ook al zullen velen dit als uitersten beschouwen. Ik heb lange tijd horen vertellen dat er grote schrijvers en grote sprekers zijn, maar dat het niet mogelijk is om beide te zijn. Die waarnemers hebben me verteld dat schrijvers introvert zijn, en communiceren via woorden en papier, terwijl sprekers extravert zijn en met mensen communiceren, en daarom meestal geen talent voor schrijven hebben.

Ik vind dit net zo'n flauwekul als vader Williams de vragen van zijn zoon vond, en ik verkies om beide te doen, precies zoals ik weet dat ik kan kiezen om naar klassieke muziek te luisteren terwijl ik naar een voetbalwedstrijd zit te kijken, of zelfs meespeel. Je kunt net zo goed van poëzie houden als van romans. Je kunt je net zo thuis voelen op een virtual reality-ritje in Disney World als in een discussiegroep over het existentialisme. Er zijn geen vakjes waarin je je moet proppen om te weten wie je bent. Je hoeft er niet achter te komen wat echt je interesse heeft en dan nog een paar gebieden gaan exploreren die samenvallen met je aangeboren talenten. Je kunt een grote vaardigheid krijgen op vrijwel elk gebied dat maar bij je opkomt. Je bent veelzijdig, niet eendimensionaal. En als je de vragen hoort van die gehaaide jongelingen die je uitgedroogd en incapabel vinden, houd dan vader William in gedachten, die uitbundige figuur die Charles L. Dodgson, ook bekend als Lewis Carroll, met zijn wilde verbeeldingskracht schiep, en die reageert met op zijn hoofd te gaan staan, een aal op het puntje van zijn neus te balanceren, en salto's te maken terwijl hij goedgehumeurd zijn jonge criticus wegstuurt met de woorden: 'Verbeeld je maar niks... scheer je weg, anders schop ik je de trap af.'

Ik stel je voor om letterlijk alle gedragingen de trap af te schoppen die je nu misschien nog koestert, of die je zelfs al hebt aangenomen en waarmee je je kenmerkt als een ouder wordend lichaam met de bijbehorende beperkingen. Om dat proces op gang te krijgen, stel ik het volgende voor:

- Praat met je lichaam en dwing het om actiever te worden, ondanks al zijn bezwaren. Als jij je lichaam eraan hebt gewend om als een sul te leven, zal het in opstand komen tegen wandelen en hardlopen en door allerlei sportoefeningen te worden gesleurd. Luister naar die protesten, en schuif ze dan terzijde.

- Weersta de neiging om jezelf een etiket op te plakken met omschrijvingen die je op alle manieren beperkingen opleggen. Opmerkingen als: 'Dat kan ik niet zo goed...', of 'Dat heeft me nooit geïnteresseerd...' dienen alleen om je opvatting te versterken dat je aan alle kanten beperkt bent. Wat je ook wilt, je kunt er goed in zijn en ervan genieten.

- Ga werken aan zelfverbetering, en zo de staat van je geest, lichaam en ziel maximaliseren. Schrijf je eigen curriculum vitae en pas dat elke dag toe.

- Ga een cursus volgen over iets nieuws of onbekends, zoals boogschieten, bridge, yoga, meditatie, tai chi, tennis, dansen, alles wat je nog nooit eerder hebt gedaan.

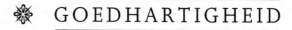

GOEDHARTIGHEID

Uit *Oorlog is vriendelijk*

Ween niet, deerne, want oorlog is vriendelijk

Ween niet deerne, want oorlog is vriendelijk
Omdat jouw minnaar wilde handen opwierp naar de lucht
En de angstige hengst alleen verder rende,
Ween niet.
Oorlog is vriendelijk.

Schorre, bonkende trommels van het regiment,
Kleine zielen die verlangen naar strijd –
Deze mannen zijn geboren om te drillen en te sterven
De onverklaarde roem vliegt boven hen;
Groots is de oorlogsgod, groots – en zijn koninkrijk
Een veld waar duizend doden liggen.

Ween niet, kind, want oorlog is vriendelijk.
Omdat jouw vader de gele loopgraven in viel,
Greep naar zijn borst, snakte naar adem en stierf,
Ween niet.
Oorlog is vriendelijk.

Fluks wapperende vlag van het regiment
Adelaar op een veld van rood en goud,
Deze mannen zijn geboren om te drillen en te sterven
Wijs hen op de deugd van slachtpartijen,
Leg hun de uitmuntendheid van doden uit,
En een veld waar duizend doden liggen.

Moeder wier hart hing nederig als een knoop
Aan het schitterende doodskleed van je zoon,
Ween niet.
Oorlog is vriendelijk.

STEPHEN CRANE (1871-1900)

De Amerikaan Stephen Crane, oorlogscorrespondent, schrij-
ver van romans, korte verhalen en gedichten, het meest be-
kend vanwege zijn roman Het teken van moed, *stierf op ne-*
genentwintigjarige leeftijd, maar door zijn werk verwierf hij
zich een vaste plaats in de Amerikaanse literatuur.

Stephen Crane, de jongste van veertien kinderen, leefde kort maar
heftig. Hij schreef over wat hem boeide en tegelijkertijd met afschuw
vervulde. Het geweld op straat en de slachtoffers die het opleverde,
waren het onderwerp van zijn eerste roman: Maggie, een meisje van de
straat, een sympathiek verhaal over een onschuldig meisje uit een
achterbuurt, die in de prostitutie belandde en uiteindelijk zelfmoord
pleegde. In 1893 was dit onderwerp zo taboe in de literatuur dat het
boek, waarvoor Crane een pseudoniem moest gebruiken, in eigen
beheer werd gedrukt. Het werd in 1895 gevolgd door zijn klassieke
verhaal over de gruwelen van de oorlog: Het teken van moed.
Hij schreef over zijn afkeer van geweld, zijn medelijden met de
slachtoffers en de vertrapten, maar hij werd er tevens door aangetrokken en hij wilde van dit soort uitbarstingen verslag doen en ze
in levenden lijve meebeleven. Hij woonde zelfs een tijdje samen
met een voormalig bordeelhoudster. Stephen Cranes carrière als
schrijver en journalist die oorlogen versloeg waar ze ter wereld
maar ontbrandden, was van korte duur. Hij stierf toen hij negenentwintig was aan een malaria-aanval gecombineerd met tuberculose,
die hij had opgelopen toen hij in Cuba de Spaans-Amerikaanse oorlog versloeg.
Voor mij is dit diep ironische gedicht niet alleen een vernietigende
aanval op de oorlog met al zijn gruwelen, maar ook een klassieke
verklaring tegen elke vorm van geweld. Daartoe behoort ook het
geweld dat we dagelijks zien, de onmenselijkheid van de ene mens

tegenover de andere, en de toorn en woede in ons eigen hart. Die zijn net zo vernietigend en zijn eveneens onderwerp in de klaagzang van de dichter tegen de oorlog. Zijn ironische gedicht *Ween niet, deerne, want oorlog is vriendelijk* is zijn commentaar op wat hij noemt al die kleine zielen die verlangen naar de strijd, die eer denken te behalen in iets zo gruwelijks als slachtpartijen, en volmaaktheid denken te vinden op een veld waar duizend doden liggen. Mij leert het om eens binnen in mezelf op zoek te gaan naar die kleine ziel die misschien wel glorie wil vinden in het uitbazuinen van de onmenselijkheid van de ene mens tegen de andere. Het is een aanmaning om te zorgen dat mijn grote ziel triomfeert over zijn mindere soortgenoot, en tevens om de nieuwsgierigheid naar of geboeidheid met onverschillig welk geweld te onderdrukken.

Er zijn over de hele wereld mensen die wapens dragen en jonge vrouwen huilend achterlaten, op slagvelden, in onze eigen huizen, op scholen, straten en speelvelden. Het lijken allemaal mannen te zijn die werden geboren om te drillen en te sterven, en toch geloven we niet dat er ook maar iemand voor een dergelijk lot is geboren. Dit bloedvergieten is het gevolg van onze eigen nieuwsgierigheid naar en gefascineerdheid met oorlogvoering en doden, met geweld en razernij, zodat we in onze collectieve levens precies datgene naar ons toe trekken wat we het meest vrezen. Wat subtieler gezegd: we leven hetzelfde soort leven als de dichter Stephen Crane, aangetrokken tot datgene wat ons afstoot. Als we dat zieltje niet in het gareel houden, zullen ook wij ten offer vallen aan de zoektocht naar de onduidelijke glorie van de oorlogsgod en zijn koninkrijk, waar duizend lijken liggen.

Onze bekoring door geweld en het ultieme gevolg daarvan, het moorden, wordt weerspiegeld in de voorkeur voor actiefilms waarin het menselijk leven zo in waarde is gedaald dat het nemen van een leven als vermaak wordt beschouwd. Doden om de klant gelukkig te houden is de tol die ons collectieve geweten moet betalen, of we dat nu willen of niet. We verdedigen de behoefte aan en het recht op het dragen van handwapens en de omzet van die wapens levert de handel grote winsten op. Een wapen voor iedere man, iedere vrouw en ieder kind, dat is het doel waarnaar deze industrie nu streeft, en we komen elke dag een stapje dichter bij dat doel. Ween niet, oorlog is vriendelijk.

Toch is er veel om over te huilen, en er is geen gebrek aan tranen. Elk uur van de dag zijn er jonge vrouwen die zich de ogen uit het hoofd huilen als een geliefde ten offer valt aan de bijna onstuitbare aantrekkingskracht die oorlog en onnodig geweld op ons uitoefenen. We leven hier op aarde in een uitermate gewelddadige gemeenschap, waarin jaarlijks honderdduizenden worden gedood en verminkt, en dat krijgt maar nauwelijks de aandacht van onze 'leiders', die veel te druk zijn anderen terecht te wijzen inzake het overtreden van de rechten van de mens. Onlangs kregen staatslieden uit China bij een officieel bezoek geen volledige diplomatieke erkenning omdat hun land hevig wordt bekritiseerd vanwege hun houding ten aanzien van de rechten van de mens. Dit vond ik net zo ironisch als Stephen Cranes gedicht *Ween niet, deerne, want oorlog is vriendelijk.*

Als we dit soort geboeidheid met oorlog, doden en geweld flink terug willen dringen, moeten we eerst in ons eigen hart kijken en zorgen dat de grote ziel het wint van dat soort neigingen. We moeten de plek binnen in onszelf vinden waar we begrijpen dat we op een soort onaardse manier allemaal met elkaar zijn verbonden door een onzichtbare, regelende intelligentie, en dat bewustzijn moet ons leven gaan beheersen. We moeten weigeren om in welke vorm dan ook deel te nemen aan activiteiten waarin geweldpleging en moorden worden gebagatelliseerd, die ontspannen beweren te zijn. We moeten onze jonge zonen leren dat ze niet zijn geboren om gedrild en gedood te worden, dat ze niet zijn geboren om hun handen omhoog te gooien in een soort egoritueel bij het sneuvelen in de strijd, als eerbewijs voor moed. We moeten hen opvoeden met minachting voor geweld, en hun woede-impulsen binnen de perken houden, want daarin komt alleen de behoefte van het ego tot uiting, dat ten koste van alles de strijd wil winnen. We moeten hun en onszelf leren dat samenwerken waardevoller is dan concurreren, en we moeten hun de wijze woorden leren van de autochtone Amerikanen: 'Geen boom heeft takken die zo dwaas zijn dat ze elkaar bestrijden.' We moeten diegenen kiezen die de gruwel inzien van een wereld vol wapens en munitie. Zij moeten ten koste van alles en met waarachtige moed tot doel stellen alle wapens te vernietigen die zijn bedoeld om te doden, van megadood verspreidende nucleaire bommen tot en met de kleinkaliber handwapens. Als die bedoeld zijn om dood en verderf te zaaien, dan moeten we een andere manier bedenken. En ten slotte moeten we allemaal in ons hart kijken om de geboeidheid voor geweld van onze kleine ziel te smoren en onze interesses naar goedheid en liefde verleggen.

'Het enige wat we hoeven te doen, is een beetje aardiger voor elkaar zijn.' Dat zei Aldous Huxley toen hem op zijn sterfbed werd gevraagd welk advies hij voor de mensheid had nadat hij zijn hele leven had besteed aan het onderzoeken van de menselijke geest. Simpele woorden met een simpele oplossing. Oorlog is zeker niet aardig. Aardig zijn is de oplossing, niet alleen voor de wereld in zijn collectieve geheel, maar ook in ons privé-leven, waar het allemaal begint.

Om dat bewustzijn van Stephen Cranes gedicht in je eigen leven aan het werk te zetten, kun je het volgende doen:

- Doe niet meer mee aan bioscoopbezoek, televisiekijken of lezen wanneer daarin het bevorderen van geweld of het reduceren van de waarde van een mensenleven, het moorden en de mishandelingen als amusement worden aangemerkt.

- Leer jonge mensen de waarde van vriendelijkheid in plaats van doden. Praat met hen over de reden waarom je hen niet met speelgoedpistooltjes wilt zien spelen. Maak hun duidelijk dat zij de wereld kunnen veranderen door bij hun spel te kiezen voor vriendelijkheid in plaats van voor doden.

- Houd je in wanneer je gewelddadige neigingen voelt opkomen, en praat even rustig met jezelf zodat je je kunt herprogrammeren en vriendelijk in plaats van woedend wordt. Wanneer je de woede kunt herkennen als die zich voordoet, zul je de grote ziel de kans geven de lagere instincten van de kleine ziel te temmen.

- Ondersteun organisaties die als doel hebben het geweld op onze planeet volledig uit te roeien. Er zijn heel veel organisaties, vanaf de Verenigde Naties tot aan plaatselijke groeperingen die graag meer op vriendelijkheid georiënteerde mensen in commissies en overheidsinstanties willen laten kiezen. Kies er ten minste één uit om te ondersteunen.

GELACH

De lach van een kind

Alle klokken in de hemel mogen luiden,
Alle vogels in de hemel mogen zingen,
Alle bronnen op aarde mogen ontspringen,
Alle winden op aarde mogen brengen
Alle zoete geluiden tezamen;
Zoeter nog dan alle dingen ooit gehoord,
Hand van de harpist, geluid van de vogel,
Geluid van de wouden ontwaakt bij zonsopgang,
Een borrelende bron zijn aantrekkelijk geluid
Een windje in warm weeïg weer,

Een ding echter is, dat niets
horende voordat het geklingel voorbij is weet niet
    goed de liefste
onder de zon
in de hemel hierna;
zacht en sterk en luid en licht –
erg stevig van erg licht
gehoord van de morgens meest roze hoogte –
wanneer de ziel van alle geluk
Het heldere lachen van een kind vult.

Gouden klokken van welkom brachten
Nooit zulke noten voort, noch vertelden
Uren zo monter in tonen zo boud
Als de stralende mond van goud
Hier die om de hemel gaat.
Als winterkoninkje
Een nachtegaal was – nou dan,

199

Zou iets gezien en gehoord door mensen
Half zo lief zijn als wanneer
Een kind van zeven lacht.

ALGERNON CHARLES SWINBURNE (1837-1909)

*Algernon Charles Swinburne, een Engels dichter en man van
de letteren, is bekend geworden door zijn verzet tegen de Victoriaanse sociale gedragscodes en de religie, en vanwege de
heidense geest en muzikale effecten van zijn gedichten.*

*P*robeer je eens de geluiden voor te stellen die Swinburne noemt in
de openingszinnen van zijn gevoelige gedicht over het lachen van
een kind. Probeer eens de klokken te zien en te horen, het klapwie-
ken van vogels, de bronnen die uit de aarde ontspringen; de wind,
een harp, ruisende bomen, en het gefluit van zangvogels. Het zijn
merendeels melodieuze geluiden die een gevoel van vrede en zuiverheid oproepen. Gods geluiden, zo je wilt, die ons kunnen plezieren wanneer we rustig luisteren.
Algernon Charles Swinburne, de vruchtbare dichter uit de Victoriaanse tijd, van wiens hand dit gedicht is, wordt omschreven als
een meester van woordmuziek en woordkleur, uitdrukkingen die ik
zeer boeiend vind. Hij gebruikte zijn ongeëvenaarde artisticiteit om
de fraaiste natuurlijke geluiden van onze wereld te vergelijken met
het lachen van een kind, en kwam tot de slotsom dat ze nog niet half
zo zoet waren! Ik lees dit gedicht keer op keer en steeds met groot
plezier. Ik ben het van harte met de dichter eens. Er is geen zoeter
geluid dan het geluid van lachen, vooral het lachen van een kind.
Toen onze jongste dochter Saje nog een baby was, had ze de aan-
stekelijkste lach die ik ooit heb gehoord. Als ze iets grappig vond,
zelfs al toen ze nog maar tien of elf maanden oud was, dan barstte
ze in luid gelach uit dat diep uit haar buikje leek te komen. Wanneer zo'n uitbarsting van hilariteit zich voordeed, kwam het hele
gezin om haar heen staan en probeerden we allemaal om haar nog
eens zo verrukkelijk te laten lachen. We wilden allemaal graag delen in de vreugde van onze jongste.
Vandaag gebeurde het mijn jonge zoon Sands dat een voetbal hele-

maal boven in een palm bleef steken nadat hij een hoge trap had gegeven op het voetbalveld, waaromheen een paar honderd mensen stonden. Nadat een heleboel futiele pogingen om de bal eruit te gooien waren mislukt, stelde ik mijn vriend Steve voor dat ik met een hark in de hand op zijn schouders zou gaan staan om te proberen zo de bal eruit te krijgen. De aanblik van twee volwassen mannen die met een hark stonden te hannesen terwijl ze zich aan een boom vastklampten, en waarbij de ene probeerde zijn evenwicht te bewaren op de schouders van de andere, bezorgde mijn kinderen een lachstuip.

We wisten de bal weer te bemachtigen, hoewel we zo hard moesten lachen dat we ons bijna niet in bedwang konden houden. Maar toen de opdracht was voltooid, kwamen horden mensen naar ons toe om ons te vertellen hoe ze van onze voorstelling hadden genoten. Onze kinderen zullen nooit meer vergeten hoeveel pret ze hebben gehad bij het oplossen van het probleem, vooral door ons dwaze gedrag en het uitbundige gelach.

Om van lachen weer een gewoonte te maken, moeten we opnieuw het kind in ons zoeken, hoe oud in jaren we ook zijn. Veel te vaak hebben we de neiging om ouder worden gelijk te stellen met ernstig worden, alsof volwassenheid betekent dat je je kinderlijk gelach moet indammen. De sprekers naar wie ik graag luister, stoppen een behoorlijke dosis humor in hun voordrachten, en ik luister liever naar hen die om zichzelf kunnen lachen dan naar degenen die anderen bespotten.

De leraren voor wie ik de meeste eerbied had, bezaten zonder uitzondering een magnifiek gevoel voor humor, en ze waren niet bang dat in het klaslokaal te gebruiken, of het nu tijdens natuurkunde, wiskunde of literatuur was. De mensen bij wie ik me het prettigst voel, zijn de mensen die kunnen lachen – uitbundig en vaak – en diezelfde reactie bij mij uitlokken. Op al mijn kinderen is die omschrijving van toepassing. Wanneer ik hun gezichten zie stralen van de lach, doet me dat enorm plezier. Zelfs terwijl ik deze woorden zit te schrijven, krijg ik een heerlijk gevoel wanneer ik mijn lachende kinderen voor ogen haal. Alleen al eraan dénken kan therapeutisch werken!

Er is iets met lachen en met een gevoel voor humor dat enorm helend werkt. De opmerking die Voltaire erover maakte, vind ik prachtig. Hij wist zo briljant humor en satire in zijn geschriften te verweven. 'In gelach,' zei hij, 'zit altijd het soort vreugde dat niet samengaat met minachting en verontwaardiging...' Voltaire hielp ons eraan herinneren hoe waardevol het geluid van lachen is toen hij stelde dat het zo goed als onmogelijk is om te lachen en tegelijkertijd droevig te zijn. Wanneer je 's avonds in bed stapt en over de afgelopen dag nadenkt en dan tot de conclusie komt dat je die dag niet echt veel hebt gelachen, dan raad ik je aan uit bed te stappen en iets te gaan doen wat gewoon lollig is. Alleen al door dat te doen zul je aan het lachen worden gemaakt! En terwijl je lacht, zul je merken hoeveel beter je je op fysiek en emotioneel vlak voelt.

Toen Norman Cousins te horen kreeg dat hij aan een ziekte leed die feitelijk ongeneeslijk was, de afbraak van het ruggenmerg die hem uiteindelijk het leven zou kosten, besloot hij om zoveel mogelijk grappige films als de familie maar kon vinden naar zijn kamer in het ziekenhuis te laten brengen. Hij keek elke dag naar herhalingen van komische acts, zoals de Three Stooges, Abbott en Costello en Jack Benny. Hij gebruikte het lachen als therapie. Zijn ware verhaal, *Anatomy of an Illness*, was een bestseller; daarin werd beschreven hoe hij lachen als medicijn gebruikte en zo van zijn dodelijke ziekte wist te genezen. Wanneer we lachen, verandert de chemie van letterlijk het hele lichaam. We brengen peptiden en endorfine in de bloedstroom die een enorm helend effect op het lichaam kunnen hebben. Is het niet fascinerend dat tranen van het lachen een andere chemische samenstelling hebben dan tranen van droefheid?

Swinburne schreef over de zoetheid van het lachen van een kind lang voordat we het wetenschappelijke medische bewijs kregen dat er een connectie tussen lichaam en geest bestaat, lang voordat we iets wisten over de genezende waarde van lachen als kalmeringsmiddel en als stimulans, en zonder schadelijke bijwerkingen. Ons instinct vertelt ons dat lachen noodzakelijk is, dat we het leven leuk moeten maken, dat we onze sombere gedachten en harde opstelling kwijt moeten raken. Niet alleen het geluid van alles wat ons omringt – vogels, bomen in de wind, watervallen, regen – is een natuurlijk geluid, zoals Swinburne in zijn melodieuze gedicht onder de aandacht brengt. Er is 'iets in de mens te horen en te zien' wat net zo natuurlijk is.

Het geluid van pret is het geluid dat niet alleen het lichaam geneest, zoals Norman Cousins ons al vertelde, maar het heelt ook de geest. Een oud oosters spreekwoord houdt ons voor: 'Tijd die lachend wordt doorgebracht, is tijd die bij de goden wordt doorgebracht.' We hebben een natuurlijke neiging tot lachen. We willen allemaal ons leven verlevendigen, ons meer met elkaar verbonden voelen, genezen wat ziek is, en een positieve indruk op de wereld maken. Een wel heel gemakkelijke en fundamentele manier om die verheven idealen te bereiken, is om meer tijd door te brengen waarin we doodgewoon plezier hebben en heerlijk en vrijuit kunnen lachen. Zoals Swinburne het stelt: 'Gehoord van de morgens meest roze hoogte – wanneer de ziel van alle geluk het heldere lachen van een kind vult.'

Totdat ik dit gedicht vele malen had gelezen, heb ik nooit echt gedacht dat Sajes verrukkelijke lachbuien toen ze nog een baby was, uit 'de ziel van alle geluk' kwamen. Nu weet ik dat de natuurlijke neiging tot lachen, en dat zonder enige aarzeling doen, inderdaad van een goddelijke ruimte binnen in ons afkomstig is.

Om de wijsheid van dit gedicht op jouw leven toe te passen, kun je het volgende proberen:

- Besteed eens wat tijd aan het gadeslaan van de interactie tussen kinderen. Merk op hoe vaak ze tijdens het spelen lachen. En denk dan nog eens aan het kind in je dat ook diezelfde neigingen heeft. Doe als het kind, wees niet zo beheerst en laat dat kind vanbinnen zichzelf op een lollige manier kenbaar maken.

- Als je jezelf als een 'ernstig persoon' beschouwt, of als iemand die geen gevoel voor humor heeft, verander die mening dan meteen. Je hoeft niet in een bepaalde gewoonte vast te roesten, alleen omdat je eraan gewend bent geraakt.

- Stel bewust pogingen in het werk om vaker te lachen, en laat geen dag verstrijken zonder dat je hebt gelachen. Dat is vooral belangrijk op 'slechte dagen', zoals Norman Cousins onthulde. Door te lachen veranderde hij zijn slechte dagen in goede dagen.

- Zoek zoveel mogelijk leuke dingen op die je aan het lachen zullen brengen: een bezoek aan een amusementspark of een concert, een abonnement op een komediegezelschap, grappige en dwaze films gaan zien, gekke spelletjes spelen. Dit soort activiteiten zullen je helpen om het helende effect van lachen weer nieuw leven in te blazen. 'Wees als een kind, wees als een kind.' Blijf die waardevolle les herhalen.

- Laat jezelf gaan, doe een beetje gek, het verlevendigt je leven. En wanneer de mensen je vragen wat je hebt geslikt, zeg dan: 'Ik ben aan de endorfine!'

✳ VISUALISATIE ✳

Er is een wet in de psychologie die zegt dat als je in je
hoofd een beeld vormt van wat je graag zou willen, en je
houdt dat beeld lang genoeg vast, dat je dan spoedig
precies zult worden wat je in gedachten hebt.

WILLIAM JAMES (1842-1910)

*De Amerikaanse filosoof, psycholoog en leraar William James
was een begaafd schrijver op het gebied van theologie, psychologie, ethiek en metafysica.*

William James maakte deel uit van een ongelooflijk erudiete familie. Zijn vader, Henry James sr., was een zeer gerespecteerd filosofisch theoloog, die zijn eigen filosofie ontwikkelde, gebaseerd op
de lessen van Emanuel Swedenborg. Williams broer, Henry, die een
jaar jonger was, werd een wereldberoemd romanschrijver, die onder meer Daisy Miller, Portret van een dame en De ambassadeurs heeft geschreven.
Velen beschouwen William James als de grondlegger van de moderne psychologie. In deze ene korte zinsnede biedt hij ons allemaal een machtig wapen aan dat we elke dag van ons leven kunnen
benutten. Het is schitterend in zijn eenvoud, en als het ten volle
doorgrond wordt, blijkt het ook het geheime inzicht te geven in
hoe men precies de persoon kan worden die men graag zou willen
zijn. Toch wordt deze uitspraak juist door zijn eenvoud vaak genegeerd door al diegenen die hun onvrede wijten aan factoren als
mazzel of de goden of de omstandigheden of de economie of de
genen of de familieachtergrond, feitelijk een eindeloze litanie van
excuses die hun mislukkingen en tekortkomingen moeten verklaren.
William James was een populaire leraar godsdienst, filosofie en
psychologie. Hij vormde de niet-wetenschappelijke filosofie om

naar een laboratoriumwetenschap. Hij nam afstand van de filosofie van het determinisme, en verklaarde: 'Mijn eerste daad uit vrije wil zal zijn dat ik in de vrije wil geloof.' Hij refereert daarmee aan zijn uitspraak aan het begin van dit hoofdstuk: 'Er is een wet in de psychologie.' Het vormen van een beeld in je hoofd wordt vaak visualisatie genoemd en is gebaseerd op de bijbelse gedachte: wat gij denkt, zult gij worden. Dit gaat heel wat verder dan het principe van positief denken. Als je je levensdoel op een volslagen nieuw niveau wilt brengen, raad ik je aan om te ontdekken hoe deze wet voor je kan werken.

Zoals we dromen in beelden, zo denken we ook in beelden. Niet in woorden, zinnen of frasen, maar in beelden. De woorden zijn symbolen die ons in staat stellen om te communiceren of om die beelden te beschrijven. Volgens William James is het nu juist dit uitbeelden dat je met je vrije wil onder controle hebt. Als je kunt leren om die beelden lang genoeg vast te houden zonder ze te laten afzwakken, zul je die beelden inderdaad in werkelijkheid kunnen omzetten. Je zult helpen bij het vormen van je eigen bestaan, en dat zal in je leven te zien zijn.

Ik heb een heel boek over de principes van dit proces geschreven, *Beziel je leven*, en ik wil de daarbij betrokken negen basisregels niet hier herhalen. Wat ik wel wil doen, is je aanraden om 'de vier W's', zoals ik het noem, vandaag nog aan het werk te zetten. Hier zijn die 'vier W's' in een enkele zin samengevat. Wat je Werkelijk, Werkelijk, Werkelijk, Werkelijk wilt, zul je krijgen.

De eerste 'W' staat voor wat je Werkelijk wenst. Dat is het punt waarop je je een beeld vormt van wat je graag in je leven zou willen, bijvoorbeeld een promotie, een nieuwe auto, gewichtsverlies, niet verslaafd zijn, wat dan ook. Wanneer het beeld eenmaal is gevormd, spreek je je wens uit, bijvoorbeeld door jezelf in de nieuwe baan te zien, of in de nieuwe auto, of op je gewenste gewicht, of niet verslaafd. Alles wat je verwerkelijkt, begint met een wens gebaseerd op een innerlijke visualisatie.

De tweede 'W' staat voor wat je Werkelijk verlangt. Het verschil tussen niet meer dan een beeld in gedachten hebben van wat je wenst en wat je werkelijk verlangt, is je bereidheid om erom te vragen. 'Vraag en je zult ontvangen' is geen lege belofte. Wat je ook in beelden hebt gewenst, vraag hardop, maar wel in je eentje, om het te mogen ontvangen. 'God, ik vraag u voor uw medewerking om mij dit beeld in materiële vorm te brengen.'

De derde 'W' staat voor wat je Werkelijk van plan bent. Nu neem je het beeld van wat je hebt gewenst en gevraagd, en giet het in de vorm van een intentieverklaring of een beschikking. Dat gaat als volgt: 'Ik ben van plan dit beeld in mijn wereld te brengen, in samenwerking met...' Daarbij vul je in hoe je het liefst de creatieve intelligentie wilt noemen. Er is hier geen ruimte voor twijfel, geen verklaringen als 'als alles goed gaat', of 'als ik mazzel heb'. Een intentieverklaring is gebaseerd op de wet zoals William James die aan het begin van dit hoofdstuk heeft geformuleerd.

De vierde 'W' staat voor wat je Werkelijk vurig wilt, of zoals ik het noem de wilsversterking. Je bent niet bereid om iemand toe te staan je bij je vurige bedoelingen te ontmoedigen of om een domper op jouw beeld te zetten. Je weert de negatieve meningen van anderen af en je blijft zoveel mogelijk zwijgen over wat je van plan bent in je leven te brengen. Als William James zegt: 'Je houdt dat beeld lang genoeg vast...,' dan heeft hij het over die vurigheid. Iedereen die Werkelijk, Werkelijk, Werkelijk, Werkelijk in staat is om alles aan te trekken wat hij of zij verlangt, heeft dat beslist niet aan mazzel te danken of aan de omstandigheden die zijn wensen in vervulling deden gaan. Hij laat voortdurend de 'vier W's' voor hem werken, en dan vooral de vierde W, Werkelijk vurig.

Nagenoeg alles in mijn leven, inclusief al mijn boeken en banden, zijn het resultaat van het toepassen van deze 'wet in de psychologie'. Het begint allemaal met een wens. Dit boek begon met de wéns dat ik een boek kon schrijven om de grote wijsheid van al die mensen die ik mijn hele leven al heb bewonderd en die ons allemaal ook nu nog zoveel te bieden hebben, ook al bewonen ze niet langer onze aardbol, in het daglicht te stellen. Ik zag werkelijk het beeld voor me van de diverse gedichten en bijdragen boven aan de zestig pagina's, en mijn essays die ik voor jou, de lezer, heb geschreven. Vervolgens uitte ik mijn verlángen tegen mijn vrouw, mijn agent en mijn redacteur, en vroeg tegelijkertijd om het vermogen en de medewerking van het universum om dit tot stand te brengen.

Dat werd gevolgd door een intentieverklaring voor het schrijven van een dergelijk boek tegen de diverse mensen en afdelingen die bij het publiceren van zo'n boek betrokken zijn. Ik had het beeld van het boek in mijn hoofd, en het leek me heerlijk deze grote meesters aan mijn lezers voor te stellen.

Ten slotte nam mijn vurigheid de zaak in handen en kon ik het beeld in mijn hoofd onmogelijk meer negeren. Zoals William James al zei: 'Je zult spoedig precies worden wat je in gedachten hebt.' En hier heb jij het dan in handen. Waar het op aan komt, is dat alle vier W's aan het werk worden gezet en dat ze echt worden benut.

'Vertel eens wat je niet wilde doen om het te laten gebeuren?' antwoord ik op de vraag die ik herhaaldelijk te horen krijg, waarom een bepaald iets zich niet volgens het beeld in het hoofd materialiseerde. Wanneer de vurigheid aanwezig is en je weigert om wat dan ook van buitenaf tussenbeide te laten komen, kan niets je meer tegenhouden. Volgens William James is het een wet!

Om deze wet in je leven aan het werk te zetten, stel ik je voor dat je de 'vier W's' gaat toepassen.

- Wees bereid om alles te wensen wat je wilt. Je hebt recht op jouw deel van de overvloed in dit universum. Weiger om jezelf te beperken of jezelf als onwaardig te zien. Je bent een schepsel van God, en je hebt net zo goed recht op welvaart, liefde en gezondheid als ieder ander.

- Breng je wensen in de vorm van een verzoek ten gunste van jezelf tot uitdrukking, of zeg ze op tegen de creatieve intelligentie die door velen God wordt genoemd. Wees bereid om hulp te vragen en schaam je niet om je verzoek op schrift te stellen en hardop uit te spreken. 'Vraag en je zult ontvangen' is geen lege belofte.

- Doe je best om je verzoeken in een zodanige vorm te gieten dat de woorden geen enkele ruimte voor twijfel laten. Gebruik woorden als 'ik wil' en 'ik zal' en 'het is mijn intentie' in plaats van je verlangens te camoufleren met de halfslachtige woordkeus waarmee wel wordt gevraagd maar niet wordt verwacht dat er ooit iets uit zal voortkomen.

- Houd je beelden zoveel mogelijk voor jezelf, net als je intentie om ze te materialiseren. Wanneer je tegenstand ontmoet, gebruik die dan niet om je te laten ontmoedigen, maar zet de negatieve reactie om in energie voor je vurigheid, zodat je een helder, tastbaar beeld verkrijgt.

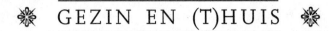

❋ GEZIN EN (T)HUIS ❋

Daken

De weg is breed en de sterren fonkelen en de adem van de
    nacht is zoet,
En dit is de tijd waarin wanderlust zich meester moet
    maken van mijn voeten.
Maar ik ben blij dat ik de weg en het sterrenlicht de rug
    kan toekeren,
En de pracht van de openlucht te verlaten voor een
    verblijfplaats van mensen.

Ik heb nooit een vagebond gezien die echt hield van zwerven
Alle hoeken van de wereld gezien en geen huis te hebben:
De zwerver die gisternacht in je schuur sliep en vertrok bij
    het krieken van de dag
Zal alleen maar zwerven tot hij een volgende verblijfplaats
    vindt.

Een zigeuner slaapt in zijn wagen onder een huif;
Of hij gaat naar zijn tent wanneer het bedtijd is.
Dan zit hij in het gras op zijn gemak zolang de zon hoog
    staat,
Maar wanneer het donker is wil hij een dak om de lucht
    buiten te sluiten.

Wanneer je een zigeuner een zwerver noemt, denk ik dat je
    hem tekortdoet,
Wat hij gaat nooit zomaar op pad, maar neemt zijn huis
    mee.
En de enige reden waarom een weg goed is, zoals iedere
    zwerver weet,
Is juist vanwege de huizen, de huizen, de huizen waarnaar
    hij leidt.

Ze zeggen dat het leven een snelweg is en de kilometer-
    palen de jaren,
En nu en dan is er een tolhok waar je je doorgang met
    tranen betaalt.
Het is een moeilijke weg en een steile weg en hij is breed
    en ver,
Maar hij leidt uiteindelijk naar een gouden stad waar
    gouden huizen staan.

JOYCE KILMER (1886-1918)

*De Amerikaanse dichter Joyce Kilmer, voornamelijk in de
herinnering gebleven vanwege zijn gedicht* Bomen, *sneuvelde
tijdens de Eerste Wereldoorlog in Frankrijk.*

*H*oewel sergeant Joyce Kilmer hoofdzakelijk bekend is vanwege
zijn twaalfregelige gedicht dat begint met 'Ik denk dat ik nooit een
gedicht zal zien, zo lieflijk als een boom', heb ik er de voorkeur aan
gegeven om dit dichterlijk eerbetoon aan een (t)huis nader te be-
lichten. Het is door zijn conclusies een oproep tot waardering van
en dankbaarheid voor alles wat een (t)huis omvat, en dan vooral
het gezin en de geliefden. Onder die daken die Joyce Kilmer in dit
gedicht lauwert, bevindt zich alles wat nodig is om ons ten volle te
doordringen van de grootste bron van liefde die we in ons leven tot
onze beschikking hebben. Die daken dekken de plekken af waar we
ons behaaglijk voelen. Voor het merendeel van ons betekent ons
(t)huis heel veel. Het is de ankerplaats voor ons tijdelijke aardse bestaan. Het symboliseert een gevoel van veiligheid, en degenen die
er met ons wonen, zullen ons onze weg helpen zoeken door de on-
zekerheden van een wereld vol vreemdelingen. Hoewel voor velen
van ons het leven thuis verre van idyllisch is, lijkt het feit dat we
een (t)huis hebben waarnaar we terug kunnen keren, hoe ver we er
ook van zijn afgedwaald, universeel toch een gevoel van zekerheid
te geven.
Ik heb plaatsen over de hele wereld bezocht en ik heb allerlei soorten huizen gezien. Mensen in Polynesië die in grashutten wonen,
en iglo's op de bevroren toendra's. In Hongkong bewonen sommi-

211

gen piepkleine appartementen, samen met vele anderen. Weer anderen verkiezen het in tenten aan de rand van de woestijn te wonen. Zelfs die personen die als dakloos worden aangemerkt, hebben meestal toch wel een plek voor zichzelf, ook al is het niet meer dan een grote doos of hun eigen plekje onder een viaduct van een van de snelwegen. Universeel lijkt de neiging te bestaan om ergens iets van onderdak te vinden dat een bron van behagen en een gevoel van veiligheid biedt, en dat dan 'thuis' te noemen.

Joyce Kilmer schrijft over twee samenvallende menselijke neigingen: om weg te trekken en om een plek te hebben om naar terug te trekken. 'Het is waar,' zegt hij, 'het is fantastisch om onderweg te zijn, maar er is geen plek als thuis.' Dit gedicht spreekt me aan omdat ik van nature een vagebond ben maar het tegelijkertijd heerlijk vind om thuis te zijn. Daarmee komt tot uitdrukking dat het op de een of andere manier mogelijk lijkt te zijn om die beide zo op het oog tegengestelde verlangens te combineren, die niet alleen bij mij voorkomen, maar in de meeste mensen die ik heb leren kennen en die mij schrijven.

We willen allemaal de wereld zien, reizen, erop uittrekken. Het is heel gewoon om te fantaseren over een vrijbuitersleven, om je van alle ankers te ontdoen die je nu nog weerhouden. Maar tegelijkertijd is, zoals de dichter zegt, 'de enige reden waarom een weg goed is, zoals iedere zwerver weet, is juist vanwege de huizen, de huizen, de huizen waarnaar hij leidt'. Waar je ook reist, je ziet overal mensen in hun onderkomens bij elkaar komen, en je kunt erop rekenen dat je daardoor heimwee krijgt.

Daken houdt ons voor dat we vanbinnen dankbaar moeten leren zijn voor die schuilplaats, die behaaglijkheid van wat we thuis noemen, dat we om ons heen moeten kijken en onze zegeningen moeten tellen omdat we niet alleen worden beschermd tegen de natuurlijke elementen, maar ook tegen de vrees dat we geen (t)huis hebben. Daarenboven vertegenwoordigen de bouwwerken die wij (t)huis noemen, meer dan alleen een plek en wat bouwmateriaal. Onder deze daken bevinden zich degenen die het meest om ons geven, die er altijd zullen zijn, hoe beroerd de zaken er ook voor mogen staan. Ik heb een aantal mensen gekend die vriendelijker lijken te zijn tegen vreemden dan tegen de mensen onder hun eigen dak, die het meest om hen geven.

Veel van onze elementaire problemen en ellende kwamen voort uit het onvermogen om effectief te kunnen delen met degenen die met ons onder één dak vertoefden. Desondanks is er voor het grootste deel toch altijd de band tussen familieleden die onder één dak vertoefden, en die band zal maar zelden worden doorgesneden. Ik denk aan mijn eigen broers, met wie ik al tientallen jaren niet meer samenleef en die ik maar een paar keer per jaar zie. En toch heeft dat samenwonen onder één dak ons in een kring van liefde samengebundeld die nooit kan worden doorbroken. Dat gevoel van verbondenheid is waarvoor een (t)huis symbool staat. Het kan niet worden afgemeten met optelsommetjes. Het is een gevoel dat er eenheid is met anderen die diezelfde ruimte delen. Joyce Kilmer vraagt ons om dat gevoel te koesteren en dankbaar te zijn voor dat wat jij (t)huis noemt, en voor iedereen met wie je binnen die muren en onder die daken hebt mogen samenwonen.

Geef gerust toe aan je reislust, betreed die brede weg en ga alles zien wat je maar kunt, maar als je onderweg bent, denk er dan aan dat al die brede wegen aan beide zijden naar plekken leiden die iemand thuis noemt. Wanneer je dus terugkeert en over die zo vertrouwde weg rijdt, sta dan even stil voordat je de deur opendoet en beleef dat diepe gevoel van dankbaarheid, niet alleen omdat je een huis hebt waarnaar je terug kunt keren, maar ook voor degenen die je zijn voorgegaan en die voor je een huis hebben gebouwd waarin je op kon groeien en waarin je alles mocht beleven, goed en kwaad, gemakkelijk en moeilijk. Wees vandaag de zwerver en keer morgen naar huis terug. Het kostte een hoop liefde en zorg en voedsel en werk en energie om je uit de buurt van onheil te houden en te maken dat je voor jezelf kon zorgen. Al die liefde en zorg maken samen een (t)huis.

De dichter die deze gevoelvolle regels schreef, was in de Eerste Wereldoorlog sergeant in het leger van de Verenigde Staten. Deze gevoelige jongeman, die vrijwillig ver weg trok van zijn aardse huis in New Brunswick in New Jersey, sneuvelde in 1918 in Frankrijk, op de jeugdige leeftijd van eenendertig jaar. De laatste regels van dit gedicht zijn profetisch. 'Het is een moeilijke weg en een steile weg en hij is breed en ver, maar hij leidt uiteindelijk naar een gouden stad waar gouden huizen staan.'

Ik kan me geen zwaardere en steilere weg voorstellen dan de loopgraven van de Eerste Wereldoorlog, maar ergens wist sergeant Joyce Kilmer van het bestaan van een nog grootser huis, waar de ziel resideert. Dat wordt duidelijk uit zowel de laatste regels van dit gedicht als die van Bomen: 'Gedichten worden door dwazen als ik gemaakt, maar alleen God kan een boom maken.'

Hier zijn een paar ideeën om de boodschap uit dit gedicht in je leven in te voeren:

- Neem elke dag even de tijd om dankbaar te zijn voor je onmiddellijke omgeving, voor wat je thuis noemt, hoe groot of hoe klein dat ook moge zijn. Zeg dank aan hen die jou een thuis gaven, aan hen die het met je delen en aan God voor de zegening van een onderdak.

- Doe wat je kunt om in deze wereld diegenen te steunen die geen (t)huis hebben. Hoewel sommigen vrijwillig verkiezen om als vagebonden te leven en elke dag een nieuwe plek vinden die ze (t)huis noemen, zijn anderen tegen hun wil dakloos geworden. Sta iedereen financieel, spiritueel of lichamelijk bij die het heerlijk zou vinden om een permanente plek te hebben die hij (t)huis kan noemen.

- Leer iedereen die je (t)huis met je deelt, om het te eren en in ere te houden, niet alleen vanwege het tastbare, maar ook en vooral omdat het een onderdak en liefde vertegenwoordigt.

Eenzaamheid

Lach, en de wereld lacht met je;
Ween, en je huilt alleen
Want de droeve oude aarde leent zijn vrolijkheid,
Maar heeft ellende genoeg van zichzelf.
Zing, en de heuvelen antwoorden
Zucht, en het vervliegt met de lucht
De echo's klinken met een vrolijk geluid,
Maar schrikken terug bij een uiting van twijfel.

Verheug en de mannen zoeken je op;
Treur en zij draaien zich om.
Zij willen wel meegenieten van je plezier,
Maar hebben geen nut voor je verdriet.
Wees blij en je hebt vele vrienden;
Wees treurig en je verliest ze allemaal.
Geen enkele zal je zoete wijn afslaan,
Maar alleen drink je 's levens gal.

Feest en je vertrekken zijn gevuld;
Vast en de wereld trekt voorbij.
Doe het goed en geef, en het helpt je leven,
Maar geen mens kan je helpen sterven.
Er is ruimte in de hallen van plezier
Voor een lange en hoffelijke stoet,
Maar een voor een moeten we staan in de rij
Door de nauwe paden van pijn.

ELLA WHEELER WILCOX (1850-1919)

Ella Wheeler Wilcox, geboren in Wisconsin, was een thea-
traal persoon die zich voelde aangetrokken tot spiritualisme,
theosofie en mystiek. Ze werd enorm gewaardeerd door de

lezers van haar gedichtenbundels en haar uit proza en poëzie samengestelde columns.

De titel van dit gedicht luidt Eenzaamheid, maar volgens mij zou Gedrag een veel geschiktere titel zijn! Ella Wilcox zegt in dit vaak aangehaalde gedicht dat het gedrag dat jij tentoonspreidt, een eender gedrag zal aantrekken. Gedraag je vrolijk en de wereld zal meteen met je meelachen. In dit schitterende, simpele gedicht wordt ook op heel elementaire wijze de theorie van het energieveld ter sprake gebracht. Het werd geschreven voordat er zelfs maar over energievelden was nagedacht.

In essentie zegt de theorie over energievelden dat alle levende voorwerpen, ook de mens, worden omgeven door een onzichtbaar trillingsveld van energie. Dit veld wordt geschapen door onze manier van denken en door de wijze waarop we omgaan met onze ervaringen, waar ook ter wereld. Op bepaalde bewustzijnsniveaus trilt het energieveld snel. Op andere bewustzijnsniveaus trilt het langzaam. In essentie is er een continuüm, waarin de verschillende bewustzijnsniveaus verantwoordelijk zijn voor het totstandkomen van het energieveld.

We betreden een ander energieveld zodra we lijfelijk in de nabijheid van een andere persoon komen. Waar lange tijd een krachtig, doorgaand energieveld optreedt, zelfs nadat de mensen zijn weggegaan, kan het energieveld krachtig blijven. Een voorbeeld: we voelen ons vaak verdrietig of blij zonder ons te realiseren dat we een energieveld zijn binnengetreden dat onzichtbaar aanwezig is. Terwijl we werden rondgeleid door het Anne Frankhuis in Amsterdam, moest ik mezelf bijna dwingen om adem te halen. De lucht leek zo zwaar in dit huis, dat nu als museum is ingericht en waar al vele miljoenen mensen het verhaal van Anne Frank hebben meebeleefd.

Een blij energieveld blijft ook hangen op die plekken waar het overheerst. In de aanwezigheid van zeer spirituele mensen kan men liefde voelen, en alleen al door in hun energieveld te zijn wat bewustzijn betreft worden getransformeerd. Ella Wheeler Wilcox vatte zonder het te weten de theorie over het energieveld samen met die twee beroemde openingszinnen: 'Lach, en de wereld lacht met je; ween, en je huilt alleen.'

Langgeleden, tijdens een strandwandeling, maakte ik iets mee wat als illustratie kan dienen voor de boodschap in dit populaire gedicht. Een vrouw die van Chicago naar Florida was verhuisd, kwam naar me toe omdat ze me van een televisieoptreden de avond ervoor herkende. Ze zei: 'Woont u hier in Zuid-Florida?' en ik antwoordde dat dat inderdaad zo was en dat ik een strandwandeling maakte na een nachtvlucht. Toen volgde de vaak gestelde vraag: 'Hoe zijn de mensen hier?' Ik antwoordde met een wedervraag: 'Hoe zijn de mensen in Chicago?' Ze lachte breeduit en vertelde me hoe warm en vriendelijk de mensen in het Middenwesten wel waren, en ik zei meteen: 'Zo zijn ze hier eigenlijk ook.'

Op de terugweg op datzelfde strand werd ik aangesproken door een vrouw wier man van New York naar Miami was overgeplaatst, om te zeggen dat ze me de avond ervoor op de televisie had gezien en dat ze van mijn optreden had genoten. We raakten in gesprek en toen stelde ze mij dezelfde vraag die ik een uur eerder op ditzelfde strand had gehoord. Natuurlijk kwam ik met dezelfde wedervraag: 'Hoe zijn de mensen in New York?' Ze begon aan een tirade over hoe ongevoelig, kliekjesvormend en onvriendelijk het leven in de grote stad was, en ik antwoordde: 'Zo zijn ze hier eigenlijk ook.'

We trekken in ons leven voornamelijk datgene aan wat we met onze houding zelf uitstralen. Over het algemeen zullen zij die de wereld als een beerput zien, het ongedierte opmerken, terwijl anderen die in het goede in de mens geloven, mensen van hun eigen soort zullen vinden.

Veel mensen klagen over de slechte bediening in de Verenigde Staten van nu. 'Je kunt geen goede bediening meer krijgen,' is een klacht die je dagelijks om je heen hoort. In Time heeft een groot verhaal gestaan over de achteruitgang van de bediening op elk vlak, in winkels, in restaurants en bij horlogemakers. Onlangs, tijdens een televisieprogramma waarin iedereen van het panel unaniem van oordeel was dat het treurig gesteld was met de bediening, was ik het er niet mee eens. Ik legde uit dat ik van mening ben dat je krijgt wat je verwacht. Wanneer ik een winkel binnenga, of een restaurant, verwacht ik dat ik vriendelijk en beleefd word behandeld, en dat is dan ook wat meestal gebeurt. Als ik geen winkelbe-

diende kan vinden om me te helpen, weiger ik om mijn energieveld te ontregelen met gedachten van ongenoegen en afkeer. Ik ga
juist de energie uitstralen die ik terug wil krijgen. Als ik een geme-
lijke kelner tegen het lijf loop, breng ik hem meteen in mijn energieveld met woorden als: 'Zo te zien viel het vandaag niet mee. Dat
begrijp ik, en u wordt nu beloond met een klant die waardering
heeft voor wat u doet en die begrijpt hoe zwaar uw baan is! Neem
rustig de tijd.' En verdraaid, de dichteres heeft gelijk: 'Wees blij, en
je hebt vele vrienden; wees treurig, en je verliest ze allemaal.'
Je energieveld straalt uit op de trillingsfrequentie die je opwekt.
Elke dag weer word je beïnvloed door en heb je invloed op de
energievelden van heel veel mensen. 'Weiger om energie te geven
aan dingen die je niet wilt of waarin je niet gelooft', dat is een zeer
dringend advies. Elke keer dat je verkiest te huilen in plaats van te
lachen, te zuchten in plaats van te zingen, te treuren in plaats van te
genieten, droefheid boven blijheid verkiest, liever gaat vasten dan
feesten, of pijn boven plezier verkiest, kies je ervoor om je trillin-
gen af te remmen en om het mentale energieveld in je onmiddellijke omgeving te verontreinigen.
Elke ochtend bij je eerste blik op de nieuwe dag, heb je de keus om
te zeggen: 'Goedemorgen, God', of: 'Goeie god, morgen.' Wat je
ook kiest, het komt exact overeen met de energie die je in je leven
toelaat. Inderdaad: 'Er is ruimte in de hallen van plezier, voor een
lange en hoffelijke stoet.' Denk aan Ella Wheeler Wilcox' gedicht
terwijl je de trilling van je energieveld doet toenemen door je gedrag op de volgende wijze bij te stellen:

* Wanneer je een van de negatieve zaken uit het gedicht ervaart,
  zoals droefheid, zuchten en huilen, stel jezelf dan de vraag: wie
  wil er nu echt in mijn buurt zijn als ik me zo gedraag? En neem
  dan doelbewust afstand van die houding.

* Als je ervoor kiest om je houding te veranderen, zelfs als je maar
  doet alsof, dan zul je merken dat je datgene wat je graag wilt in
  je nabije energieveld trekt in plaats van wat je niet wilt. Je bent
  een magneet die negatief of positief is, en je keuzen bepalen wat
  er op jouw levensruimte toe komt snellen.

- Wees eens wat minder serieus. Hoe minder serieus je jezelf neemt, hoe minder belangrijk je jezelf acht, hoe meer pret je in je leven zult aantrekken. We hebben het helemaal zelf in de hand hoe vaak we lachen, zingen en genieten van wat we meemaken, ook al hebben we ons nog zo van het tegendeel overtuigd.

❈ MYSTERIE ❈

Zaken om over na te denken

Ik heb de kracht van het zaadje van een watermeloen gadegeslagen. Het heeft de kracht om 200 000 maal zijn eigen gewicht aan de aarde te onttrekken en door zich heen te voeren. Wanneer jij mij kunt vertellen hoe het al dit materiaal weet te onttrekken en daaruit de oppervlakte aan de buitenkant zodanig kleurt dat de kunstimitaties er niet bij in de schaduw kunnen staan en vervolgens binnenin een witte schil vormt en daarbinnen weer een rood hart, dicht bezaaid met zwarte zaadjes, die elk voor zich in staat zijn 200 000 maal hun eigen gewicht te onttrekken en door zich heen te voeren, wanneer jij mij het mysterie van een watermeloen kunt verklaren, dan kun jij mij vragen om het mysterie van God te verklaren.

WILLIAM JENNINGS BRYAN (1860-1925)

De Amerikaanse politiek leider en redenaar William Jennings Bryan was een van de populairste docenten in Chautauqua en omstreken en heeft de grootste bekendheid verworven als openbaar aanklager in de beroemde zaak-Scopes.

Elke keer dat ik deze beschouwing van William Jennings Bryan over de kracht van een watermeloen onder ogen krijg, raak ik weer diep onder de indruk van de eindeloze reeks wonderen die overal en in alles te vinden zijn. Hoewel hij niet als dichter, filosoof of spiritueel gezant wordt aangemerkt, heb ik Bryan toch in deze verzameling opgenomen vanwege dit ene stukje tekst dat hij over het mysterie van het leven schrijft en om wat het ons allemaal te zeggen heeft.
William Jennings Bryan werd als de meest begenadigde redenaar

van zijn tijd beschouwd. Hij verloor drie keer met een zeer klein verschil de kandidaatstelling voor president van de Verenigde Staten, en hij was minister van Buitenlandse Zaken onder president Wilson. Toch heeft hij vermoedelijk de grootste indruk gemaakt als assistent-officier van Justitie in het beroemde Scopes-apenproces in 1925, waar hij een meesterlijke redevoering afstak over de letterlijke interpretatie van de bijbel, waarin hij de leerstelling van de goddelijke schepping verdedigde.

Maar dit essay gaat niet over Darwin versus scheppingsverhaal. Het gaat over het fenomenale mysterie van het leven en wat het ons elke dag weer leert over het leven op een hoger niveau. De kracht die in een zaadje van de watermeloen zit opgesloten, is natuurlijk onzichtbaar, maar de aanwezigheid ervan kan niet worden ontkend. Het is inderdaad een ontzagwekkende kracht, wat nog eens wordt geïllustreerd door Bryans opmerking dat het 'in staat is 200 000 maal zijn eigen gewicht aan de aarde te onttrekken' en vervolgens een perfecte schepping tot stand brengt waarbij 'de kunstimitaties niet in de schaduw kunnen staan'.

Met ons verstand is een dergelijke creativiteit gewoon niet te verklaren. We weten dat we zoiets niet zelf kunnen klaarspelen. We zijn ons bewust van de perfectie die in elk zaadje leven weet te produceren zonder ook maar ooit een fout te maken. Het zaadje van de watermeloen begaat nooit de vergissing om per ongeluk een kalebas of een appel te produceren! Deze kracht, die niemand kan zien, aanraken, ruiken, horen of proeven, is volmaakt. Laat ik het, bij gebrek aan een betere benaming, maar een toekomstige invloed noemen. Eenzelfde doelbewuste toekomstige invloed in het zaadje is ook verantwoordelijk voor het begin van ieder menselijk wezen dat wanneer en waar dan ook in dit universum heeft bestaan, en daar hoor jij ook bij! En ik geloof dat zich ook daarbij nooit een vergissing heeft voorgedaan. Iedereen verschijnt exact zoals door die toekomstige invloed is bepaald, op de juiste tijd, in de juiste volgorde, met het uiterlijk dat is vastgelegd, om op de voorbestemde tijd weer te vertrekken.

Anders dan het zaadje van de watermeloen echter, zijn jij en ik onderworpen aan een enorme paradox. We zijn vanwege de celstructuur van het eerste zaadje door de toekomstige invloed voorbestemd, net als de watermeloen, maar tegelijkertijd zijn wij schepsels die keuzen kunnen maken en een vrije wil bezitten. Vandaar dat het mysterie van ons groter is dan dat van de watermeloen. Wij denken na over de paradox, gedoemd te zijn tot het maken van keuzen. Wij mensen zijn ons bewust van de mysterieuze toekomstige invloed, en wegen af in welke mate we naar een slot worden getrokken waarover we niets hebben te zeggen.

F. Scott Fitzgerald, een tijdgenoot van William Jennings Bryan, beschrijft deze paradox. 'De test voor eersteklas intellect is het vermogen om twee tegenovergestelde ideeën tegelijkertijd in gedachten te houden en toch het vermogen te blijven behouden om te functioneren. Men zou dan bijvoorbeeld in staat zijn om in te zien dat de zaken er hopeloos voor staan en toch besluiten ze te verbeteren.'

Het komt me voor dat we van zowel Bryans als Fitzgeralds opmerking kunnen leren dat we voor het leven kunnen kiezen en er gelijktijdig vrede mee moeten hebben dat die mysterieuze toekomstige invloed precies doet wat het hoort te doen terwijl onze lichamen verouderen en sterven. Op die manier hebben we zowel de leiding als niet de leiding, en het is goed dat deze beide tegenstellingen naast elkaar bestaan.

Nu dat is vastgesteld, ben je bevrijd van de zorgen over wat er met je omhulsel zal gebeuren en met alle andere omhulsels die je om je heen ziet. Het is in handen van diezelfde toekomstige invloed die in het zaadje van de watermeloen zit, en je bent vrij om deze mystieke gebeurtenissen met liefde en acceptatie en zonder vrees gade te slaan.

Het is een fantastische ervaring om gewoon maar in een staat van metafysische acceptatie te verkeren. In die staat sla je alles, ook je eigen lichaam, vreugdevol maar afstandelijk gade.

Dit is het onderwerp van alle dichters en filosofen in dit boek wanneer ze hun onsterfelijke menselijke waarheid verkondigen: er is leven dat we met onze zintuigen waarnemen en er is de onzichtbare waarnemer binnen in ons, die onze zintuigen te boven gaat. Ze raden ons allemaal aan om ons bewust te worden van de mysterieuze toekomstige invloed en dan de keuze te maken of we met dankbaarheid of oordelend of verbijsterd toekijken.

Wanneer je nadenkt over William Jennings Bryans woorden en het raadsel van het zaadje van de watermeloen, besef dan wel dat dezelfde toekomstige invloed zich ook in jou bevindt. Ook jij maakt deel uit van het drama dat omhulsels schept die miljoenen keren groter zijn dan het oorspronkelijke zaadje. Je bewustzijn is ogenschijnlijk de voorsprong die je op de watermeloen hebt. Anders dan de watermeloen weet je dat je omhulsel zijn voorgeschreven weg zal afleggen en dan tot stof zal vergaan. Je hebt de grootste van alle gaven, een bewuste geest om over dit alles na te denken en het vol plezier of neerslachtig te beoordelen.

Ik stel voor dat je de houding aanneemt van iemand die zijn omhulsel en de bijbehorende toekomstige invloed aanvaardt, en besluit om je met de echte aanvaarder binnen in je te identificeren; niet de commandopost zelf, maar de commandant daarin, die geen last heeft van grenzen en begin en einde. Je gave is de macht van je bewustzijn. Je hoeft het mysterie van God niet te verklaren, omdat zelfs een nietig zaadje dat een onzichtbare toekomstige invloed in zich draagt ons dat al verhindert. Het is veel verstandiger om je van die aanwezigheid bewust te zijn, om het vanbinnen te voelen, en jezelf toe te staan verrukt te zijn van het gevoel met allen verbonden te zijn.

Laat je niet in verwarring brengen over de vraag of je wel of niet een stem hebt in je eindbestemming; het is veel beter om je over te geven en om bereid te zijn om terzelfdertijd twee tegengestelde ideeën in gedachten te houden. Je leeft in een lichaam met begrenzingen, en tegelijkertijd in een grenzeloze binnenwereld.

Voer dit begrip van het mysterie van het leven uit met behulp van de volgende suggesties:

- Elke keer dat je het gevoel hebt over iets te oordelen of je ergens zorgen over te maken, doe dan even een stapje terug in je geest. Door de consoliderende woorden: 'Juist dit moment is een wonder, zoals alles om me heen', zul je gedachten vol dankbaarheid krijgen in plaats van vol zorg.

- Houd jezelf elke dag voor ogen dat alles gaat zoals het moet. Het zaad van de watermeloen, het zaadje waarmee je begon, en het zaadje waarmee het universum begon, bevatten allemaal een toekomstige invloed, onafhankelijk van wat je ervan vindt. Je maakt deel uit van een intelligent systeem, en het is veel bevredigender om op die intelligentie te vertrouwen dan er vraagtekens bij te zetten, laat staan te proberen het allemaal te verklaren.

- Probeer eens wat minder rationeel en intellectueel over je leven te denken en over hoe je het moet regelen. Laat de mentale neiging los om alles te willen berekenen en sta jezelf toe om alleen maar te zijn en te worden voortgetrokken door die toekomstige invloed, die de bron van je leven is. En tussen twee haakjes, geniet liever van de verrukkelijk zoete watermeloen in plaats van te proberen die te begrijpen.

✻ WERK ✻

Wanneer je werkt, ben je een fluit door wiens hart het gefluister van de uren tot muziek wordt. Het leven lief te hebben door werk, is het diepste geheim van het leven te kennen. Alle werk is niets, tenzij er liefde is, want werk is zichtbaar geworden liefde.

KAHLIL GIBRAN (1883-1931)

De Libanese mysticus, dichter, toneelschrijver en artiest Kahlil Gibran woonde na 1910 in de Verenigde Staten.

Als er druk op mij zou worden uitgeoefend om in procenten op te schrijven welk deel van mij zichtbaar is en welk deel onzichtbaar, zou ik me als volgt opdelen. Eén procent zichtbaar en negenennegentig procent onzichtbaar. Dat is mijn conclusie, gebaseerd op de oude bijbelse waarschuwing: 'Zoals ge denkt, zult ge zijn.' Onze gedachten, dat onzichtbare deel van onze menszijn, bepalen volledig onze fysieke, zichtbare ik dat het grootste deel uitmaakt van ons aardse bestaan. Hier ligt in het onzichtbare domein ook het deel van ons dat echt is, het aspect dat we soms wel de ziel noemen, of het eeuwige ik dat verandering weerstaat; het aspect van de mens dat de dood ontkent. Neem nu, op dit moment, even de tijd om op deze manier over jezelf te denken. Zie jezelf eens als één procent materie en negenennegentig procent geest.

En herinner je er, met dit beeld in je hoofd, dan eens aan dat al je werken slechts een klein deel van die ene procent uitmaakt. Misschien nog geen kwart van dat ene procent van je hele menszijn is geïnvesteerd in die daadwerkelijke, fysieke bezigheid die werk wordt genoemd. Maar onze gedachten over werk vertegenwoordigen een groter deel van ons menszijn. Onze gedachten, de ziel, afkomstig uit die negenennegentig procent, zijn altijd bij ons. Om onze levensenergie te spenderen aan verkozen werk, waarbij hier, in het materiële rijk van ons bestaan, onze ziel in ongenoegen, woede en frustratie wordt ondergedompeld, betekent dat we onze prioriteiten volkomen hebben verlegd. Als negenennegentig procent van ons onzichtbaar is, dan is dit de plek waar liefde hoort te overheersen.

Je gedachten aan het werk dat je doet, zijn negenennegentig procent van wie je werkelijk bent. Wanneer je je werk haat, is negenennegentig procent van je menselijke essentie gericht op één procent van je totale menszijn. Deze gedachten ontspringen in het rijk van jezelf, waar gevoelens van innerlijke vreugde resideren. Kahlil Gibran noemt dit 'het grootste geheim van het leven'. Als je niet graag doet wat je doet en niet doet wat je wel graag doet, heb je wanklank boven muziek verkozen.

Er is absoluut geen enkele reden te blijven doen wat je niet graag doet. Je hebt twee simpele keuzen: 1) verander wat je doet en kies iets wat je wel graag doet, of 2) verander je idee over wat je momenteel doet om de liefde erin te laten reflecteren waarvan je wilt dat die je leven domineert. Doorgaan zonder een van deze beide keuzen te maken, is een groot deel van je leven opofferen omwille van het tevredenstellen van minder dan één procent van je menszijn. Wanneer je wordt geboren, wordt je werk ook geboren. Je bent voor bepaalde taken geboren, en het verlangen naar dat soort werk werd in je hart ingevoerd op het moment dat je hier verscheen. Als je niet in staat bent om verbondenheid te voelen met dat doel omdat je ervoor gekozen hebt iets te doen wat je niet graag doet, waarbij het er niet toe doet hoe dat allemaal is gekomen en waarom je ermee bent blijven doorgaan, dan kun je je voordeel doen met het luisteren naar de dichterlijke raad van die grote Libanese dichter Kahlil Gibran. Welk risico het ook met zich meebrengt, jouw menszijn, jouw ziel zelf staat op het spel.

Ik weet hoe gemakkelijk het is om zijn advies af te wijzen. We kunnen allemaal wel praktische en gegronde redenen vinden waarom we niet in staat zijn om te doen wat we graag willen, maar de boodschap van de dichter kan nooit tot zwijgen worden gebracht. 'Alle werk is niets, tenzij er liefde is.' Als je je 'niets' wilt voelen en de muziek van je ziel wilt opofferen aan liefdeloosheid omdat het zo praktisch is, dan heb je verkozen af te wijken van het voor jou uitgezette pad in je leven.

Maar als je je tijdens het werk wilt voelen alsof je 'een fluit bent door wiens hart het gefluister van de uren tot muziek wordt', dan raad ik je aan om je innerlijke gedachten over waarom je überhaupt werkt, een andere richting op te sturen. Je eerste antwoord zal vermoedelijk met geld te maken hebben. Je denkt dat je moet doen waarvoor je bent opgeleid of wat je altijd hebt gedaan, om geld te blijven verdienen. Ik vraag je nu om deze conclusie nader te bekijken door het als een bevel te zien dat afkomstig is van je culturele conditionering.

Ik stel je voor dat je allereerst iets gaat doen wat je graag doet, wat je ziel je ingeeft, en dan te kijken of er geld mee te verdienen valt. In het heilige oude schrift van de Hindoe, de *Bhagavad Gita*, zegt God (Krishna) tegen zijn student (Arjuna): 'Terwijl de onverstandige voor de vrucht van zijn handelingen werkt, biedt de wijze alle resultaten van zijn handelingen aan mij aan.' De boodschap daarin is dat je bij je werk moet doen wat je graag doet, wat je leuk vindt, en dat je de details aan het universum moet overlaten. Diep vanbinnen weten dat je doet wat je fijn vindt en dat je fijn vindt wat je doet, is veel belangrijker dan van de resultaten genieten die het product van of de compensatie voor je werk je oplevert.

Lees Gibrans raad nog maar eens door en denk eens na over de vreugde en speelsheid die hij offreert. Je bent een fluit en je werk is liefde die zichtbaar is gemaakt. Hoe meer je de lijn tussen werk en spel laat vervagen, hoe meer je de raad van de dichter zult opvolgen.

Persoonlijk maak ik geen onderscheid tussen mijn werk en spelen. Ik weet nauwelijks wat wat is. Ik volg mijn eigen droom met wat ik ook doe, en ik laat het aan anderen over om te bepalen of ik aan het werk ben of dat ik speel. Als ik schrijf, ben ik blij, want ik doe iets wat ik graag doe. Ik kan gewoon niet beslissen of het nu werk is of spelen. Datzelfde geldt voor mijn lezingen, voor het spelen van een spelletje tennis, of voor stoeien met mijn kinderen. Ik lijk altijd allebei te doen, werken en spelen.

Het klopt, werk is liefde die zichtbaar is gemaakt. Ik kan geen krachtiger woorden aanbieden dan deze van Gibran. Doe wat je fijn vindt, en vind fijn wat je doet. Dat is een keuze die je nu, op dit moment, kunt maken. Daarbij kun je deze suggesties proberen op te volgen:

- Neem bewust het besluit om niet langer je dagelijkse werk vervelend te vinden. Probeer dankbaar te zijn voor de kans te mogen werken. Straal liefde uit naar iedere persoon die je tegenkomt en zorg ervoor dat je je altijd opgewekt gedraagt, hoe anderen dat ook opvatten.

- Durf grote veranderingen aan, en laat leeftijd of ouderdom geen rol spelen. Besluit wat je het liefst doet, of dat nu dansen is, tuinieren, schrijven, of kruiswoordpuzzels oplossen. Ontwikkel dan een plan om van deze activiteit voor een week of twee je werk-spelregime te maken. Al snel zul je je culturele conditionering hebben overwonnen die je zegt dat je moet werken om je rekeningen te betalen en dat het een moeizame en vervelende bezigheid zal zijn. Stap over op de les die Kahlil Gibran voor jou schreef. 'Werk is zichtbaar geworden liefde.'

- Wanneer je besluit te doen wat je graag wilt, en graag wilt wat je doet, sluit gedachten aan rampen dan uit. Blijf gericht op je doel en de vreugde van het leven, en weiger andere gedachten tussen jou en die droom te laten komen. Denk erom, de liefde die je voelt voor wat je doet, is een gedachte.

- Wanneer je door je werk wordt geïnspireerd, lijkt alles op zijn plaats te vallen. Je richt je niet op gebrek aan geld, vermoeidheid of honger. Alleen al je inspiratie lijkt je van alles te voorzien wat je nodig hebt om het juiste reisschema aan te houden, alsof God aan jouw zijde was om je te begeleiden. Het woord 'inspiratie' stamt van *inspiratio*, in de geest. En het is waar, wanneer je geïnspireerd bent, ben je gezegend alsof je in en voor de geest werkt.

- Werk kan gezien worden als een dagelijks terugkerende klus in je leven. Probeer liefdevolle bedachtzaamheid in te voeren in elk zogenaamd dagelijks klusje. Let onder het stoffen, bedden opmaken, winkelen, een potlood oppakken, enzovoort, op de geest, het leven, de ziel: de negenennegentig procent van jou die onzichtbaar is. Je liefhebbende aandacht die je op elke fysieke beweging richt, is een prachtige en praktische manier om je leven door middel van je werk lief te hebben.

✼ BEZIELING ✼

Als

Als jij je hoofd kunt bewaren wanneer om je heen
iedereen het zijne verliest en dat jou aanrekent;
Als jij jezelf kunt vertrouwen, wanneer iedereen aan je
    twijfelt,
Maar hun zelfs hun twijfel niet verwijt:
Als je kunt wachten zonder moe te worden van het
    wachten,
Of, wanneer er over je gelogen wordt, je niet terugbetaalt
    met leugens,
Of wanneer je gehaat wordt je niet toegeeft zelf te haten,
En er toch niet te knap uitziet, noch te wijs praat;

Als je kunt dromen – zonder volledig naar dromen te
    leven;
Als je kunt denken – zonder gedachten als doel te hebben,
Als je Triomf en Onheil tegemoet kunt zien
En beide bedriegers hetzelfde benadert:
Als je ertegen kunt de waarheid die je sprak
te horen verdraaien door schurken om dwazen te vangen,
Of de dingen waaraan je je leven hebt gegeven te zien,
    gebroken,
En te bukken en ze te maken met versleten gereedschap;

Als je al je verdiensten op een hoop kunt gooien
En te gokken op een ronde alles of niets,
En te verliezen, en opnieuw te beginnen zonder iets,
En nooit een woord te uiten over je verlies:
Als je je hart en zenuw en pees kunt dwingen,
hun werk nog lang na hun verdwijnen voor jou te doen,
En zo vol te houden wanneer er niets meer in je zit
Behalve de Wil die hun zegt: 'Hou vol!'

Als je kunt spreken tot menigten en je deugd bewaart,
Of met koningen wandelt – en gewoon blijft doen,
Als vijanden noch lieve vrienden je kunnen kwetsen,
Als iedereen rekening met je houdt, maar niet te veel:
Als je de strenge minuut kunt vullen
Met zestig seconden afstandslopen,
Is de aarde van jou en alles wat erop zit,
En – wat meer zij – Dan ben je een Man, mijn zoon.

RUDYARD KIPLING (1865-1936)

Rudyard Kipling, geboren in India uit Engelse ouders, was een succesvol romanschrijver, dichter en schrijver van korte verhalen. Gedurende de vijf jaar dat hij in Vermont woonde, waar Het jungleboek *en* Kapitein Courageous *werden uitgegeven, werd zijn populariteit in de Verenigde Staten alleen overtroffen door die van Mark Twain.*

*D*it vaak geciteerde gedicht van Rudyard Kipling is lange tijd een van mijn grootste favorieten geweest. Wanneer ik het lees, zie ik mezelf met een van mijn acht kinderen op schoot terwijl ik de eeuwenoude wijsheid doorgeef aan zijn of haar open en leergierige geest. In dat droombeeld luistert mijn kind aandachtig terwijl ik de geheimen van het universum beschrijf alsof ik de verlichte leermeester ben die ze door een leven vol moeizame strijd heeft doorgrond, en ze nu met vaderlijke wijsheid doorgeef aan de volgende generatie, die deze kennis zal gebruiken om hun wereld te veranderen. Einde van het droombeeld!

Het gedicht *Als* van Rudyard Kipling roept inderdaad zo'n droombeeld op telkens wanneer ik het hoor, maar het berust puur op mijn eigen fantasie. Ik heb de waarheid ontdekt van veel van de brokjes raad die Kipling in dit gedicht aan zijn zoon uitdeelt, maar om eerlijk te zijn ben ik nog steeds bezig deze raad in mijn eigen leven een plaats te geven. Dit beroemde gedicht van Rudyard Kipling, waarvoor hij in 1907 de Nobelprijs voor literatuur kreeg, heeft ons allemaal zoveel te bieden. De hoogverheven gedachten in zijn gedicht geven mij, elke keer dat ik het lees en het met mijn

RUDYARD KIPLING / *Bezieling*

kinderen, studenten en toehoorders deel, de bezieling om een beter mens te worden. Ik heb *Als* in deze collectie opgenomen omdat ik het ook met jou wil delen. Dat wil zeggen, ik wil zo graag dat je er ook door bezield wordt, niet alleen om anderen te kunnen helpen om hun eigen levenskwaliteit te verbeteren, maar ook om erdoor te worden aangespoord zelf een beter mens te worden.

Er zitten zoveel boodschappen in deze tweeëndertig regels poëzie. Laat me je vertellen op welke wijze zijn dichterlijke raad mij bezielt.

De gedachte dat ik voldoende zelfinzicht heb om mijn eigen gevoel van evenwicht en mijn integriteit in stand te houden en me niet laat meesleuren door de gekte om me heen, onverschillig wat anderen ervan vinden, werkt bezielend. 'Wees jezelf' is het advies, niet alleen hier maar in heel veel hoofdstukken van dit boek, en wanneer ik daartoe in staat ben, zonder een oordeel te vellen over de mensen om me heen, voel ik me sterk. Ik wil dat mijn kinderen en anderen die mij hun leermeester willen laten zijn, hun persoonlijke integriteit cultiveren en onder alle omstandigheden het juiste evenwicht weten te bewaren.

Het bezielt me wanneer ik in staat ben om de hypocrisie die ik tegenkom, te gebruiken om me voor te houden hoe een vreselijke hekel ik aan hypocrisie heb. Vroeger gebruikte ik vaak de hypocrisie van anderen als aanknopingspunt voor die van mij. Als mensen tegen me logen, koos ik er soms voor om hun een koekje van eigen deeg te geven, hoe vreselijk ik het ook vond. Het geeft een veel plezieriger gevoel om het zo vreselijk te vinden als er tegen je wordt gelogen, dat ik mijn best doe om niet hetzelfde te doen.

Het bezielt me wanneer ik me een goed verliezer toon. Zo ben ik niet altijd geweest, en zo ben ik ook nu nog niet altijd, maar ik ben er tegenwoordig veel beter in. Ik ben nog net zo dol op het wedstrijdelement als altijd, maar ik kan me tegenwoordig na de wedstrijd met een tevreden gevoel terugtrekken, want in mijn hart weet ik dat mijn echte ik niet geraakt wordt door de uitslag. Als je deelneemt, dan betekent dat dat je soms wint en soms verliest, en de resultaten zijn bedriegers die zich voordoen als je echte ik. Ik wil mijn kinderen graag meegeven dat overwinningen en verliezen niet met henzelf te maken hebben.

Ik voel me geweldig wanneer ik een slechte recensie van een van

231

mijn boeken kan lezen en me eerlijk waar bijna net zo voel als wanneer ik een lovende kritiek lees. Geloof me, zo is het niet altijd geweest. Vroeger vroeg ik aan mijn agent: 'Waar sta ik op de lijst van bestsellers?' Nu ken ik het verschil tussen mijzelf en mijn boeken, en ik vraag er nooit meer naar, maar als ik dat zou doen, zou ik nu vragen: 'Waar staat mijn boek op de lijst van bestsellers?' Het maakt enorm veel uit dat ik nu het verschil weet. Ik weet nu dat ik niet ben wat ik doe, dat ik nu word geïdentificeerd met die eeuwige, onzichtbare ziel die al mijn doen en laten gadeslaat en die weet dat winst en verlies niet meer zijn dan de schaduw van mijn echte ik. Ik zou dolgraag willen dat mijn kinderen en studenten ook die vrijheid kenden.

Ik ben bezield wanneer ik mijn besluiten baseer op hoe ik me voel in plaats van op hoe de uitwerking ervan zal zijn. Op die basis kan ik een lucratief aanbod afslaan om als gastheer in een televisieprogramma op te treden, omdat ik de voorkeur geef aan een lezing voor een goed doel, en me er niet alleen geen zorgen over maak, maar ook niet de behoefte voel om het tegen iemand te zeggen, en op die basis kan ik dus ook anoniem vrijgevig zijn.

Ik voel me bezield wanneer ik in staat ben om een oordeel op te schorten dat is gebaseerd op uiterlijk, prestatie en bezit, en alleen afwacht om te zien hoe God zich in de mensen zal ontplooien. Het is soms vreselijk verleidelijk om mensen naar die maatstaven in hokjes te stoppen, en ik praat er vaak me,t mijn kinderen over dat ze altijd met beide benen op de grond moeten staan. Mijn gezin is rijk gezegend en ze kunnen kopen wat ze willen, maar ik ben zo trots op hen wanneer ik zie dat ze dankbaar zijn voor die zegeningen en de verleiding weten te weerstaan om zichzelf als waardevoller te beschouwen dan anderen, omdat ze nu toevallig veel kunnen aanschaffen.

Het bezielt me wanneer ik mezelf vanuit mijn hart zie leven en steeds minder de behoefte heb om te bewijzen hoe waardevol ik wel ben. Ik voel me bezield wanneer ik de hele dag gedichten kan lezen en er dan over kan schrijven, in plaats van dat ik iets moet doen wat financieel gezien veel meer oplevert. Ik voel me bezield wanneer ik merk dat ik niet langer ten koste van alles anderen van mijn gelijk wil overtuigen, ook al weet ik dat wat ik zeg voor mij het enig juiste is.

Ik wil dolgraag mijn kinderen en mijn studenten de vreugde en de vervulling leren kennen van het volgen van hun eigen bestemming, en het uitvoeren van hun eigen heroïsche roeping, ook al zegt iedereen om hen heen, ook ik, dat een andere richting beter zou zijn.

Al die eigenschappen, die Kipling in zijn gedicht *Als* zo briljant uittekent, zeggen mij wat hij werkelijk bedoelt met zijn conclusie. Als je dat alles kunt doen, zul jij je ook bezield voelen en dan 'Is de aarde van jou en alles wat erop zit, en – wat meer zij – Dan ben je een Man, mijn zoon!' Dat was zijn manier om zijn zoon te vertellen dat rijpheid betekent jezelf zijn, zonder een oordeel over anderen te vellen. Wanneer je op deze manier volwassen bent, zul je alles hebben wat je maar wilt.

Om de woorden van dit klassieke gedicht in je leven te laten werken, heb ik een paar simpele suggesties.

- Kopieer dit gedicht en lees het voor jezelf en voor hen die jij graag zou willen helpen emotioneel en spiritueel tot wasdom te komen. Alle lessen zijn in dit gedicht opgenomen: houd je verstand erbij, vertrouw op jezelf, wees eerlijk, wees een dromer, wees onafhankelijk, durf risico's te nemen, wees afstandelijk, wees nederig, wees meelevend, wees vergevingsgezind. Het is allemaal in dit klassieke gedicht te vinden. De vraag die misschien nu op je lippen ligt, begint met de titel: *Als*...

Wanneer je oud bent
Naar Pierre de Ronsard

Wanneer je oud bent en grijs en slaperig,
En knikkebollend bij het vuur, pak dan dit boek,
En lees langzaam en droom van de zachte blik
Die je ogen eens hadden, en hun diepe schaduwen;

Hoevelen hielden van je momenten van blijde gratie,
En hielden valselijk of oprecht van je schoonheid;
Maar een man hield van de pelgrimsziel in jou,
En hield van het verdriet van je veranderend gezicht.

En vooroverbuigend over de gloeiende blokken
Mompel, een tikje treurig, hoe de liefde vervloog
En zijn gezicht verborg in een menigte van sterren.

VOOR ANNE GREGORY

'Nooit zal een jonge man,
De wanhoop nabij
Door die prachtige honingkleurige
krullen bij je oor,
Van je houden om jezelf
En niet voor je blonde haar.'

'Maar ik kan haarverf krijgen
En daar zo'n kleur verkrijgen
Bruin, of zwart, of rode,
Dat jonge wanhopige mannen

Van mij houden om mijzelf
En niet om mijn blonde haar.'

'Ik hoorde een oude wijze man
Nog gisternacht verklaren
Dat hij een tekst vond die bewees
Alleen God, mijn lief,
kon je liefhebben om jezelf
En niet om je blonde haar.'

WILLIAM BUTLER YEATS
(1865-1939)

De Ierse dichter en toneelschrijver William Yeats wordt over
het algemeen beschouwd als een van de grote dichters van de
twintigste eeuw.

*W*illiam Butler Yeats was een boeiend visionair die wijsheid en broederschap via de mystiek zocht en graag schreef over de zielenkreet om verlost te worden van de stoffelijke wereld. Yeats, onbetwistbaar een van de meest illustratieve moderne dichters en een vermaard toneelschrijver, was een nationalistisch politicus toen Ierland in 1922 een zelfstandige staat werd. Hij kreeg in 1923 de Nobelprijs voor literatuur. Hij werd verteerd door zijn hang naar het occultisme en de magie en naar de duistere krachten die de wereld naar een gewelddadige slag tussen goed en kwaad leken te sturen. Hij stierf vlak voor het uitbreken van de Tweede Wereldoorlog.

Yeats schreef niet alleen over Ierland, hij schreef ook over een liefde die uitstijgt boven de fascinatie met het uiterlijk schoon. Hij was verliefd geworden op Maud Gonne, een Ierse schone die niet alleen intelligent was maar ook een rebel, die al haar hartstocht op Ierland richtte. Het is opvallend dat ook Mauds dochter later zijn huwelijksaanzoek afwees. Hij had een groot aantal geliefden, maar trouwde pas op zijn tweeënvijftigste.

Deze twee gedichten vertegenwoordigen zijn dichterlijke betrokkenheid bij de liefde die door meer dan alleen fysieke aantrekkingskracht werd bezield. In 1907 had Yeats samen met Anne Gregory een reis door Italië gemaakt. Ze was een mooie vrouw met goudblond haar. Hij schreef aan haar: 'Alleen God, mijn lief, kon je liefhebben om jezelf en niet om je blonde haar.' Datzelfde thema komt terug in *Wanneer je oud bent*: 'Hoevelen hielden van je momenten van blijde gratie, en hielden valselijk of oprecht van je schoonheid; maar een man hield van de pelgrimsziel in jou, en hield van het verdriet van je veranderend gezicht.' Hier zegt hij tegen jou en mij dat de ware proef van liefde niets van doen heeft met het uiterlijk, en hoewel ik je om je uiterlijke schoonheid kan bewonderen, dring ik er bij je op aan om lief te hebben als God, en niet alleen om jezelf.

Een van de meest gedenkwaardige momenten als laatstejaarsstudent vond plaats tijdens een seminarium in de jaren zestig bij een voortgezette cursus over counseling psychologie, met als docent een van de meest vooraanstaande professoren van de universiteit. Samen met elf anderen bestudeerde ik het onderzoek en de conclusies over zelfverwerkelijking, inclusief de specifieke karakteristieken van uitzonderlijk goed functionerende mensen. Deze bijzondere mensen, van wie sommigen historische figuren waren, werden zelfverwerkelijkers genoemd. Het doel van dit voortgezette seminarium was om ons te leren deze eigenschappen te herkennen en anderen te helpen een voller en hartstochtelijker leven te gaan volgen.

De eigenschappen van deze zelfverwerkelijkers waren onder meer: waardering voor schoonheid, vastberadenheid, weerstand tegen verculturisatie, het onbekende verwelkomen, enorm enthousiasme, naarbinnengerichtheid, onverschilligheid voor resultaat, onafhankelijk van de waarderende woorden van derden, en de afwezigheid van de dwingende behoefte om anderen onder controle te hebben. Halverwege het semester onderwierp de professor ons aan een examen, dat uit slechts één vraag bestond: 'Een zelfverwerkelijkt persoon arriveert op een diner waar iedereen in avondtoilet is verschenen. Hij draagt een spijkerbroek, een T-shirt, gympen en een honkbalpet. Wat doet hij? U hebt dertig minuten om uw antwoord op te schrijven.'

We gingen met ons twaalven een halfuur lang driftig aan de slag en daarna werd ons gevraagd om onze antwoorden hardop voor te lezen. Ik kan me nog een paar antwoorden herinneren: hij zou geen aandacht schenken aan het uiterlijk van de anderen; hij zou niet weggaan of excuses aanbieden; hij zou net doen alsof er niets aan de hand was; hij zou gewoon genieten van de bijeenkomst en zich niet druk maken over wat de anderen van hem dachten. Ik weet nog dat ik bijzonder trots was op mijn antwoord, dat ging over zijn doelgerichtheid en een hogere missie.

Toen we allemaal ons antwoord hadden voorgelezen, zei de professor: 'Het spijt me, jullie zijn allemaal gezakt. Jullie hadden maar zes woorden hoeven op te schrijven.' En vervolgens schreef hij die woorden op het schoolbord: 'Hij zou het niet hebben gemerkt.'

Het hoogste bewustzijnsniveau is het niveau waarop een zelfverwerkelijkt persoon het uiterlijk van de anderen niet opmerkt en alleen de ontplooiing van God ziet in de personen die hij ontmoet. Dat is het soort liefde waarover William Butler Yeats in deze twee gedichten schrijft.

Wat een uitdaging! Om verder te zien dan alleen het uiterlijk en totaal op de ziel te zijn gericht in plaats van op het fysieke uiterlijk. Wat een uitdaging in een gemeenschap waarin we worden doodgegooid met advertenties die bedoeld zijn om ons producten te verkopen die vrijwel uitsluitend bestemd zijn voor het verbeteren van het uiterlijk! In deze denktrant horen rimpels verborgen te worden of, beter nog, langs chirurgische weg te worden verwijderd; zilveren haren moeten worden geverfd; en alle tekenen van het natuurlijke verouderingsproces moeten worden verhuld.

Yeats vraagt ons om verder te kijken dan dat soort propaganda, om lief te hebben als God, wat niets te maken heeft met uiterlijk, en zover te gaan dat we die oppervlakkige kentekenen gewoon niet meer zien. Ieder van ons kon dat in het verleden. Er was een tijd dat we niet zagen welke huidskleur of stand van ogen ons speelkameraadje had. Maar toen het conditioneren door onze cultuur de overhand kreeg, begonnen we meer op het omhulsel af te gaan dan op de ziel binnen in dat omhulsel.

Vier van de krachtigste regels in de poëzie die ik ooit heb gelezen, staan in een van mijn favoriete Yeats-gedichten: *Varen naar Byzantium*.

> Een oude man is slechts een waardeloos iets,
> Een gescheurde jas aan een stok, meer niet
> Tenzij de ziel in de handen klapt en zingt
> En luider zingt
> Over elke scheur in dat sterfelijke kleed.

Als fysieke wezens zijn we allemaal uiteindelijk voorbestemd om 'een gescheurde jas aan een stok' te worden. Als we alleen houden van wat we met onze zintuigen waarnemen, wordt dat inderdaad een waardeloos iets. Maar wanneer de ziel in zijn handen klapt en zingt, wordt dat verouderende aspect iets onbeduidends. Yeats vraagt je allereerst om verder te kijken dan het oppervlak, en dan, wanneer dit je zelfverwerkelijkte wijze van leven is geworden, om zover te komen dat je het niet meer opmerkt. Laat de ziel van hen die je liefhebt, je aandacht krijgen, en als dat zo is, bewijs jezelf dan een dienst en laat je eigen ziel in de handen klappen en door jou worden beapplaudisseerd. Houd van jezelf zoals God doet, alleen omwille van jezelf.

Hier zijn wat ideeën om dit soort liefde in je leven in te voeren.

- Begin jezelf eens te zien als een ziel met een lichaam, in plaats van als een lichaam met een ziel. Beschouw de kentekenen van het ouder worden als eretekens en probeer dan verder te kijken naar dat deel van jou dat nooit veroudert en ook nooit zal verouderen.

- Negeer de onophoudelijke propaganda waarmee je ziel elke dag weer wordt bekogeld en waarin je wordt aangemoedigd om je aan de eeuwige jeugd te blijven vastklampen en om jezelf en anderen alleen te beoordelen op basis van het uiterlijk. Wees trots op jezelf, niet om hoe je eruitziet maar om je karakter. Herhaal zo vaak je kunt de beroemde zin uit *La Cage aux Folles*: 'Ik ben wat ik ben.'

- Wanneer je anderen ontmoet, let dan eerst op het ontplooien van God in die mensen en verzet je tegen de verleiding om over de oppervlakkige eigenschappen te praten, zoals je altijd geleerd is. Behandel de ander op basis van zijn innerlijke schoonheid en weiger deel te nemen aan praatjes over het uiterlijk.

- Wanneer je met de mensen die je liefhebt, over je gevoelens praat, leg dan de nadruk op wat je in hen waardeert, in plaats van op hoe ze eruitzien. Praat tegen hun eeuwige ziel in plaats van tegen de garage waarin die is geparkeerd.

❋ HET HOOGSTE ZELF ❋

Ik ging alleen op weg naar mijn afspraak. Maar wie is
deze ik in het donker?
Ik ga opzij om zijn aanwezigheid te vermijden, maar ik
kan niet aan hem ontkomen.
Hij laat het stof van de aarde opstijgen met zijn
hooghartige stap;
Hij voegt luidkeels zijn stem bij elk woord dat ik uit.
Hij is mijn eigen kleine zelf, mijn heer, hij kent geen
schaamte;
Maar ik schaam me om in zijn gezelschap bij u langs te
komen.

RABINDRANATH TAGORE (1861-1941)

*De mysticus en schilder Rabindranath Tagore, een van de lei-
dinggevende personen van het moderne India, kreeg de Nobelprijs voor literatuur. Zijn werken zijn klassiekers, befaamd om hun lyrische schoonheid en spirituele scherpte.*

*B*innen in ieder van ons wonen twee mensen. De eerste persoon
noem ik het ego. Het ego wil gelijk hebben. Het ego gelooft bovendien dat hij niets te maken heeft met alle anderen en dat hij met
al die anderen strijd moet leveren. Als gevolg daarvan streeft hij er
niet alleen naar om meer te hebben, het moet ook nog eens duur-
der zijn. Hij voelt zich op z'n best als hij iemand kan verslaan, want
zo voelt hij zich een beter persoon, alleen omdat hij op die manier
boven alle anderen uitsteekt die hij zo wanhopig graag wil verslaan.
Als hij nummer één is, komt zijn droom uit. Maar bij de bovenste
tien procent horen is ook wel goed, hoewel het absoluut noodzakelijk is om bij de bovenste helft te blijven behoren.
Het ego vindt het niet alleen heerlijk om te winnen, hij heeft dat
absoluut nodig, en daarom is hij voortdurend aan het streven. Hij

zwelgt in wat hij heeft bereikt, hij telt met de regelmaat van een klok zijn prijzen, zijn beloningen en zijn eretekens. Het ego kan de mooiste auto's hebben, de chicste kleren, het beste eten, de spectaculairste drugs die je je maar kunt voorstellen, de meest extravagante seks en allerlei soorten van plezier, en wanneer ze allemaal zijn versleten of uit de mode zijn geraakt, komt er een fonkelnieuw verlanglijstje voor in de plaats. Het ego kan absoluut niet tevreden worden gesteld zolang er nog iemand is die verslagen moet worden, of er meer spullen zijn die kunnen worden gekocht en bezeten, zodat hij de overwinnaar blijft. Hij streeft ernaar, maar hij bereikt nooit zijn doel.

De tweede persoon die binnen in ons huist, noem ik de geest. Hij is in geen van de dingen geïnteresseerd die het ego zo belangrijk vindt. Het kan hem geen moer schelen of hij iets verwerft, hij is er niet in het minst in geïnteresseerd om beter dan de ander te zijn, laat staan om die te verslaan. In feite vergelijkt hij zich zelfs nooit met anderen. Hij lijkt maar één ding te willen, en ziet maar één ding wanneer het om verlangen gaat. De geest ziet de behoeften van zijn altijd aanwezige tweeling-ego finaal over het hoofd, en verlangt alleen naar vrede. Ja, de geest is het verlangen naar vrede. Wanneer het op strijd aankomt, wil hij wel strijden, maar hij voelt nooit de behoefte om de baas te spelen over de andere strijders. Wanneer het op bezittingen aankomt, daar geniet de geest echt van, maar hij lijkt ze nooit in bezit te hebben en hij kan gemakkelijk alles weggeven. Terwijl de mantra's van het ego woorden bevatten als meer en beter, is de mantra van de geest altijd dezelfde: vrede. Hij straalt deze vrede uit naar anderen en probeert dit soort rust te allen tijde te bevorderen, zelfs te midden van chaos.

Daar zijn ze dan, onze twee eeuwige innerlijke kompanen, het ego en de geest. De vraag is niet hoe de een de ander kan verslaan, maar hoe dat deel van ons dat voortdurend in beroering is en nooit enige vrede toelaat, kan worden onderdrukt. Hoe kunnen we, om ons doel te bereiken, ophouden met streven? Ik stel mezelf die vraag vele keren per dag. Wie laat ik de zaken hier controleren? In feite schreef ik een heel boek over dit onderwerp; misschien om mezelf te helpen begrijpen hoe groot de macht was die ik in mijn leven aan mijn ego had gegeven. Ik heb het *Mijn ziel, mijn zaligheid* genoemd, en het is gewijd aan het thema van Tagores befaamde dialoog met Krishna (God), waarmee dit essay begint.

Hoe kunnen we dat deel van ons temmen dat zich afgescheiden van alle anderen voelt, dat moet overmeesteren, winnen en vergaren om zich goed te voelen? Ik heb ideeën ontleend aan beroemde dichters als Tagore en Rumi, die niet alleen wezenlijke bijdragen leveren aan dit boek, maar aan mijn hele dagelijkse leven, en heb het volgende gebed gecomponeerd dat ik elke ochtend opzeg, voordat ik aan de dag begin.

Lieve God, mijn ego is eisend, dwingelanderig, wil per se altijd gelijk hebben en is altijd naar mij op zoek. Het lijkt nooit tevreden te zijn. Mijn zalige zelf wil graag vrede, wil niet strijden, wil geen oordeel vellen en stelt nooit eisen. Geef deze boodschap alstublieft aan de ander door.

Tagore doet in zijn tweespraak met God vrijwel hetzelfde. Hij vraagt zich af: 'Wie is deze ik in het donker' aan wie hij niet lijkt te kunnen ontsnappen; wie is die persoon die arrogant door het leven gaat, die zijn zelfbelang in elk woord laat doorklinken, en die geen schaamte kent? Maar tegelijkertijd ziet hij ook in dat de toegangsweg naar het hoogste rijk door dit schaamteloze 'kleine zelf' wordt geblokkeerd. Deze dichter kreeg voor een van zijn prachtigste gedichtenbundels in 1913 de Nobelprijs voor literatuur, maar hij had geen behoefte aan een dergelijke eer. Hij besteedde zijn leven juist aan het schrijven over hoe je je ervan kon bevrijden om jezelf met dat soort prijzen te identificeren.

Het lezen van de gevoelige gedichten van Tagore, en vooral deze ene, herinnert ieder van ons aan de voordelen van het onderdrukken van het ego en het luisteren naar de geest die ons naar de vrede leidt. Het 'stof dat opstijgt van de aarde' is de herrie die je levensporiën zal verstoppen als je de geest negeert en niet inziet dat het ego verantwoordelijk is voor het stof. Tagores leven is de personificatie van stille waardigheid en een vredige houding, wat in zijn schitterend simpele gedichten wordt weerspiegeld.

Hier zijn een paar ideeën om de wijsheid van Tagores gedichten in je dagelijkse leven in te voeren:

• Luister naar je hart voordat je op iemand reageert. Kijk of je je ego eens per dag in toom kunt houden. Voordat je iets zegt, stel je jezelf de vraag: wat ik wil gaan zeggen, heeft dat tot doel om iemand het gevoel te geven dat hij verkeerd doet en mij het gevoel te geven bijzonder te zijn? Zal ik nog meer onrust zaaien in plaats van vrede? Neem vervolgens het besluit om vriendelijk en liefhebbend te zijn. Merk hoe je ego reageert en laat het een of twee keer per dag een minder dominante rol spelen, totdat dit een gewoonte is geworden, een nieuwe manier van zijn.

- Je moet je bewust worden hoe vaak je 'ik' in een gesprek gebruikt en vervolgens een paar keer per dag kijken of je zinnen kunt beginnen met 'jij'. Ga voorbij aan de behoefte tot opscheppen en pochen, en juich in plaats daarvan de verrichtingen van anderen toe.

- Doe je best om minder gehecht te zijn aan spullen die je hebt verzameld, en kijk eens of je ze los kunt laten. Door wat van je spullen weg te geven, geef je meer van jezelf aan anderen en dat is een goede manier om de neiging tot vergaren in te tomen en om het ego in het gareel te houden en de vrede toe te laten waarnaar de geest verlangt.

- Praat met je ego op dezelfde manier als ik in mijn dagelijkse gebed. Spreek vanuit je hoogste zelf. Hier is een voorbeeld; het is een brief aan haar ego die Shirley Ross Korber me stuurde na het lezen van Mijn ziel, mijn zaligheid.

Ik schrijf al dertien jaar dagelijks in mijn dagboek. Vanochtend schreef ik een brief aan mijn ego in mijn dagboek. Die luidde als volgt:
'Mijn beste Ego, hierbij deel ik je mee dat we een nieuwe leider hebben. Je mag met alle plezier als stille vennoot aanblijven. Ik (mijn zalige zelf) neem mijn leven en mijn zaken in handen. Ik heb God, de nummer één raadgever van het universum, erbij gehaald. God en ik zullen over de herstructurering van mijn leven en zaken gaan praten. Ik neem je niets kwalijk, maar het is niet in mijn belang of in het belang van mijn zaken dat je mijn beslissingen blijft beïnvloeden.'

PRIVÉ-LEVEN

De kracht van de massa vormt het
genoegen van de bedeesden.
De Onverschrokkene van geest is
trots op zijn eenzame strijd.

MOHANDAS KARAMCHAND GANDHI
(1869-1948)

Gandhi stond bekend onder de naam Mahatma, wat 'grote ziel' betekent. Hij predikte geweldloosheid in zijn strijd voor onafhankelijkheid en burgerrechten voor het volk van India.

Zowel het geheim van het uiten van wat jij in jouw leven verlangt als de mysteries van de kwantumfysica worden in deze woorden van Mohandas Gandhi gedeeltelijk onthuld. Dit wordt duidelijker wanneer we weten dat we het universum vanuit onze persoonlijke waarneming kunnen onderverdelen in het geziene en het ongeziene, of het materiële en het spirituele. De wereld van het geziene is wat we met onze zintuigen waarnemen. In deze wereld zijn we het meest geïnteresseerd wanneer het aankomt op de dingen die we verlangen.

Maar waar komen dingen vandáán? Hoe manifesteert deze zogenaamde realiteit zich? Kwantumfysici zoeken het antwoord op die vraag, en ik beweer dat de eerste kwantumfysicus niet Bohr of Einstein was, maar Paulus, een van de schrijvers van het Nieuwe Testament. Zoals Paulus zegt: 'Dat wat niet afkomstig is van dat wat niet te zien is.' Me dunkt dat Paulus precies hetzelfde beweert wat kwantumfysici hebben geconcludeerd: de partikels zelf zijn niet verantwoordelijk voor hun eigen voortbrengsel. Kwantummechanica heeft ook te maken met het bestuderen van materie (de materiële wereld) op het kleinste niveau bij hun speurtocht naar de bron van onze fysieke wereld. De conclusie is dat de wereld van het geziene voortkomt uit de wereld van het ongeziene. En hoe verhoudt zich dit dan met Gandhi's standpunt van de onverschrokkene van geest die alleen strijdt? Lees verder.

De twee delen van onze ene realiteit zijn ego en geest. Van het ego wordt vaak gezegd dat het staat voor Earth Guide Only (gids voor uitsluitend het aardse, vert.), omdat men niets uit de dimensie van het ego kan creëren of manifesteren; en de ongeziene wereld wordt geest genoemd. Partikels (de materie zelf) zijn niet verantwoordelijk voor hun eigen voortbrengsel. Om je dromen te kunnen manifesteren, moet je losstaan van je ego. Het ego is niets anders dan de halsstarrige opvatting dat je afgescheiden bent van de anderen en in een voortdurende strijd met die anderen bent gewikkeld, en dat je ook afgescheiden bent van God (of je bron). Zolang je blijft geloven dat je afgescheiden bent van alle anderen en van je bron, ben je de macht van die bron kwijt. Wanneer je je weer met je bron verenigt of bewust contact zoekt met het ongeziene (de geest) kom je weer in het bezit van de macht van je bron. Dat betekent dat je opnieuw het vermogen krijgt te manifesteren, te helen, en alles wat je in je leven wenst, naar je toe te trekken. Echter, ook al ben je weer verbonden met je bron, je ego wil een rol blijven spelen.

Zodra je anderen gaat vertellen wat je verlangt en hoe je het soort leven wilt creëren dat naar je weet voor jou is voorbestemd, nodig je het ego meteen binnen. Zodra je je radicale ideeën gaat uiteenzetten, zal er van jou verlangd worden dat je je verdedigt. Dan zul je de behoefte voelen om te gaan redetwisten over wat wel of niet bij de mening van anderen aansluit. En het meest enerverende is nog wel dat van jou zal worden verwacht dat je luistert naar de logica van diegenen met wie je je droom wilde delen, terwijl zij tegen je zeggen dat je 'je hersens' moet gebruiken en beter nog eens een keertje naar je levensomstandigheden moet kijken.

Wanneer het ego er eenmaal bij is betrokken, verlies je letterlijk het vermogen om te scheppen wat volgens je hart voor jou is voorbestemd. Dus wanneer je je diepste verlangens gaat delen, vraag je om de kracht van de massa, wat volgens Gandhi het 'genot van de bedeesden' is. Vergis je niet, de bedeesden manifesteren niet hun eigen dromen, zij sluiten zich aan bij de gelederen van de onvervulden.

Door alleen te vechten voor wat je weet dat je bestemming is, ongeacht wat anderen ervan zeggen, zul je de 'onverschrokkene van geest' worden, die 'trots is op zijn eenzame strijd'. De geest is de bron van alles wat je ziet, alles wat je gadeslaat, alles wat je waarneemt. Je kunt je er weer mee verbinden en toch de invloed van het ego vermijden. Dat betekent dat je vooral je dromen voor jezelf moet houden en ze alleen met God moet delen, of hoe je die onzichtbare bron van alles in onze materiële wereld ook wilt noemen. Verbind je weer met die bron en je herwint alle krachten van die bron; nodig het ego uit en je kunt er zeker van zijn dat je van je bron gescheiden blijft.

Als jongeman had ik een visioen van financiële onafhankelijkheid. Ik deelde mijn 'plan' mee aan mijn familie en vrienden. Elke keer dat ik vertelde hoe ik van plan was eerst mezelf een vijfde te betalen van alles wat ik verdiende, voordat ik het aan iets anders uitgaf, kreeg ik allerlei bezwaren tegen mijn financiële strategie te horen. Ik herinner me nog dat me werd gezegd: 'Je staat buiten de werkelijkheid. Je kunt geen twintig procent van je inkomen sparen, belasting en je rekeningen betalen, en voor je gezin zorgen. Dat bestaat niet.' Ik verdedigde mijn plan en legde uit dat de rente en het onaangeroerd laten van de spaargelden ertoe zouden leiden dat ik in nog geen vijftien jaar van de belastingvrije rente van mijn kapitaal zou kunnen leven. Maar ik luisterde naar de 'experts' die allemaal straatarm waren, en raakte ontmoedigd. Ik leerde mijn mond dicht te houden en stilletjes mijn gang te gaan. Ik merkte dat hoe minder ik de anderen vertelde van mijn visioen, hoe sneller het zich begon te ontwikkelen.

Door mijn droom weg te halen uit mijn egostaat en in plaats daarvan te vertrouwen op de stille kracht, wist ik een financiële onafhankelijkheid te realiseren die aan mijn visioen beantwoordde. Gandhi's woorden herinneren me aan die tijd uit mijn verleden, en ze vormen vandaag de dag nog net zo'n machtige waarschuwing. Verzet je tegen de behoefte om veel mensen over je dromen te vertellen, gedraag je liever als de onverschrokken geest die er trots op is dat hij zich op je innerlijke geleider verlaat. Anders gezegd, wat minder beschaafd maar net zo duidelijk: als je de kudde achternaloopt, trap je uiteindelijk in de troep die zij achterlaten.

Hier zijn een paar ideeën om Gandhi's woorden in praktijk te brengen:

- Wanneer je voor je dromen een ruggensteuntje zoekt bij anderen, houd daar dan mee op en bedenk dat zodra het ego erbij betrokken raakt, je zowel de spirituele als de wetenschappelijke middelen kwijtraakt om tot stand te brengen wat je wilde.

- Wil je toch aan je behoeften voldoen om je plannen aan te kondigen, schrijf dan in een dagboek wat je in je leven wilt manifesteren. Je dagboek zal in elk geval geen redenen tot twijfel over je dromen geven.

- Denk er in de eerste plaats aan dat het proces van scheppen zich van het ongeziene naar het geziene beweegt, van de geest naar de materie. Vertrouw ten volle op je vermogen om bewust contact te leggen met die onzichtbare wereld. Bewust contact is het verschil tussen over God gehoord hebben en God kennen.

❋ ZELFBEELD ❋

Dit is de ware vreugde van het leven: het bestaan dat wordt gebruikt voor een doel waarvan je weet dat het machtig is. Het bestaan is een natuurkracht, niet een koortsachtig, zelfzuchtig hoopje ziektetjes en griefjes dat klaagt omdat de wereld zich er niet toe wil bepalen om je gelukkig te maken. Ik ben van mening dat mijn leven aan de hele gemeenschap behoort, en zolang als ik leef, is het mijn voorrecht om alles ervoor te doen wat in mijn vermogen ligt.

Ik wil volledig zijn opgebruikt wanneer ik sterf, want hoe harder ik werk, hoe meer ik leef. Ik geniet van het leven omwille van het leven. Het leven is voor mij geen 'kort stompje kaars'; het is een soort schitterende toorts die ik tijdelijk mag vasthouden, en ik wil hem zo helder mogelijk laten branden voordat ik hem aan toekomstige generaties doorgeef.

GEORGE BERNARD SHAW (1856-1950)

De Ierse toneelschrijver, criticus en sociale hervormer George Bernard Shaw gebruikte zijn toneelstukken en essays om er zijn theorieën en doelstellingen in te ventileren, onder meer politiek en economisch socialisme, een nieuwe religie, de creatieve evolutie, antivivisectie, vegetarisme, en het hervormen van de spelling.

George Bernard Shaw werkte nog toen hij al in de negentig was en was een briljant toneelschrijver, literair criticus, docent, muziek- en toneelcriticus en een essayist die elk denkbaar onderwerp behandelde. Hij won en weigerde in 1925 de Nobelprijs voor de literatuur, is het meest bekend vanwege zijn fascinerende *Man and Superman*, en natuurlijk *Pygmalion*, waarop *My Fair Lady* was gebaseerd.

Deze ene paragraaf geeft volmaakt weer hoe George Bernard Shaw, de belangrijkste Britse toneelschrijver sinds de zeventiende eeuw, zijn eigen leven leidde.

Ik was tien toen Shaw stierf, maar ik herinner me nog goed dat ik over zijn overlijden las. Het lijkt dat ik me altijd tot Shaws levensfilosofie aangetrokken voelde. Hier pleit hij voor het leven alsof we voor een doel worden gebruikt dat wij als 'machtig' ervaren. De idee om onszelf te zien als een natuurlijk doel, spreekt meteen je zelfbeeld aan. Wil ook maar iemand aan het beeld voldoen dat hij beschrijft als 'een koortsachtig, zelfzuchtig hoopje ziektetjes en griefjes dat klaagt omdat de wereld zich er niet toe wil bepalen om je gelukkig te maken'? Vermoedelijk niet, en toch kennen we allemaal mensen die aan dit beeld voldoen.

Mensen die van het leven genieten alsof hun bestaan een natuurkracht is, zijn doeners die volop leven, weinig tijd voor klagers en jammeraars hebben en in het algemeen elke dag van hun leven actief zijn. Ze zijn niet alleen actief om bezig te zijn, maar genieten van hun actieve leven. Ze hebben geen tijd en geen belangstelling voor onbenullige klachten en ze maken zich er wat henzelf betreft evenmin druk om. Shaw vraagt ons om op te houden zo in onszelf op te gaan en in plaats daarvan ons te laten betrekken bij de ware vreugde van het leven, dus om het gevoel te hebben dat we voor een bepaald doel worden gebruikt.

In deze paragraaf brengt de dynamische en geestige filosoof zijn enorme enthousiasme voor het leven tot uiting, en hij moedigt ons aan om eenzelfde houding aan te nemen tegenover alles en iedereen. Houd op met mopperen en steunen, laat varen die passiviteit en verander de manier waarop je het leven tot nu toe bekijkt, zegt Shaw. Hij vraagt ons om van het leven te genieten, niet vanwege de resultaten en de beloningen die we op onze weg vinden, maar puur en alleen omwille van het leven zelf. Die raad, die afkomstig is van een van de beste voorbeelden van een ten volle functionerend persoon, luidt: schud je passiviteit van je af, houd op met het zoeken naar een reden om gelukkig te zijn. Laat op iedereen die je ontmoet en op alles wat je doet de vreugde in je leven afstralen die voortkomt uit de wetenschap dat je leven een natuurlijk doel heeft. Hoe krijg je dat voor elkaar?

Mijn eigen manier is om de energievelden van iedereen die de principes waarover Shaw schrijft, geweld aandoet te vermijden. Wanneer ik iets van wrok hoor, van klachten, van snibbige opmerkingen, dan verwijder ik me zo snel mogelijk en doelbewust maar heel rustig uit die ruimte. Meestal zeg of doe ik niets wat als afkeuring kan worden aangemerkt. Ik weiger alleen om dat soort energie in mijn onmiddellijke omgeving te dulden. Ik heb ook ontdekt dat hoe minder ik de dingen verwoord, hoe minder ik te klagen heb. Bijna twintig jaar geleden besloot ik om op te houden met zinnetjes als 'ik ben moe' of 'ik voel me niet lekker' of 'ik geloof dat ik verkouden word'. Het was een bewuste keus, gebaseerd op deze speciale paragraaf van Shaw waarover ik al gedeeltelijk in mijn eerdere geschriften heb geschreven. Door dat soort zinnetjes niet te gebruiken, werd ik gedwongen om mijn innerlijke houding over moeheid en ziekte met andere ogen te gaan bekijken. Ik merkte dat ik, gewoon door de uitgesproken klachten te verbannen, in het algemeen dat soort klachten niet meer in mijn leven aantrof.

Wanneer ik anderen tegenkom die me vertellen hoe moe ze zijn, of dat ze voelen dat ze verkouden worden, dan reageer ik meestal met 'denk geen moeie gedachten' of 'denk geen "verkouden" gedachten'. Vaak krijg ik dan een verwarde blik, maar de boodschap komt over en ik laat hun meteen weten dat ik me niet zal laten verleiden tot een discussie over hun klachten en grieven.

Als je bereid bent om deze raad op te volgen, dan zal het ter harte nemen van deze paragraaf van George Bernard Shaw letterlijk je geestestoestand veranderen. Als je jezelf elke dag als een machtige ziet en niet langer denkt aan je eigen belangrijkheid en je klachten, maar liever het leven bekijkt alsof het een schitterende toorts is die je leven op een magnifieke manier verlicht, dan zul je weten wat Shaw bedoelt met 'de ware vreugde van het leven'. Ik vind het een heerlijke gedachte om volledig opgebruikt te zijn als we doodgaan. Voor mij betekent dat dat ik geen gedachten hoef te hebben die ons tegenhouden of op welke manier ook verwijderd houden van onze heldentaak. Het betekent voor de volle honderd procent weigeren om te handelen en te denken op een manier die ontkent dat we een natuurkracht zijn en dat we hier voor een bepaald doel zijn. Alleen innerlijke gedachten die ons weghouden van het leren kennen en in actie brengen van deze kracht, moeten allereerst worden geïdentificeerd en daarna stap voor stap worden afgewezen. Het betekent dat je niet zult sterven zolang er nog muziek in je zit!

Je hebt misschien het gevoel dat deze raad prima is voor een genie als George Bernard Shaw maar dat hij niet voor jou kan gelden omdat je jezelf in veel opzichten toch nog ziet als dat zelfzuchtige hoopje. Die houding reflecteert een zelfbeeld dat je zelf hebt aangenomen en waar het in deze boodschap om draait, is dat je ook kunt besluiten om dat zelfbeeld te veranderen. Denk erom, het zelfbeeld is afkomstig uit het zelf, en daarvoor ben jij alleen verantwoordelijk, niemand anders.

Sinds ik als jongeman deze woorden heb gelezen, hebben ze mijn hele leven als mijn geleide gediend. Als je deze woorden voor jou aan het werk wilt zetten, probeer eens een paar alternatieve manieren om jezelf te omschrijven in plaats van als een 'koortsachtig, zelfzuchtig hoopje'.

• Ban zinnetjes uit je vocabulaire die uiting geven aan alles wat je niet in je leven wilt zien. Leg jezelf het zwijgen op wanneer je over je kwaaltjes, moeheid of angst wilt beginnen, en blijf zwijgen in plaats van een zelfvervullende profetie uit te stralen.

• Verwijder je lijfelijk maar zo behoedzaam als je kunt van die personen die je willen blijven belasten met hun klachten.

• Breng energie in je leven door nieuwe interesses en projecten aan te pakken, en geniet ten volle van het leven. Houd op met akelige gewoonten de je armzalige zelfbeeld weerspiegelen. Verwijder zelfdenigrerende etiketten en commentaren en laat anderen die je dit aandoen onder vier ogen weten dat je niet langer op deze wijze wilt worden aangemerkt.

• Wees een doener in plaats van een criticus, een klager of een uitlegger. Laat je echte jij voor je spreken en maak het tot een gewoonte om niet langer blijmoedig onder dwazen te lijden.

• Negeer kritiek. Mijn favoriete uitspraak van Albert Einstein, een tijdgenoot van Shaw, staat op een poster die in mijn kantoor hangt: 'Grote geesten hebben altijd heftige weerstand ondervonden van middelmatige geesten.' Jij bent een grote geest! Leef ernaar.

✳ LIJDEN ✳

Uit *Uitspraken van Paramahansa Yogananda*

De mens heeft zich valselijk geïdentificeerd met de pseudoziel of het ego. Wanneer hij zijn identiteitszin omvormt naar zijn ware ik, de onsterfelijke ziel, ontdekt hij dat alle pijn onwerkelijk is. Hij kan zich niet eens meer voorstellen wat lijden is.

PARAMAHANSA YOGANANDA (1893-1952)

Paramahansa Yogananda, afkomstig uit een gelovig, welgesteld Bengalees gezin, studeerde in 1915 af aan de universiteit van Calcutta en richtte in 1920 in Los Angeles de Self-Realisation Fellowship op, ter exploratie van de zelfharmonie die naar een meer betrokken en vredige wereld leidt. Met zijn Autobiografie van een yogi *maakte hij miljoenen bekend met India's eeuwenoude yogafilosofie en de traditie van het mediteren.*

*P*aramahansa Yogananda's goddelijk geïnspireerde boodschap – dat het mogelijk is om je voor te stellen dat lijden onmogelijk is – kan in jouw ogen best onmogelijk lijken. Ik heb deze uitspraak van een man voor wie ik diepe bewondering heb, juist opgenomen om je aan te moedigen eens op een andere manier dat hele gedoe van het lijden te beschouwen, waardoor je waarschijnlijk ook jouw leven vanuit een volkomen nieuwe invalshoek zult gaan bekijken. Er wordt van jou gevraagd om een paar van die vastgeroeste ideeën los te laten, net als de valse identiteit waaraan Yogananda refereert. In de essentie van je ware ik – wat Yogananda de 'onsterfelijke ziel' noemt – is pijn onwerkelijk. Wij wonen daarentegen in een wereld die echt is, met problemen die zeer beslist echt zijn, en met elementen van lijden waarvan je weet dat die echt zijn. Hier wordt ons nu aangeraden om onze identiteitszin om te vormen en een ruimte binnen te treden waar we ons zelfs niet eens meer kunnen voorstellen dat lijden vermoedelijk onmogelijk is.

Voor mij werkt het als ik toeschouwer word, waarbij ik mijn verbondenheid met het vergankelijke kwijtraak. Een van mijn grote leermeesters, Nisargadatta Maharaj, stelde het als volgt: 'Jij lijdt niet, alleen de persoon die je denkt te zijn, lijdt. Jij kunt niet lijden.' Opnieuw refereert hij aan je ware ik als iets wat heel anders is dan je ego/lichaam. Het overmeesteren van de neiging om zo sterk in je lijden te geloven dat je toeschouwer in je eigen leven wordt, is een ontzagwekkende uitdaging.

Laten we het bekendste soort lijden nemen: pijn. Veronderstel eens dat je ergens pijn hebt, een hevige hoofdpijn bijvoorbeeld, dan wil je echt niet van de een of andere swami te horen krijgen dat die niet reëel is, dat die alleen in je verbeelding bestaat. Heb nog even geduld met me, dan kunnen we kijken of je je verbondenheid met die pijn los kunt laten. Veronderstel nu eens dat je toeschouwer kon worden van die pijn in je hoofd, door echt je identiteitszin om te vormen in wat Yogananda je ware ik noemt.

Als je goed aandacht besteedt aan die pijn, zou je precies kunnen bepalen waar die zit, en de mate van pijn beschrijven, de kleur, de vorm en alle eigenschappen die je maar waarneemt. Als je je lang genoeg concentreert, zou je echt die pijn van de ene plek in je hoofd naar de andere kunnen verplaatsen. Wanneer je dat eenmaal hebt klaargespeeld, dan ben je ook in staat de hoofdpijn buiten je hoofd te brengen. Dat betekent dat het lijden ophield omdat je toeschouwer was geworden en omdat je je volledig had losgemaakt van de pijnlijke ervaring. Sommigen noemen die handeling gedachtecontrole, maar ik zie het als een machtig middel om ermee op te houden onszelf te identificeren met ons lijden.

Het meeste lijden dat we buiten de absoluut lichamelijke pijn ervaren, treedt op doordat we ons met onze eigen belangrijkheid identificeren. Terwijl ik zat te bedenken hoe ik dit onderwerp van ego en lijden zou benaderen, herinnerde ik me ineens een gesprek met mijn goede vriend Deepak Chopra. Terwijl ik zat te overwegen of ik hier zou weergeven wat hij me in dat gesprek had verteld, ging de telefoon, en verdraaid, het was Deepak. Ik vertelde hem dat ik nog geen tien seconden geleden zijn naam op een stukje papier had geschreven om me te helpen herinneren aan wat hij over ego en lijden had gezegd en dat ik van plan was om hem te bellen of ik het goed had onthouden.

Hij zei berispend: 'Ik heb je boodschap in het unificatieveld ontvangen, daarom bel ik je.' Hij had me het volgende verteld: een boeddhistisch leermeester was eens gevraagd wat het enige was wat hij zich altijd kon herinneren en kon gebruiken wanneer hij in een staat van lijden belandde. De leermeester zei: 'Je hoeft alleen dit ene te onthouden, dan zul je nooit meer lijden. Je moet niets als mij of van mij beschouwen.' Hier zijn negen woorden die, als ze maar vaak genoeg worden herhaald, en dan vooral wanneer je pijn hebt en daarom lijdt, die valse identificatie met het ego kunnen verbannen. Het ego heeft alles te maken met de eigen belangrijkheid.

Deepak en ik praatten nog even door en hij zei: 'Als je toch schrijft over het vermogen om een einde te maken aan het lijden, dan stel ik je voor dat je je lezers een spreuk van de Ojibway-stam van de autochtone Amerikanen voorlegt, die ik zelf vaak gebruik wanneer ik, als ik van streek raak over iets onbelangrijks, te veel verstrikt raak in mijn eigen belangrijkheid.' Hij zei: 'Het enige wat ik doe is die zin voor mezelf herhalen en haast als bij toverslag verdwijnt het mentale lijden.' Dus hier is die spreuk van de Ojibway, via Deepak Chopra, aan jou en mij. 'Nu en dan heb ik medelijden met mezelf en al die tijd wordt mijn ziel door de krachtige wind verdergeblazen langs de hemel.'

Het is een prachtig beeld om op te roepen wanneer je het gevoel hebt dat je lijdt en dat je wegzakt in je eigen belangrijkheid. Als toeschouwer kun je je lijden aanschouwen, en vanaf die uitkijkpost kun je er werkelijk voor kiezen om het fijn te vinden en je er volledig aan over te geven. Je kunt het als een groot geschenk gebruiken dat je zal helpen om die identiteitscrisis met je pseudo-ziel los te laten, en je innerlijke aandacht en energie te richten op dat wat in staat is om al het lijden vanuit een volledig onafhankelijk gezichtspunt te aanschouwen.

Het is een uitermate bevrijdende manier om een einde aan alle lijden te maken. Wanneer je leeft op de wijze van Yogananda, kun je werkelijk zeggen: 'Ik kan me niet eens meer voorstellen dat lijden bestaat.' Ik kan me voorstellen dat Yogananda zou zeggen dat je moet leren om van lijden te genieten, want dat God alles doet voor je eigen bestwil. De pijn is een boodschapper om je eraan te herinneren dat er een God is en dat je ziel, ook al is die onzichtbaar, langs de hemel wordt geblazen en dat de pijn dan niet langer pijn is en dat lijden niet langer lijden is, en dan zul je je ontvankelijkheid voor pijn en lijden hebben weggenomen omdat je je niet langer identificeert met je lichaam/hoofd.

Dit is geen trucje, het is een kant-en-klare mogelijkheid om alles te bekijken waaraan je verknocht bent, al je 'mij' en 'mijn', al je eigen belangrijkheid, en jezelf te heridentificeren met dat wat eeuwig is. Het werkt echt, en je zult, net als Yogananda belooft, werkelijk tot de ontdekking komen dat pijn onwerkelijk is.

Om deze goddelijke raad voor je tot leven te laten komen, doe je het volgende:

- Maak een eerlijke opsomming van wat volgens jou de bron van je pijn of lijden is. Zeg daarna herhaaldelijk hardop tegen jezelf: 'De oorzaak van pijn ligt alleen in mij, en ik ga niets en niemand anders er de schuld van geven.'

- Doe nu je best om alles op te merken wat je kunt van je huidige lijden. Als het alleen een mentale vorm van pijn is, zoek dan waar die zit, waar die zich vertoont, hoe hij eruitziet, en verder alle bijzonderheden ervan.

- Wanneer je merkt dat je zelfmedelijden hebt, probeer dan de woorden van de Ojibway voor jezelf te herhalen. Je zult al snel merken hoe onbeduidend je zelflijdende gevoelens zijn in vergelijking met je eeuwige ziel, die dat soort gevoelens absoluut niet kent.

- Vraag jezelf af, zoals ik ook altijd doe: wat is de les die ik uit deze ervaring kan trekken? Wanneer ik eenmaal weet dat ik iets van die pijn heb geleerd, zoals ik van alle teleurstellingen en pijnen in mijn leven heb geleerd, kan ik vrijwel meteen die pijn omvormen tot een lied.

Op een dag, wanneer we de winden, de golven,
het getijde en de zwaartekracht meester zijn geworden,
zullen we voor God de energie van de liefde inspannen.
En dan zal, voor de tweede keer in de geschiedenis
van de wereld, de mens het vuur uitvinden.

PIERRE TEILHARD DE CHARDIN (1881-1955)

De in Frankrijk geboren Pierre Teilhard de Chardin, jezuïet, paleontoloog, wetenschapper en filosoof, maakte er zijn levenswerk van om in het licht van de evolutie het christendom te herinterpreteren. Hij zag materie en geest als twee aparte aspecten van een enkele kosmische stof waarbij geen intellectueel conflict hoeft op te treden.

*P*ierre Teilhard de Chardin schrijft hier over een onderwerp dat, zodra het door ieder van ons is begrepen, een geweldige uitwerking op de mensheid zal hebben. Hij spreekt over liefde en energie die onderling verbonden zijn, en oppert dat liefde een energie in zich bergt die mensen kan verenigen, omdat het het enige is wat ons diep vanbinnen bindt. Bedenk eens welk een groot goed deze briljante filosoof en man Gods ons met zijn beschouwing biedt. Hij gaat ervan uit dat er een tijd zal komen dat we hebben geleerd de wind, de golven, de getijden en de zwaartekracht te temmen en ze onderhorig kunnen maken aan onze nooit aflatende behoefte aan nieuwe energie voor onszelf als mensen.

Let wel dat al die energiebronnen bewegingen vertegenwoordigen die worden georkestreerd door een onzichtbare krachtbron. Geen mens heeft ooit de wind gezien; we kunnen alleen de resultaten van de wind zien. We zien ruisende bomen en we kunnen de wind op ons gezicht voelen, maar de wind zelf blijft ongezien. Dat geldt ook voor de golven, de getijden en de zwaartekracht.

We zien de golven in een eindeloze beweging op de kust afkomen, elke dag oplopend en afnemend, volgens een vast patroon, en toch heeft geen onderzoek datgene wat voor de beweging zorgt, ooit kunnen vastleggen. We zien voorwerpen uit bomen vallen, maar wat ze naar beneden stuurt, blijft een mysterie voor onze registratieapparatuur. Denk nu eens even aan de vrijwel onaangeboorde, latente kracht in de liefde. Het enige wat we ooit te zien krijgen, is het resultaat van de energie. Niemand kan zeggen waar of wat het is, en toch kennen we het allemaal en voelen het wanneer de resultaten zichtbaar worden.

In elke cel van ons individuele menszijn bevinden zich miniem kleine atomen en subatomaire partikeltjes. Wanneer we een bepaald aantal elektronen in één atoom in één molecule rangschikken, produceren we een kracht die een mysterie blijft. Ik wil niet doen alsof ik de wetenschappelijke formules ken, laten we dus aannemen dat een atoom in theorie een miljard elektronen bevat. Wanneer we die kunstmatig een voor een gaan rangschikken, de een onder de ander, dan krijgen we uiteindelijk een kritische massa, zoals de fysici dat noemen. Theoretisch rangschikken we 375 miljoen elektronen en laten de resterende 625 miljoen hun eigen gang gaan. Wanneer we de 375 miljoenste elektron rangschikken, zorgt een kracht binnen in de structuur van het atoom ervoor dat alle resterende elektronen ook worden gerangschikt. Dit punt wordt fasetransitie genoemd, het punt waarop de innerlijke kracht binnen in een cel, of een molecule of een atoom, of een subatomair partikeltje, wordt geactiveerd om die nieuwe rangschikking tot stand te brengen. Die energie in een cel noemt Pierre Teilhard de Chardin nu liefde. Hij zegt het als volgt: 'Liefde is de affiniteit die de elementen van de wereld met elkaar verbindt en naar elkaar toe trekt...'

Zie jezelf nu eens als één cel van de totale mensheid, die in totaal zo'n zes miljard cellen bevat. Wanneer we allemaal op een bepaalde manier worden gerangschikt, worden wij uiteindelijk ook een kritische massa. Het energieveld van die kritische massa is liefde. Net als in de microkosmos zijn de resultaten ervan zichtbaar in de macrokosmos, of zoals wij zeggen: de materiële wereld. Teilhard heeft het over de mensheid die het punt van die kritische massa bereikt en de onzichtbare kracht van de liefde doet ontbranden, wat dan gelijkstaat aan het uitvinden van het vuur. Dit alles begint met afzonderlijke personen die zich rangschikken op een manier zoals spirituele leermeesters dat door de eeuwen heen hebben aangegeven.

Pierre Teilhard de Chardin werd tijdens zijn leven enorm gerespecteerd, en toch bleef hij nagenoeg onbekend. Als jezuïet was hem verboden om bepaalde ideeën te publiceren en het grootste deel van zijn geschriften werd pas na zijn dood gepubliceerd. De essentie van zijn filosofie is dat een mentale en sociale evolutie ons naar een spirituele eenheid trekt. We hoeven niet meer te doen dan 'ons voor te stellen dat ons vermogen tot liefde zich blijft ontwikkelen totdat het de hele mensheid en de wereld omvat...' Hij noemt deze latente energie van de liefde de universele synthesizer. Liefde is als een opwekkend elixer met de macht om de mensheid te verzorgen en samen te trekken, op vrijwel dezelfde wijze als waarop de holenmens naar het eerste vreugdevuur werd getrokken. Probeer je eens een gelijke mate van verwondering voor te stellen en stel je eens voor welk een invloed een uitvinding van een omvang als die van het vuur op ons voortbestaan zou hebben.

We kunnen de les van Teilhard toepassen door te begrijpen dat het verwonden van een enkele mens gelijkstaat aan het verwonden van de goddelijke kracht in ons allemaal. De liefde, die universele synthesizer, maakt deel uit van ons allemaal, op dezelfde wijze waarop elk elektron deel uitmaakt van de kracht binnen de grenzen van het atoom. Daaruit vloeit voort dat als er iets kwaadaardigs in onze daden of gedachten zit, we letterlijk de fasetransitie zullen verstoren die er uiteindelijk toe zou leiden dat we voor de tweede keer in de geschiedenis van de mensheid het vuur uitvinden. Elke losstaande daad die verfoeilijk of kwetsend is voor een ander, is een daad die ons ervan weerhoudt de energie van de liefde te beteugelen. Het klinkt misschien overdreven sentimenteel en veel te klef om te doen, maar ik geloof dat we allemaal onze kwaadaardigheid kunnen temmen en op die wijze deze universele fasetransistie tot stand kunnen brengen die volgens Pierre Teilhard de Chardin ons einddoel is.

Het doet me denken aan mijn meest favoriete bijbelcitaat, de beroemde verklaring over liefde in 1 Korintiërs 13, dat als volgt begint: 'Al ware het dat ik de talen der mensen en der engelen sprak, en de liefde niet had, zo ware ik een klinkend metaal of luidende schel geworden.' Het zegt verder in prachtige woorden dat we zonder de liefde niets bereiken. Er wordt over het geduld en de vriendelijkheid van de liefde gesproken, over de afwezigheid van jaloezie, opschepperij, ruwheid, zelfzuchtigheid; en er wordt gezegd dat de liefde zich niet verblijdt met kwaadheid maar geniet van de waarheid, en tot slot staat er deze schitterende boodschap: 'En nu blijft geloof, hoop en liefde, deze drie; doch de meeste van deze is de liefde.'

Ja, zelfs groter dan geloof en hoop is het vermogen en de bereidheid om liefde te kweken. Hoe kunnen we liefde kweken? We kunnen ermee ophouden over anderen te oordelen. We kunnen weigeren om een goed gevoel te hebben over de fouten en het lijden van anderen. We kunnen léven volgens deze lessen over vriendelijkheid, in plaats van ze alleen in de kerk te lezen. We kunnen ons verlangen naar wraak uitbannen en het vervangen door erbarmen. We kunnen ervoor kiezen om lief te hebben bij alles wat we zijn en doen, gewoon door er simpel voor te kiezen. Deze energie is zo krachtig dat hij letterlijk elke cel in ons universum bij elkaar houdt. Het is de lijm die ons bij elkaar houdt. Robert Browning beschreef onze wereld zonder liefde: 'Neem de liefde weg en onze aarde is een graf.' Je weet wanneer de energie van de liefde afwezig is, en je kunt jouw deel doen om de energie van de liefde nieuw leven in te blazen.

Je kunt Teilhards beroemde woorden vanaf dit moment in je leven aan het werk zetten. Hier zijn een paar suggesties om de energie van de liefde weer in te spannen:

- Zie jezelf als een enkele cel in het lichaam van de mensheid die de energie kan activeren voor die fasetransitie naar de universele liefde. Je kunt verschil uitmaken, en elke gedachte aan liefde, gevolgd door een daad, brengt ons een stapje dichter bij het opnieuw ontdekken van het vuur.

- Verdrijf alle gedachten over oordelen, wraak en woede zodra je je bewust wordt dat ze boven komen drijven. Zeg eenvoudig tegen jezelf: 'Ik wil niet op die manier denken, en ik weiger het ooit nog te doen.'

- Wanneer je geconfronteerd wordt met kwaadaardigheid en gemene roddels, reageer er dan op vanuit je liefdevolle gedachte: ik wil geen oordelen vellen. In plaats van de kwaadaardige persoon te bekritiseren, moet je stilzwijgend liefde uit laten gaan. Zorg ervoor dat je bij elke bijeenkomst de persoon bent die de afwezige op een vriendelijke manier verdedigt.

- Lijst I Korintiërs 13 in en hang het bij je thuis op. Wij hebben dat ook gedaan. Ik lees het elke keer dat ik door de gang naar de slaapkamer van de kinderen loop, en het herinnert mij eraan dat liefde, die universele synthesizer, het grootste geschenk is dat ik hun, en de wereld, kan bieden.

hier is kleine Effies hoofd
wiens hersenen zijn van gemberkoek
als het laatste oordeel komt
zal God zes kruimels vinden

bukkend over het doodskistdeksel
wachtend tot er iets verrijst
zoals de andere ietsen deden –
kun je je Zijn verbazing voorstellen

roepend door het luide lawaai
waar is Effie die dood was?
– tot God zei met een kleine stem,
ik ben mag de eerste kruim

waarop de overige vijf
kruimels grinnikten als waren zij levend
en nummer twee het liedje zong,
had heet ik en ik deed niks

riep kruim drie en ik ben zou
en dit hier is mijn zusje kon
met onze grote broer die is wou
straf ons niet want wij zijn braaf;

en de laatste kruim, met wat schaamte
fluisterde naar God, mijn naam
is moest en met de anderen was ik
Effie die niet meer leeft

stel je toch voor zeg ik
God in dat helse kabaal
kijk uit waar je loopt en volg mij
bukkend over Effie's kleine, waar

(lucifer nodig, of zie je het wel?)
in de zes aanvoegende kruimels
bewegen als afgehakte duimen:
zie je Zijn turende grote grijs

gekleurde gezicht waarop een frons
zich verbaast, maar ik weet de weg –
(nerveus Zijn goedkeurende blik laat gaan
over de gezegenden, terwijl zijn oren
vol zijn

Met de slopende muziek van
de ontelbare dartelende verdoemden)
– staart woest op en neer
het zegt, dit is het laatste oordeel

neem die drempel heb geen vrees
til het laken op zoiets.
Hier is een kleine Effies hoofd
wiens hersenen zijn van gemberkoek.

E.E. CUMMINGS (1894-1962)

De Amerikaanse dichter e.e. cummings, een van de meest be-
gaafde en onafhankelijke dichters van zijn tijd, schreef lyri-
sche gedichten, humoristische karakterschetsjes en bittere sa-
tires over het establishment en de zwakke punten van zijn
tijd.

Om e.e. cummings ten volle te waarderen, is het goed te weten dat
de energie van zijn poëzie ontsprong aan zijn uitzonderlijk sterk in-
dividualisme, waarbij hij graag tegen heilige huisjes schopte. Hij
was een navolger van Ralph Waldo Emersons krachtige verhandeling tegen het gevestigde gezag: *Zelfvertrouwen*. Toen hij in de Eerste

Wereldoorlog in Europa diende, werd hij door zijn eigen leger in een strafkamp opgesloten vanwege zijn vriendschap met een Amerikaan die kritisch tegenover oorlogsinspanningen stond. De Franse censuur achtte hem een mogelijk gevaar omdat hij een eigen mening had. Hij ging zelfs zover dat hij wettelijk zijn naam met alleen kleine letters schreef, en zijn gedichten schreef hij ook meestal in kleine letters, waarbij hij ook gebruikmaakte van excentrieke interpunctie en frasering. Hij reisde zesendertig dagen door Rusland, wat zijn afkeer voor collectivisme nog eens extra bevestigde, en hem des te meer steunde in zijn overtuiging dat het belangrijk was om een eigen mening te hebben en in opstand te komen tegen het gezag, vooral wanneer het gezagconformiteit verlangt.

Dit gedicht, het verhaal van God die op de dag des oordeels Effie begroet, is al een hele tijd echt een van mijn favoriete gedichten. Er spreekt duidelijk cummings' onwankelbare geloof uit in de afscheiding en zelfstandigheid van New England. Ik geniet van het beeld van God die zich over de deksel van de doodkist buigt en tot zijn verbazing geen Effie aantreft. Het hersenloze schepsel werd door de dichter vervangen door de zes symbolen van leeghoofdigheid, die cummings de zes kruimels noemt. Deze broodkruimels zijn alles wat Effie nog overheeft aan hersens, en hij vraagt ons allemaal om eens te kijken hoe vaak we zelf deze conformerende kruimels gebruiken in plaats van onze eigen individualiteit.

De naam van de eerste kruimel is 'mag', een van de 'ontelbare nietsnutten' zoals cummings zijn zes hersenloze kruimels noemt. 'Mag' moet toestemming hebben van de anderen om iets te doen, zoals bijvoorbeeld in: 'Mag ik alstublieft uw toestemming om dit of dat te doen...?' Dit woordje 'mag' symboliseert twijfel aan jezelf en de neiging om bevestiging te zoeken door de goedkeuring en het gezag van anderen. Wanneer je dat woordje altijd gebruikt, zegt cummings, vervang je je hersens door broodkruimels.

De naam van kruimel nummer twee is 'had', en zijn manier van leven is: 'Het had anders kunnen zijn.' Het is een enorme uitdaging om te doen wat de dichter vraagt: dat is om de neiging je op een dergelijk serviele manier te gedragen te onderdrukken want anders dreigt het gevaar dat er niets tastbaars is wat God op de dag des oordeels kan verwelkomen!

Kruimel drie, vier en vijf zijn een drieling die een leeg en braakliggend leven zonder enige vorm van persoonlijke kracht symboliseren. 'Zou' is het woord dat we gebruiken wanneer we met weemoed over onze daden uit het verleden praten. Hier praten we over een handeling, maar we bespreken het niet op basis van wat we hebben gedaan, maar wat we zouden moeten doen. In werkelijkheid kun je echter nooit iets 'zou hebben gedaan'. 'Je kunt niet vorige week hier "zou moeten zijn geweest",' zei ik tegen een taxichauffeur nadat hij had gezegd: 'Het is hier deze week prachtig weer, maar u zou hier vorige week moeten zijn geweest.' Iedereen die uitsluitend naar hun 'zou' leven, heeft een onmogelijk leeg leven, waarbij ze het heden gebruiken om te treuren over wat ze wel of niet zouden moeten doen.

Het kleine zusje 'kon' en grote broer 'wou' zijn aanwijzingen dat er een bordje met 'kamer vrij' is geplaatst, want de eigenaar van de hersens is niet beschikbaar. Die drie kindertjes leiden een leven waarin wanhoop een rol speelt als ze hun beslissingen en handelingen vol hoop bespreken. 'Ik wou wel, als ik maar kon', waarmee broer en zus zich in dezelfde zin verontschuldigen om te verklaren waarom ze geen initiatief hebben getoond en iets hebben ondernomen. Wanneer ze op een vragende manier worden gebruikt, zoals in 'Ik wou wel graag toestemming' of 'Ik wou maar dat het goed was', zijn het broodkruimels die in de plaats komen van een helder en vastberaden verstand. Wanneer ze worden gebruikt om te verklaren waarom iets niet goed uitpakte, zijn ze ook het materiaal dat leeghoofdigheid symboliseert.

De laatste moet met enige schaamte toegeven dat zijn naam 'moest' is, het laatste symbool van een lege plank. Dit is de kruimel die wordt gebruikt om uit te leggen aan welke verplichtingen je moet voldoen, wat de anderen van je verwachten en eisen. 'Ik moest dit wel doen, want zij zouden teleurgesteld zijn als ik het niet doe.' 'Ik moet volgens mijn opvoeding te werk gaan, anders stort ik in elkaar.' Mijn vriend en leermeester Albert Ellis noemt deze neiging 'moesterberen'.

Hier hebben we de zes kruimels in een hoofd dat zo leeg is dat God zich verbaasd vooroverbuigt, omdat hij verwacht dat er iets zal opstaan. Dit is een persoonlijke inventaris van excuses die we veel vaker gebruiken dan we ons bewust zijn. Het lijkt vaak heel natuurlijk om toestemming te vragen en die te krijgen in plaats van je leven in eigen hand te nemen. Wanneer we zeggen: 'Mag ik?' zeggen we in feite: 'Ik vertrouw mezelf niet genoeg om de nodige stappen te zetten, dus leg ik mijn leven maar in andermans handen.' Cummings vindt dit hetzelfde als geen hersens hebben, of toch in elk geval hersendood zijn, en broodkruimels te hebben terwijl het Gods bedoeling was dat je een denkend mens zou zijn.

Wanneer we praten over wat we zouden moeten doen, of wat we konden hebben gedaan, of wat we wilden doen, zijn we niet afgestemd op ons realiteitssysteem. Niemand kon iets anders hebben gedaan dan hij heeft gedaan. Punt! Niemand zou wat dan ook anders hebben kunnen doen, en niemand had het anders willen doen, onder wat voor omstandigheden ook. We hebben het wel gedaan! Je kunt lering trekken uit alles wat je hebt gedaan, maar we hebben nu niets meer aan 'had' en 'zou' en 'wou'.

Het gebruiken van de drieling is hetzelfde als broodkruimels op de plaats van je denkproces stoppen. Je hoeft niet te 'moesterberen', je bent vrij om je eigen leven te dirigeren, op je eigen manier, ongeacht al die anderen die je vroeger hebben opgezadeld met al dat 'moeten'.

Maak jezelf niet tot een Effie die God niet kan vinden wanneer je van deze wereld afscheid neemt. Je hebt hersens gekregen en het vermogen om op basis van dat opmerkelijke orgaan te denken en te handelen. Laat het niet vergaan tot een paar kruimels door die zes symbolen van leeghoofdigheid te benutten. Om de ideeën van deze scherpe, krachtige dichter in je leven aan het werk te zetten, kun je met de volgende ideeën beginnen:

• Zorg dat je je inhoudt zodra je bemerkt dat je een van deze zes kruimels wilt gebruiken. Dan ben je in staat om ze niet alleen uit je vocabulaire te verwijderen, maar ook uit je leven.

• Vraag niet voortdurend om toestemming wanneer het om belangrijke beslissingen in je leven gaat. In plaats van te vragen: 'Mag ik dat seminarium bijwonen?' of 'Zou het goed zijn als ik naar deze lunch ging?', zeg je in duidelijke bewoordingen wat je van plan bent. Zeg: 'Ik ga naar die vergadering', of 'Ik heb deze lunch in mijn agenda gezet. Ga je mee?'

- Klamp je niet langer aan verantwoordelijkheden vast die anderen je zonder jouw toestemming hebben opgedrongen. Jij bent de enige die jouw verantwoordelijkheden kunt uitkiezen, en je hoeft het niet op te nemen tegen welke vorm van 'zou' ook, tenzij het je eigen keuze is. Verander je zou en moet in je eigen opties en voer ze uit terwijl je je zeer bewust van je eigen karakter, je eigen kracht, en het allerbelangrijkst, je eigen leven bent. Broodkruimels zijn niets voor jou!

De weg niet genomen

Twee wegen scheidden zich in een geel woud,
En met spijt dat ik niet beiden kon bereizen
En maar één reiziger, stond ik lang
En keek de ene af zo ver als ik kon
Tot waar hij afboog in het kreupelhout;

Toen nam ik de ander, vanwege gelijke kansen,
En misschien een betere kans,
Omdat het begrast was en betreed diende te worden;
Wat dat aangaat had het passeren daar
Hen ongeveer evenveel versleten,
En beide lagen die morgen evenzeer bedekt
Met bladeren die niet zwart gelopen waren.
O, ik bewaarde de eerste voor een andere dag!
Tegelijkertijd wetend hoe een pad leidt naar een ander
Twijfelde ik of ik ooit terug zou komen.

Dit zal ik met een zucht vertellen
Ergens eeuwen en eeuwen later:
Twee wegen scheidden zich in een woud, en ik –
Ik nam die welke het minst bewandeld was,
En dat maakte het verschil.

ROBERT FROST (1874-1963)

*Robert Frost, die vele keren de Pulitzerprijs heeft gekregen,
is befaamd om zijn poëtische schilderingen van het platteland
van de Verenigde Staten en van de menselijke ziel.*

*W*anneer Frost het heeft over de weg inslaan die 'het minst bewandeld' is, spreekt hij over iets wat heel wat ingrijpender is dan
alleen het uitpikken van de minst drukke zijweg bij een splitsing.
De beide wegen buigen af naar de bossen, en Frosts overpeinzing:
'Twijfelde ik of ik ooit terug zou komen' betekent in feite: 'Had ik
maar één keus. Ik kan niet de ene weg nemen en als die niet goed
blijkt, teruggaan en de tweede proberen.' Hij weet dat hij de keus
heeft, en het criterium dat hij gebruikt om een beslissing te nemen,
is zijn instinct, dat hem prompt aanraadt de minst bereisde weg te
nemen.

Ik lees in dit gedicht een raad die op alle vlakken van ons leven van
toepassing is. Voor mij zegt Frost dat we niet zomaar de meute achterna moeten lopen, en dat we niet de gemakkelijke weg moeten
kiezen omdat iedereen dat doet. En ook dat je de dingen op je
eigen manier moet doen, onverschillig hoe anderen het doen of altijd hebben gedaan. In het laatste vers van dit gedicht van Robert
Frost, dat je misschien wel het langst bij zal blijven, wordt de waardevolle levensles dat we het leven moeten leiden dat we zelf verkiezen, nog eens onderstreept door de poëtische conclusie dat een leven dat op die manier wordt geleid, alle verschil maakt.

Mijn vrouw en ik zijn de ouders van acht prachtige kinderen. Onze
voornaamste zorg is om hen te helpen bij hun ontwikkeling maar
hen daarbij hun eigen doel te laten nastreven. Het enige wat wij
kunnen doen, is hen zoveel mogelijk voor onheil te behoeden. Elke
dag horen we verhalen van jonge mensen die het slachtoffer zijn
geworden van verschrikkingen als aanrijdingen door dronken bestuurders, overdoses drugs, criminele aangelegenheden en seksueel
overdraagbare ziekten die vaak de dood betekenen. Wanneer we
die dingen met onze kinderen en met hun vrienden bespreken,
krijgen we vaak woorden als 'Dat doen ze allemaal' te horen. We
horen zinnetjes als 'onder druk van de vrienden' en dat het normaal
is dat jonge mensen graag willen worden geaccepteerd door hun
vrienden. Niemand, krijgen we regelmatig te horen, wil een 'watje'
lijken dat nergens bij hoort. En altijd herinner ik hen aan dit gedicht, *De weg niet genomen*. Ervan uitgaand dat je niet kunt beslissen
welke weg je moet nemen omdat ze er allebei uitnodigend uitzien,
volg dan de raad van de dichter op en neem de weg die het minst
bereisd is, want dat zal in je leven alle verschil uitmaken.

Als iedereen lijkt te denken dat het cool is om te drinken en drugs te gebruiken, en je weet niet wat jij moet doen, sla dan een andere weg in. Kies de weg die jij en alleen jij gaat afleggen, en dat zal dan alle verschil uitmaken. Een van de redenen waarom druk van vrienden zoveel uitwerking heeft op jonge mensen, is dat de volwassenen ten offer vallen aan diezelfde mentaliteit van het groepsdenken. We vinden vaak verontschuldigingen voor de jongelui omdat we zelf moeite hebben ons leven anders te leiden.

Het samenstellen van deze verzameling essays, gebaseerd op het creatieve aanbod van zoveel grote zielen uit de hele geschiedenis, heeft mij de ogen geopend. Voordat ik opschreef wat de dichter of schrijver ons volgens mij tegenwoordig nog te zeggen heeft, las ik alles wat ik maar kon vinden over hun leven en de keuzen die zij tijdens hun leven hebben gemaakt. Vrijwel al deze mensen die wij in ere houden, hebben de minst bereisde weg gekozen, en dat is waarom zij in staat waren hun leven anders te laten zijn.

Van Frost werd verwacht dat hij boer, jurist en vervolgens docent zou worden. Hij probeerde boer te zijn, maar zag ervan af. Hij ging naar de universiteit om rechten te studeren zoals zijn grootvader graag wilde, maar vertrok vrijwel meteen zonder opgave van reden. Hij vertrok van Harvard omdat hij ziek was, misschien wel veroorzaakt omdat hij de méést bereisde weg had geprobeerd. Maar het dichten zat hem in het bloed, en toen hij de weg nam die maar weinigen hadden bereisd, maakte dat alle verschil, en vandaag de dag hebben wij dankzij die keus zijn poëzie. Door gelijksoortige keuzen hebben we ook nu nog de muziek van Mozart, de schilderijen van Michelangelo en de beeldhouwwerken van de oude Grieken.

De gedichten van Frost dagen je uit de druk van je vrienden te vergeten en in plaats daarvan te weten dat je, als je echt je leven wilt veranderen, dat niet kunt doen door dingen te doen op de manier waarop iedereen het doet, en zelfs niet omdat iedereen het doet. Als jij een leven verkiest dat net als dat van de anderen is, wat heb je dan precies te bieden? De meest bereisde weg is de weg die je zal toestaan erbij te horen, geaccepteerd te voelen, en zelfs verculturiseerd te worden. Maar die keus zal je nooit de kans geven anders te zijn. Als je al deze indringende bijdragen leest van grote denkers uit alle tijden, dan zuig je de wijsheid op van hen die zeer vaak de weg kozen die het minst bereisd werd. Hun schrifturen bleven voortbestaan omdat zij op de door hen gekozen weg bleven doorgaan, ondanks de kritiek van al diegenen die de gebruikelijker weg insloegen.

In mijn eigen beroep ben ik bereid geweest om over onderwerpen en ideeën te praten die werden bekritiseerd door hen die de meest bereisde weg waren ingeslagen. In het begin zat de weg die ik had genomen vol kuilen en steenslag. Toch is mijn werk altijd voortgekomen uit de plek waarin ik het meest vertrouwen heb – mijn eigen hart – en dus bleef ik volhouden. Terwijl de jaren verstreken, raakte mijn weg geplaveid en goed verlicht. Nu hebben velen die ooit vonden dat het een belachelijke weg was, mijn zijde gekozen. Ik krijg vaak te horen: 'Vroeger vond ik je ideeën krankzinnig, maar nu bevalt het me wat je destijds zei.' Ik ben zo gelukkig te hebben ervaren wat Robert Frost heeft beschreven.

Frost schreef over de gewone man en de ongewone keuzen die hij kan maken wanneer hij zijn instinct volgt in plaats van de grote meute. Wat een prachtige les is dat voor jou, voor mij en voor al onze kinderen. Ik ben een van die kinderen die nu hun kinderen vertellen om de minst bereisde weg in te slaan. Ik moedig jou aan om het plezier te leren kennen je eigen weg te kiezen en het dan 'met een zucht jaren en jaren later te vertellen'. Ik hoop maar dat er dan meer kinderen in de wereld zullen zijn die volwassen worden en weten dat het nooit druk is op die andere weg.

Als je deze boodschap in je leven wilt laten werken, begin dan vandaag.

- Houd op met anderen te imiteren om op die manier waarde aan je leven te geven. Als vele anderen anders denken, als de meerderheid anders denkt en je voelt je niet thuis bij dat groepsdenken, geef dan een andere waarde aan jezelf door de weg te nemen die je hart je wijst.

- Doe je uiterste best om in je relaties geen vergelijkingen te maken. Van iemand verwachten dat hij zich aan de normen van anderen zal conformeren, doet geen goed aan het gevoel van eigenwaarde en individualiteit.

- Luister naar je eigen hart als je de weg moet kiezen die je wenst te volgen. Ook al wijst je hele opleiding een andere kant uit maar die komt niet overeen met wat je nu voelt, begin dan aan het avontuur van het onderzoeken van de minst bereisde weg. De beloning in de vorm van zelfvoldaanheid zal het aanpassen aan de doorsnee verre overtreffen.

- Houd jezelf voor ogen, zoals Robert Frost in dit gedicht doet, dat het heel onwaarschijnlijk is dat je de kans zult krijgen om terug te gaan en de weg te kiezen die je echt wilde proberen maar niet verkoos omdat hij het minst bereisd was.

Vrouw-zijn

Waarom is het, wanneer ik in Rome ben
Dat ik alles zou geven om thuis te zijn,
Maar als ik op mijn geboortegrond ben,
Mijn geest verlangt naar Italië?

En waarom ben ik, mijn lief, mijn heer,
Met jou verschrikkelijk verveeld,
Toch als je gaat en mij verlaat – dan
Schreeuw ik of je terug komen kan?

DOROTHY PARKER (1893-1967)

*De Amerikaanse schrijfster van korte verhalen, gedichten en
kritieken Dorothy Parker stond bekend om haar scherpe geest.*

Dit gedicht, geschreven in de spitsvondige en intelligente stijl die
het handelsmerk van Dorothy Parker was, weerspiegelt een bekende neurotische eigenschap die de meesten onder ons wel herkennen. Ze verbaast zich in dichtvorm over die merkwaardige neiging om te willen hebben wat we niet hebben en als we het dan
hebben, het niet meer willen hebben! Een van de grote raadselen
van de mens! Waarom komt het zo vaak voor dat we niet weten te
genieten van wat we nu hebben en blijven we zoeken naar iets anders? Dorothy Parker noemt het *Vrouw-zijn*, maar als ik mijn seksege-
noten eens bekijk, mezelf inbegrepen, zou ik dit uit twee verzen
bestaande gedicht liever *Mens-zijn* willen noemen.
Zovelen van ons lijden aan de aandoening zich niet volledig in het
heden te kunnen laten opgaan, terwijl het heden toch de enige plek
is waar we volledig in onszelf kunnen opgaan. Waarom verspillen
we al die kostbare momenten die het leven ons nu schenkt aan het

intense verlangen naar wat we niet hebben? Waarom verspillen we zoveel kostbare momenten met schuldgevoelens over het verleden of angst voor de toekomst, of met wensen ergens anders dan hier te zijn, zoals Dorothy Parker zo bondig weergeeft in dit korte gedicht? Mijn antwoord op die vragen is dat we dat doen omdat we het leven niet-waarderend in plaats van waarderend tegemoettreden. De oplossing voor dat dilemma is zo simpel dat het aan vrijwel ieders aandacht ontsnapt. Het enige wat moet gebeuren, is dat we waarderend gaan leven in plaats van niet-waarderend. Je hoeft niets anders te doen dan het besluit te nemen dat je je ervan bewust bent dat je, met de gedachten die je diep vanbinnen koestert, je huidige leven verspilt. Wanneer je in Rome bent en je denkt aan thuis, of andersom, knijp jezelf dan even in de arm en doe je best om Rome niet langer met een niet-waarderende blik te bekijken maar juist met een waarderende. Een dergelijk woordje tegen jezelf zal voorkomen dat je in de val belandt waar je nooit tevreden zult zijn met wat je nu hebt.

Een eigenschap die ik bij zeer goed functionerende mensen heb waargenomen, is hun griezelige vermogen om het verleden én de toekomst buiten te sluiten. Wanneer je in hun nabijheid verkeert, kijken ze je recht aan, en dan weet je dat je hun volle aandacht hebt. Bezorgdheid maakt geen deel uit van hun leven. Een van die mensen legde het me als volgt uit: 'Punt een: het heeft geen zin om je zorgen te maken over dingen die je niet kunt controleren, want als je ze niet kunt controleren, heeft het geen zin om je er zorgen over te maken. En punt twee: het heeft geen zin om je zorgen te maken over de dingen waarover je wel controle hebt, want als je er controle over hebt, heeft het geen zin om je er zorgen over te maken.' En daarmee vervliegt letterlijk álles waarover je je zorgen zou kunnen maken. Ik vind deze boodschap zo belangrijk, dat je haar keer op keer voor jezelf zou moeten herhalen.

Bijvoorbeeld: als ik in Rome ben, heb ik absoluut geen controle over thuis. Dus kan ik ervoor kiezen om niet langer niet-waarderend naar Rome te kijken en waarderend naar thuis, omdat ik nu eenmaal in Rome ben. Nog een voorbeeld: wanneer ik bij iemand ben die me verveelt, komt dat omdat ik er bewust voor heb gekozen om degene in wiens gezelschap ik verkeer niet-waarderend te bekijken en om alleen maar waarderend te kijken naar de plek waar

DOROTHY PARKER / *Waardering*

ik niet ben. Dus zelfs al zou ik weggaan bij de personen die me vervelen, dan handhaaf ik nog steeds dat neurotische denkproces. Ik waardeer wat er niet is en ik kijk niet-waarderend naar mijn alleenzijn, want dat is wat nu plaatsvindt. Door te leren waarderen wat er nu is, en om niets niet-waarderend te bekijken, verdwijnt het dilemma dat de geestige mevrouw Parker ons in haar gedicht voorlegt. Het is doodgewoon een kwestie van de juiste beslissing op het juiste moment.

Vaak merk ik dat ik, wanneer ik mezelf heb teruggetrokken om te schrijven, ook in de val beland waarover de dichteres het heeft. Weg van het lawaai en de voortdurende onderbrekingen van een grote familie merk ik dat ik bij hen wil zijn. Maar wanneer ik dan weer thuis ben, merk ik dat ik naar de beslotenheid en eenzaamheid van mijn schrijfplek verlang. Mijn uitweg is om me bewust te worden van wat ik aan het doen ben en op welke manier ik mijn gedachten gebruik, en dat ik me onmiddellijk naar het heden moet verplaatsen. Ik heb de gewoonte om onder het schrijven waarderend naar alles om me heen te kijken. Ik kijk naar buiten en zeg dank voor deze omgeving en de gelegenheid om hier en nu scheppend bezig te zijn. En dan wordt het schrijven tot een enorme bron van vreugde. Hetzelfde doe ik wanneer ik thuis ben en de kinderen rondrennen en er geen eind aan de drukte lijkt te komen. Dan zet ik alle gedachten over ergens anders zijn uit mijn hoofd en doe mijn best om alles waarderend te bekijken. Ik kijk naar mijn vrouw in ons huis en denk wat een geluk ik heb dat ik hier mag zijn. Ik heb zelfs waardering voor de meest voor de hand liggende dingen die we meestal als vanzelfsprekend beschouwen, zoals de koelkast, de schilderijen aan de muur of de blaffende honden. Het gaat erom van niet waarderen over te stappen op wel waarderen.

Ik begrijp heel goed waarom Dorothy Parker het meest bekend was vanwege haar vlijmscherpe, rake intelligentie; misschien heb ik haar daarom in dit boek opgenomen. Ik ben dol op satire en ik mag ook graag lachen. Toen haar werd verteld dat president Calvin Coolidge dood was, antwoordde ze: 'Hoe weten ze dat?' En in een kritiek van een toneeloptreden van Katherine Hepburn in 1934 schreef Parker: 'Ze heeft het hele emotionele spectrum van A tot B afgewerkt.' Ik ben me er goed van bewust dat Dorothy Parker nogal luchtig en met enige zelfspot in dit gedicht aan het woord is, maar toch wordt een van de voornaamste factoren over het leiden van een voluit functionerend leven aangeroerd.

Het voornaamste instrument voor het verkrijgen van mentaal welbehagen is misschien wel het vermogen om volledig in het heden te leven, zonder gedachten aan ergens anders. Henry David Thoreau zegt het als volgt: 'Hij die tijdens zijn leven geen moment aan het verleden verspilt, is het meest gezegend van alle stervelingen.' Ik zou er met diep ontzag tussen willen voegen: '... en evenmin aan toekomstverwachtingen'. Het verleden bestaat zonder meer, maar niet nu. En er is beslist een toekomst, maar niet nu.

Ons heden is een mysterie waarvan we deel uitmaken. We kunnen ook zeggen: een droom van het heden. Hier en nu is de plek waar alle mysterie verborgen ligt. En vergis je niet, ernaar streven om voluit in het heden te leven, is streven naar iets wat al het geval is. Je kunt dit kostbare heden waarderend gebruiken, wat betekent dat je met je beide voeten in het heden staat, of zonder waardering, wat betekent dat je wenst ergens anders te zijn. Maar wat we ook zeggen, het heden is alles wat er is, en alles wat ooit is geweest.

Geniet van het geestige gedichtje van Dorothy Parker en trek lering uit haar opmerkingen door de volgende suggesties in je heden in te voeren:

* Zorg dat het je opvalt wanneer je wenst ergens anders te zijn en stap meteen over op waardering voor waar je nu bent. Wanneer je plannen maakt, geniet dan voluit van dat plannen maken. Onthoud dat niet volledig in het heden opgaan alleen maar een gewoonte is waaraan je nu, op dit moment, een einde kunt maken!

* Ontdoe je van niet-waarderende gedachten. Wanneer je merkt dat je geen waardering hebt voor iets of iemand in je naaste omgeving nu, kijk dan of je die gedachten door waarderende kunt vervangen. In plaats van een gesprek te dulden dat je verveelt, kun je je gedachten verplaatsen en denken: ik ben van plan om voorlopig even deze persoon te mogen om wat hij is, verder niet. Door het verwijderen van je oordeel verplaats je jezelf weer voluit naar het heden.

- Neem de tijd om te mediteren. Meditatie is voor veel mensen zo moeilijk omdat ze hun gedachten altijd bij iets anders hebben. Een manier van mediteren is om de gedachte een etiket op te plakken zodra zij opduikt en vervolgens die gedachte los te laten. Die tactiek helpt je in de eerste plaats al om je bewust te worden van je gedachten, wat voor velen van ons een noodzaak is om naar het heden te kunnen terugkeren.

- Zorg dat je van elk onderdeel van een maaltijd geniet, puur om de maaltijd zelf, in plaats van je gedachten bij het toetje te hebben terwijl je nog van de hors d'oeuvres zit te smullen. Dat geldt ook voor het genieten van de zonsopkomst 's ochtends vroeg, en het wakker zijn overdag, en niet aan je bed denken terwijl je nog aan het werk bent. De essentie van deze hele boodschap is om hier en nu te zijn. Je kunt nergens anders zijn.

Kruis

Mijn ouweheer is een blanke oude heer
En mijn oude moeder is zwart.
Mocht ik ooit mijn blanke ouweheer hebben vervloekt
Dan neem ik mijn vervloekingen terug.

Mocht ik ooit mijn oude zwarte moeder hebben vervloekt
En gewenst dat ze naar de hel ging
Dan heb ik spijt van die gemene wens
En nu wens ik haar het beste.

Mijn ouweheer stierf in een mooi groot huis
Mijn ma stierf in een hut.
Ik vraag me af waar ik zal sterven,
Omdat ik wit noch zwart ben?

LANGSTON HUGHES (1902-1967)

De Amerikaanse dichter Langston Hughes schreef ook een roman, humoristische schetsen voor een krant, en een bundel met korte verhalen. Hij is het meest bekend vanwege zijn gedichten, waarin hij het ritme van de blues en de ballades gebruikt en die vaak een documentaire zijn over de beproevingen en vreugden van de zwarte Amerikaan.

*D*it korte gedicht, snel en geestig geschreven, van de hand van de man die ik als de voorvader van de Amerikaanse beweging voor de burgerrechten beschouw, is een huldebetoon aan de helende werking van vergiffenis, en tegelijkertijd een parodie op de absurditeit om mensen in hokjes te stoppen vanwege hun fysieke uiterlijk, en dan vooral vanwege de kleur van hun huid. De laatste regels van de

276

eerste twee verzen bevatten een dringende boodschap voor ons allemaal. Het is een opsomming van wat spiritualiteit en socio-mentale gezondheid nu echt inhoudt: 'Ik neem mijn vervloekingen terug' en: 'En nu wens ik haar het beste.' Wat wil Langston Hughes met die beide regels zeggen? Ik geloof dat hij erin uitdrukt dat hij spiritueel volwassen genoeg is om tegen zijn ouders te zeggen: 'Ik vergeef jullie en ik heb spijt van alle slechte gedachten die ik ooit over jullie heb gehad.'

De vrijheid die de eenvoudige daad van vergiffenis met zich meebrengt, spaart je de kosten van woede en de hoge kosten van haat. Vergiffenis kan gemoedsrust opleveren. Denk eens aan alles wat ooit tegen jou is gezegd en waarover je nu wrok of haat koestert. Elke grief of steek voelt aan alsof je door een slang bent gebeten. Je sterft maar zelden aan die verwonding, maar wanneer je eenmaal bent gebeten, kan dat niet meer ongedaan worden gemaakt, en de schade is aangebracht door het gif dat door je lichaam blijft stromen. Het gif is dus verbittering en haat waaraan je je, lang nadat je verwond bent geraakt, blijft vastklampen. Het is dat gif dat uiteindelijk je gemoedsrust verstoort.

Het tegengif is vergiffenis, wat niet zo moeilijk is als je misschien denkt. Als je gelooft dat vergiffenis een uitdagende handeling is die ongetwijfeld in botsing zal komen met alles waarmee je een heel leven lang hebt geworsteld, dan zeg ik dat precies het tegenovergestelde het geval is. Vergiffenis geeft vreugde, is gemakkelijk en, het allerbelangrijkste, het werkt enorm bevrijdend. Het ontdoet ons van de lasten van wrok en haat uit het verleden en is gewoon een ander woord voor loslaten. Ik spreek uit eigen ervaring en dat is misschien wel de reden dat ik me zo voel aangetrokken tot dit gedicht.

Mijn vader was een blanke oude man die uit mijn leven verdween toen ik nog een dreumes was en die nooit de moeite nam om eens een keer op te bellen. Hij heeft niet één keer van zijn leven opgebeld om te vragen hoe het met zijn drie jongens ging. Hij heeft een tijdje in de gevangenis gezeten, dronk buitensporig, mishandelde mijn moeder en vele andere vrouwen, stierf op negenenveertigjarige leeftijd aan levercirrose en werd in een graf voor armen in Biloxi in Mississippi begraven.

Ik droeg tot mijn dertigste die last van haat en wrok met me mee, en ben toen naar zijn graf gegaan, waar ik in essentie hetzelfde zei wat Langston Hughes zei: 'Ik neem mijn vervloekingen terug,' en door dat te doen heb ik mijn leven letterlijk getransformeerd. Het schrijven begon te lopen, de aanpak van mijn gezondheid verbeterde beduidend, mijn relaties verplaatsten zich van vijandigheid naar een spiritueel verbond, en het allerbelangrijkste, ik voelde me bevrijd van de last om dat gif door mijn aderen te moeten pompen. Wanneer we leren te vergeven, stijgen we boven diegenen uit die ons hebben beledigd of gegriefd, en vergiffenis maakt een eind aan alle ruzies. Het laatste vers van het gedicht van Langston Hughes spreekt over het in hokjes stoppen om onszelf te identificeren aan de hand van uiterlijke kenmerken.

Søren Kierkegaard, de beroemde Deense theoloog, merkte ooit op: 'Nadat u mij eenmaal van een merkteken hebt voorzien, loochent u mij.' Ik kan niets bedenken wat net zo non-spiritueel en mensonwaardig is als onszelf en anderen in keurige hokjes te stoppen op basis van welk etiket ook en vervolgens iedereen aan de hand van die etiketten te gaan beoordelen. Toch gebeurt dat voortdurend. Onze regering vraagt ons bij een volkstelling om formulieren in te vullen om ons op die manier voor wat betreft ras keurig in hokjes onder te kunnen brengen. Financiering wordt aan de hand van diezelfde kenmerken toegewezen, en de vooroordelen tieren welig omdat we de neiging hebben elkaar te beoordelen aan de hand van wat we met onze ogen zien in plaats van wat we met ons hart voelen. We weten dat onze inwendige organen uitwisselbaar zijn en we kunnen elkaars bloed lenen, maar toch vinden we het nog steeds nodig om ons aan de hand van uiterlijkheden etiketten op te plakken.

We hebben een goede vriend die op Maui woont. Zijn vader – die lange tijd van zijn gezin gescheiden is geweest – is zwart en zijn moeder is blank. Net als Langston Hughes is hij door zijn moeder en grootmoeder grootgebracht. Hij merkte eens een keer terloops tegen me op: 'Omdat ik niet zwart en niet blank ben, heb ik niemand om te haten.' We kunnen heel wat lering trekken uit die opmerking.

Ik vind de laatste twee regels van Langston Hughes prachtig. Ze sommen op waarom het zo bespottelijk is om de mensen in hokjes te stoppen. 'Ik vraag me af waar ik zal sterven, omdat ik wit noch

zwart ben.' Wat een dilemma. We weten precies wat we met zijn
vader en moeder moeten doen, maar wat moeten we met hem?
Langston Hughes schreef zijn gedichten in de jaren twintig en dertig van de twintigste eeuw, toen in de Verenigde Staten rassenhaat
en spanningen hoogtij vierden. En hij sprak met grote moed recht
uit zijn hart. Misschien is zijn beroemdste gedicht wel *Ook ik zing
Amerika*. Ik geef het hier nog een keer voor u weer zodat u het kunt
lezen en kunt nadenken over de beide thema's vergiffenis en merken.

Ook ik zing Amerika

Ik ben de donkere broer.
Ze sturen me naar de keuken om te eten
Wanneer er bezoek komt,
Maar ik lach,
En eet goed,
En word sterk.

Morgen,
Zal ik aan tafel zitten
Wanneer er bezoek komt.
Niemand zal tegen me
Durven zeggen
'Ga in de keuken eten.'
Dan.
Bovendien,
Zullen ze zien hoe mooi ik ben
En zich schamen...

Ook ik ben Amerika.

Al die jaren geleden hield hij ons al voor dat we ons moeten schamen wanneer we iemand in een hokje stoppen. En hij had gelijk.
'Morgen... zal niemand tegen me durven zeggen: "Ga in de keuken
eten"'', en dat komt omdat een man als Langston Hughes in staat
was om te lachen en sterk te worden en zich mooi te voelen, ook al
beweerde iedereen het tegendeel. En ja, hij was in staat te vergeven.

Hij wijst ons erop dat iedereen gelijk is, net als William Blake deed, die over zijn afkeer van vooroordeel schreef en ons zijn dichterlijke vermaning naliet: 'In de hemel is vergeten en vergeven de enige kunst van leven.'

Om de ideeën van Langston Hughes nu in je eigen leven te laten werken, kun je het volgende doen:

- Maak een lijstje van iedereen die jou ooit onrecht heeft aangedaan, het doet er niet toe hoe recent of hoe ernstig het was, en besluit dan om het los te laten. Vergiffenis is een daad van het hart. Doe het voor jezelf, opdat je het tegengif krijgt voor het gif dat je in je hebt laten rondstromen.

- Wees je ervan bewust dat je ouders (en alle anderen uit je verleden) deden wat ze konden, maar dat ze handelden vanuit de omstandigheden waarin hun leven zich afspeelde. Je kunt niet meer van iemand verlangen. Misschien zou je het niet op die manier hebben gedaan, dus trek er lering uit. Vergeven is erkennen dat diepe wonden niet genezen, tenzij je vergiffenis schenkt. Dus besluit je dat te doen, dan zul je je onmiddellijk vrijer voelen dan ooit.

- Doe zo goed mogelijk je best om de hokjesmentaliteit uit je leven te bannen. Kijk verder dan de huid en de beenderstructuur, kijk naar de ontplooiing van God in de mensen en spreek hen en jezelf aan vanuit die ruimte zonder hokjes. En onthoud te allen tijde dat iedereen, zonder uitzondering, het recht heeft om te zeggen: 'Ook ik zing Amerika.'

GEWELDLOOSHEID

De geweldloze benadering zal niet onmiddellijk het hart van de tiran veranderen. Eerst raakt het de harten en zielen van hen die het zijn toegewijd. Het zal hun nieuw zelfrespect geven; het boort bronnen van kracht en moed aan waarvan ze niet wisten dat ze die bezaten. En ten slotte bereikt het de tegenstander en brengt het zijn geweten zodanig in beroering dat verzoening werkelijkheid wordt.

MARTIN LUTHER KING JR. (1929-1968)

Dr. Martin Luther King jr. was predikant van de baptisten en vurig voorvechter voor de burgerrechten door middel van geweldloze acties. Hij werd in 1968 door de kogel van een moordenaar geveld.

Dit citaat van dr. Martin Luther King jr. doet me denken aan een verhaal over Boeddha. Het verhaal gaat dat een man had gehoord dat Boeddha de reputatie had vreedzaam en geweldloos te zijn, ondanks alles wat hij in zijn leven had meegemaakt. Deze man besloot om de goddelijke te beproeven, en hij legde een lange weg af om bij hem te komen. Drie dagen lang gedroeg hij zich grof en lomp tegen Boeddha. Hij bekritiseerde alles wat Boeddha deed of zei en had er van alles op aan te merken. Hij viel Boeddha met woorden aan, in een poging hem zover te krijgen dat hij kwaad zou worden. Maar Boeddha kwam niet één keer in de verleiding. Elke keer weer reageerde hij met liefde en vriendelijkheid. Uiteindelijk kon de man het niet langer verdragen. 'Hoe kunt u zo vreedzaam en vriendelijk zijn, terwijl alles wat ik tegen u zei een grove belediging was?' vroeg hij. Boeddha antwoordde met een vraag. 'Als iemand u een geschenk aanbiedt en u neemt dat geschenk niet aan, van wie is dan het geschenk?' zei Boeddha. De man had zijn antwoord gekregen.

Als iemand jóú woede of vijandigheid schenkt en je neemt het niet aan, dan blijft het het eigendom van de gever. Waarom woedend of van streek worden over iets wat niet je eigendom is?

Dit is de essentie van de boodschap die dr. Martin Luther King ons voorhoudt. Wanneer je de geweldloze benadering verkiest, dan zul je als eerste de uitwerking ervan merken. Je bent minder geneigd om de geschenken van animositeit te aanvaarden die op je weg komen. Je wilt gewoon 'passen' wanneer anderen je tot twistgesprekken of conflicten willen verleiden. Je eerste oogmerk zal niet zijn om iemand te veranderen, maar eerder om jezelf doelbewust en vol liefde tot een werktuig van erbarmen en verdraagzaamheid te maken. Hoe vreedzamer je vanbinnen wordt, hoe minder je zult worden geraakt door de vijandigheid of ontevredenheid van anderen.

Wanneer dr. King zegt dat er iets met het hart en de ziel gebeurt van iedereen die voor geweldloosheid heeft gekozen, dan heeft hij het niet alleen over de beweging van de burgerrechten of de klassenstrijd. Dan vertelt hij ons ook dat we ons, als we ons kunnen uitspreken voor een vreedzaam hart, ook moediger zullen gedragen en met een kracht die we nooit eerder hadden ervaren. Wanneer de mensen rondom ons ons in hun strijd willen betrekken, zal onze belofte om ons vreedzaam te gedragen ons de kans geven eerst een ander soort dialoog met onszelf te voeren, zelfs nog voordat we maar overwegen of we de 'geschenken' die ons worden aangeboden zullen accepteren. Wij stellen dan vast dat 'ik voor de vrede kies in plaats van voor dit'. Na een reeks van dit soort gesprekken met onszelf zullen we automatisch vreedzaam reageren.

Mijn vrouw Marcelene is een zeer vreedzame, meditatieve vrouw, en is dat ook altijd geweest in de meer dan twintig jaar dat we nu bij elkaar zijn. Tijdens de eerste jaren wilde ik nog wel eens proberen haar met mijn nogal harde stem tot een discussie te verleiden, maar zo speelde ze het relatiespelletje nu eenmaal niet. In feite maakte ze met haar gedrag duidelijk: 'Ik ben er niet in geïnteresseerd om ruzie met jou te maken', en ze toonde me een vreedzaam gezicht terwijl ze weigerde toe te geven aan mijn pogingen om een discussie op touw te zetten. Het duurde niet lang voordat ik tot het besef kwam dat ik deze vrouw mijn manier van denken niet kon opdringen. Ik besefte dat het heel moeilijk is om ruzie te krijgen met iemand die totaal niet in ruzie is geïnteresseerd. Ze probeerde mij niet met haar gedrag te veranderen. Ze reageerde vreedzaam vanuit haar belofte van trouw aan geweldloos gedrag.

Wanneer je deze prachtige woorden van dr. King leest en herleest, houd jezelf dan ook voor dat je met je streven om een geweldloos persoon te worden niemand zult veranderen en de gang van zaken op de wereld ook niet even recht zult zetten. Je doel is het om jezelf het zelfrespect te geven dat je als goddelijke schepping van God verdient, en dat je de pijn wilt wegnemen die verbonden is aan conflicten en onrust. Dan zul je moeiteloos de kracht van je zelfrespect en vreedzaamheid uitstralen, en alleen door je aanwezigheid iedereen in je buurt beïnvloeden.

Er wordt van Boeddha en Jezus Christus gezegd dat alleen al hun aanwezigheid in een dorp, meer niet, genoeg was om het bewustzijn van iedereen die in de buurt was, op te trekken. Je hebt dit vermoedelijk zelf ook wel eens in de nabijheid van hoogontwikkelde personen ervaren. Ze lijken feromonen van liefde uit te scheiden die je een gevoel van vrede en zelfverzekerdheid geven. Mijn ervaring is, dat we letterlijk de energie van welke omgeving ook kunnen veranderen door te besluiten een gelofte af te leggen in de trant van deze, die afkomstig is uit *A Course in Miracles*: 'Ik blijf vreedzaam en geweldloos, wat me ook wordt aangeboden.'

Ik heb geweldloze feromonen van energie uitgescheiden bij vele gelegenheden waar ik vroeger geen enkele invloed dacht te hebben. Bij de kruidenier, waar ik ouders zie of hoor die zich tegen een kind misdragen, stap ik letterlijk in het energieveld en laat mijn vreedzame, liefhebbende energie met dat veld in contact komen. Het klinkt krankzinnig, maar het lijkt altijd te werken. Zoals dr. King het zo fraai zegt: 'Het bereikt de tegenstander en brengt zijn [en haar] geweten zodanig in beroering dat verzoening werkelijkheid wordt.'

Wanneer het kinderen zijn die zich misdragen en ruzie willen maken, laat hun dan een echt en levend voorbeeld zien van een persoon die niet bereid is om eraan mee te doen. En laat de ander in de relaties binnen je gezin eerst en vooral in je hart en ziel kijken om te zien wie hier de vreedzame is. Het is altijd je eigen keus of je aan boosaardigheid of aan goedaardigheid wilt meedoen, zelfs als je het gevoel hebt dat je wordt opgehitst. Haal je dan de woorden van Boeddha over het geschenk voor de geest, dan weet je dat de geweldloosheid die dr. King predikte en toepaste, elke dag op ons eigen leven is toe te passen.

Om deel uit te maken van die geweldloze beweging, kun je het volgende eens proberen:

- Houd jezelf in voordat je met geweld op geweld reageert, het maakt niet uit welk soort geweld het is, en beloof jezelf dat je een werktuig van de vrede zult zijn, zoals al onze spirituele leermeesters ons altijd hebben voorgehouden.

- Werk elke dag aan jezelf om een vreedzamer houding te verkrijgen. Neem de tijd om te mediteren, doe aan yoga, lees gedichten, ga in je eentje wandelingen maken, speel met kinderen en dieren, en doe verder alles wat je een gevoel van liefde en geliefd zijn zal geven.

- Span je extra in om het geweld uit je leven te bannen. De kranten en nieuwsberichten die je nieuwsgierigheid naar vijandigheid en kwaadaardige haatgevoelens proberen te prikkelen door je vol te stoppen met eindeloze verslagen, beroven je van je gevoel van vrede. Keer je af van die bronnen en wanneer je dit soort verslagen hoort, denk er dan aan dat tegenover elke daad van onmenselijkheid tegen de mens duizend daden van vriendelijkheid staan.

- Onthoud dit oude Chinese spreekwoord: 'De wijzen zwijgen, de begiftigden praten en de dommen maken ruzie.'

✱ VERGELIJKING ✱

Dus dat is waaraan ik mijzelf doe denken

Als ik denk aan mannen met gouden talenten,
Ben ik verheugd, op mijn bescheiden wijze,
Te ontdekken, wanneer ik de balans opmaak,
Hoeveel we gemeen hebben, ik en zij.

Als Burns, heb ik een zwakte voor de fles,
Als Shakespeare, weinig Latijn en nog minder Grieks;
Ik bijt op mijn nagels net als Aristoteles;
Als Thackeray, heb ik een snobistische trek.

Ik ben behept met de ijdelheid van Byron,
Ik heb de haatdragendheid van Pope geërfd;
Als Petrarchus, val ik voor sirenes,
Als Milton, heb ik de neiging om te mokken.

Mijn spelling doet denken aan een Chaucer;
Als Johnson, tja, wil ik niet sterven
(Ik drink mijn koffie ook van een schotel);
En als Goldsmith naprater was, ben ik dat ook,

Als Villon, heb ik schulden bij de vleet,
Als Swinburne, vrees ik dat ik een verpleegster nodig heb;
Met mijn gedobbel, is Christopher Marlowe uitgespeeld,
En ik droom net zoals Coleridge, alleen erger.

Vergeleken met mannen met schitterende talenten,
Ben ik alles wat een man met talent moet zijn;
Lijk ik op elk genie, met al zijn zonden, hoe zwart ook –
Alleen, ik schrijf net zoals ik.

OGDEN NASH (1902-1971)

*De Amerikaan Ogden Nash, schrijver van het lichtvoetige vers,
is bekend vanwege zijn stijlvolle grilligheid en zijn satires.*

Ogden Nash was befaamd om zijn grote gevoel voor humor en
zijn vermetele gedichten, die vaak onsamenhangend waren en onderling enorm van elkaar verschilden en die varieerden van een enkel woord tot een hele paragraaf. Hij kreeg tijdens zijn leven een
grote aanhang, vooral door gedichten die de alledaagse klunzigheid
bespotten. In dit gedicht steekt hij de draak met zichzelf door zijn
zwakheden te rechtvaardigen omdat ze overeenkomen met die van
'mannen met gouden talenten', van wie sommigen tot de beste
dichters ter wereld behoren. Hoewel dit gedicht kennelijk scherts-
enderwijs werd geschreven, wordt duidelijk de neiging belicht om
je met anderen te vergelijken, wat bij velen van ons een bekend
verschijnsel zal zijn.

Het lijkt gemakkelijker om je gedrag met dat van anderen te vergelijken als je wilt beoordelen welke plaats je nu precies in het leven
inneemt. Tijdens vrijwel onze hele opvoeding thuis en op school
werd van die vergelijkingsmethode gebruikgemaakt, en de meesten
van ons werden zodanig bijgeschaafd dat we ergens bij de middenmoot zaten, afhankelijk van hoe de anderen uitpakten. Vanwege de
evaluatie werd de gestandaardiseerde curve toegepast om te bepalen waar we wat betreft geografie, wiskunde, kleding en hoe laat
we thuis moesten zijn precies in pasten. Wat de anderen deden
werd voortdurend als een soort graadmeter gebruikt om te bepalen
wat wij hoorden te doen. Dan had je ook nog de schoolrapporten
en de rapporten over je sociaal gedrag. Het middel van vergelijken
bij de beoordeling was zo overheersend dat het heel waarschijnlijk
het middel is waar jij naar grijpt zowel bij het beoordelen van je
volwassen leven, als bij het regelen van de levens van je gezinsleden.

Toch wordt bij het vergelijken van de ene persoon met de andere
het unieke van de personen in kwestie verloochend, en bovendien is
het vaak ook beledigend tegenover de betreffende personen. En vergelijken zal nooit je zelfkennis bevorderen. Het is gemakkelijk om
buiten jezelf te zoeken naar wat je waarde nu precies is, helemaal als

de anderen dat ook doen. En als zo ongeveer achtenzestig procent van de mensheid het doet, zouden we best in de verleiding kunnen komen om het als de juiste manier van doen te interpreteren. Wanneer we voortdurend ons leven met dat van anderen vergelijken, herhalen we wat we in het verleden kregen voorgekauwd en zijn we daar buiten op zoek naar iets wat hier binnen is gehuisvest. Ik bewonder de volgende verklaring van Lao-tse, de stichter van het taoïsme: 'Hij die anderen kent is wijs. Hij die zichzelf kent is verlicht.' Wanneer we ons verlaten op vergelijkingen van welke aard dan ook, kunnen we hooguit hopen op enige wijsheid. Maar om verlicht te worden moeten we de unieke schepping die ieder van ons is, leren kennen en eren. Dat is het genie dat nooit in de middenmoot wordt aangetroffen.

Onophoudelijk streven naar het hoogste en verst verwijderde punt van de 'normale' curve, en daarbij de dalen vermijden die de uitersten weergeven, is volgens mij niet de weg die iemand moet volgen, maar dat had je zeker wel begrepen. Waarom niet? Omdat het creatieve genie wordt aangetroffen op die verderaf gelegen posities, weg van het midden.

Jean Piaget is een beroemd Zwitsers psychiater die onderzoek heeft gedaan naar de wijze waarop studenten de beste resultaten op school kunnen bereiken. Toen ik vele jaren geleden nog een jeugdig student was, bracht hij me zoveel inzicht bij dat ik het nooit meer heb vergeten. Zijn experimenten met schoolkinderen bevestigden dat leren en het niveau van succes van individu tot individu verschillen. In klassen waar maar één soort onderricht werd gegeven, laten we zeggen in lesgeven, bleek het niveau van de resultaten na een examen aan het eind van de lesperiode overeen te komen met de gestandaardiseerde curve, waarbij ongeveer twee derde zesjes had, het gemiddelde dus; een kwart, gedeeld door twee, zat daarboven (zevens en achten) of eronder (vieren en vijven); zes procent, evenredig verdeeld, zakte of behoorde tot de uitblinkers (tweeën en drieën of negens en tienen), met minieme verschillen in wat de verderaf gelegen deviaties vanuit het midden worden genoemd. Dat wil dus zeggen: een klein deel behoort tot de genieën en een klein deel had helemaal niets in zich opgenomen.

Maar dat is niet wat zo'n indruk op me maakte en het is evenmin wat ik me altijd bleef herinneren. Piaget zei vervolgens dat als je het onderricht zou veranderen van lesgeven in tekenen, je dan dezelfde standaardverdeling zou krijgen: een miniem deel genieën of nullen, zes procent negens en tienen of tweeën en drieën, vijfentwintig procent zevens en achten of vieren en vijven; zevenenzestig procent van zes min tot zes plus. Maar het opvallendst is dat je nu nieuwe mensen hebt die bij de genieën en de nullen horen, en wanneer je dezelfde groep iets anders probeert bij te brengen, bijvoorbeeld debatteren, of het maken van videopresentaties, waarbij het nieuwe lesmateriaal op het oude studentenmateriaal wordt uitgeprobeerd, dan tref je nieuwe genieën aan, nieuwe nullen en een volledig nieuwe groep in de middenmoot.

Wat mij betreft is Piagets diepzinnige conclusie onvergetelijk. In iedere persoon zit een genie, en het enige wat wij als opvoeders, ouders of regisseurs van ons eigen leven hoeven te doen, is de weg te vinden om dat genie aan het daglicht te brengen.

Ogden Nash' humoristische en satirische gedicht *Dus dat is waaraan ik mijzelf doe denken* herinnert mij eraan hoe belachelijk het is om jezelf wanneer dan ook met een ander te vergelijken. Zijn conclusie onthult de waarheid van dit testimonium: 'Alleen, ik schrijf net zoals ik.' En dat is alles wat hij ooit kon: zichzelf zijn.

Vaak laten we onszelf bij onze inspanningen om erbij te horen en te worden geaccepteerd in de val lopen door te kijken hoe we er in vergelijking met de anderen uitzien. We zijn vanaf de eerste schooldag op die manier geconditioneerd, en het is zo gemakkelijk om te vergeten dat ons eigen individuele genie misschien niet tot ontwikkeling is gekomen. Jezelf vergelijken met iemand anders terwijl je weet dat je een uniek individu bent, lijkt net zo belachelijk als je richten naar andermans werkwijzen en omstandigheden.

Je weet net zo goed als ik, wanneer ik bijvoorbeeld aan het schrijven ben of een spreekbeurt houd of een marathon loop of mijn auto was of mijn tanden poets, dat we onze handelingen niet met die van anderen hoeven te vergelijken om te beslissen hoe we de zaken zullen aanpakken. We zijn vrij als we kunnen zeggen: 'Zo doe ik het, en hoe doe jij het? Want er is niet maar één manier om iets aan te pakken!' Ik ben vrij wanneer ik niet langer de behoefte heb om te zien wat ik met die mannen met gouden talenten gemeen heb. Mijn conclusie is dezelfde als die van Ogden Nash: 'Alleen, ik schrijf net zoals ik.'

Houd op met vergelijken en begin je eigen leven te regelen, op jóúw manier.

Als je je niet meer met anderen wilt vergelijken, volg dan deze suggesties op:

- Gebruik je eigen, persoonlijke inhoud om jezelf en je verrichtingen te evalueren. 'Ben ik tevreden met mezelf?' in plaats van: 'Ik ben lang niet zo goed als mijn zusje.'

- Wanneer je merkt dat je weer in je oude gewoonte van vergelijken bent vervallen, hou daar dan meteen mee op. Laat het tot je doordringen dat dit het begin van het veranderen van je gewoonte is. Als je op het punt stond te zeggen: 'Ik neem aan dat ik in dit of dat gemiddeld ben', doe dat dan niet, maar zeg liever: 'Dit is hoe ik het doe en dat is wat mij betreft prima.'

- Trek geen vergelijkingen ten aanzien van je kinderen, tenzij je hetzelfde terugverwacht. Want elke keer dat je zegt: 'Alle andere kinderen op school moeten thuis klusjes opknappen', kun je zitten wachten op iets als: 'De andere ouders sturen nooit hun kind zo vroeg naar bed.' Het wordt een aanstekelijke gewoonte en die zal van generatie tot generatie worden doorgegeven, tenzij je ophoudt met vergelijken. Verander je richtlijnen in: 'Ik verwacht van jou dat je je huiswerk doet en je klusjes, en dat heeft niets met je vrienden te maken.'

- Als je niet zo getalenteerd of bekwaam bent als je in iets bepaalds zou willen zijn, houd jezelf dan voor dat dit niet komt omdat je onvolmaakt bent. Het is het resultaat van jouw unieke reactie op en ervaring in dit ene ding. Jouw genie kan ergens anders zitten of verlangt misschien dat je aan een andere manier van leren wordt onderworpen. Respecteer je individualiteit en het feit dat je uniek bent, en vraag je niet langer af hoe je er in vergelijking afkomt. Door te vergelijken leg je je leven in de handen van diegenen met wie je jezelf vergelijkt.

Er zou minder gepraat moeten worden; een plek om te preken is geen ontmoetingspunt. Wat moet je dan doen? Neem een bezem en maak het huis van een ander schoon. Dat zegt genoeg.

MOEDER TERESA (1910-1997)

Moeder Teresa, een non die ooit lesgaf in geschiedenis en aardrijkskunde en rectrix was in Calcutta, werd geroepen om het klooster te verlaten en de armsten van de armen te helpen en onder hen te gaan leven. In 1950 richtte zij met haar helpers de Missie van Liefdadigheid op.

*D*e meest effectieve manier om iemand iets te leren wat we hem graag duidelijk willen maken, gebeurt door onze levenshouding, niet door woorden. Vaak worden eindeloze uren verspild aan gesprekken, waarbij we onze frustratie onder woorden brengen over wat wij verwerpelijk vinden, en elkaar verwijten toewerpen en voorbeelden geven van waarom we er gek van worden. De gewenste verandering zal zich niet materialiseren en je blijft met het gevoel zitten dat je onjuist behandeld bent.

Het mag waar zijn dat op een bepaald niveau communicatie de sleutel is voor een succesvolle relatie, maar vaak lijkt het dat hoe meer woorden er worden gewisseld, hoe minder resultaat er wordt geboekt. Dat kan ook voor belangrijke andere personen gelden: gezinsleden, werkgevers en werknemers, en zelfs je eigen kinderen.

Moeder Teresa, die ondermaatse spirituele reuzin die dagelijks in de straten van Calcutta werkte, waar ze 'Jezus Christus in al zijn treurige vermommingen' zag, zoals ze het noemde, biedt ons diepzinnige wijsheid aan in haar korte advies. 'Er zou minder gepraat moeten worden,' er zouden meer daden van jouw kant moeten komen. Woorden die niet door daden worden gesteund, scheppen niet meer dan een 'plek om te preken'. Als je je standpunt duidelijk wilt maken, moet je door een andere, effectievere levenshouding een 'ontmoetingspunt' scheppen. Het oude aforisme: 'Ik hoor, ik vergeet; ik zie, ik herinner me; ik weet, ik begrijp' is niet alleen van toepassing op wat je wilt leren, maar ook op hoe je behandeld wilt worden. Het is duidelijk dat je niet kunt leren zwemmen door alleen naar de woorden van anderen te luisteren, of naar anderen te kijken die in het water liggen. Je moet het doen om het te leren. En die bondige logica is ook van toepassing op de dwaasheid van eindeloze woordenwisselingen als enig middel van communicatie.

Je levenshouding is de meest effectieve manier om in je leven met anderen te communiceren. Mijn vrouw en ik hebben onze kinderen altijd verteld dat ze vriendelijk moeten zijn voor alle schepselen. Toch is de meest effectieve manier om deze boodschap over te brengen onze eigen levenswijze. Het duidelijkste bewijs daarvan is misschien wel wat er op Maui gebeurde, toen Marcelene en een van onze dochters een vogeltje vonden dat uit het nest was gevallen. Ik herinner me nog dat mijn vrouw, die die dag heel belangrijke familiezaken moest bijwonen, dat vogeltje in een schoenendoos meenam naar een vogelopvang aan de andere kant van het eiland die ze had gebeld, waarbij ze vier uur op de weg zat en haar dag opofferde aan dat kleine vogeltje. Ze gaf het nietige schepseltje aan de helpende handen over en door dat te doen, schiep ze een ontmoetingspunt in plaats van een plek om te preken. Onze kinderen en ik zagen de liefde voor alle schepselen die dag in actie, en die les had een grotere uitwerking dan een lange verhandeling over dat onderwerp.

Wanneer je merkt dat je verwikkeld bent in futiele woordspelletjes die alleen het oppervlak van een onderwerp raken, houd er dan mee op en denk aan de grote wijsheid in de woorden van Moeder Teresa. Stel jezelf de vraag: 'Wat kan ik hier doen?' in plaats van door te gaan met te proberen je standpunt duidelijk te maken. Als iemand in woorden geen respect toont, dan kun je natuurlijk met woorden je standpunt duidelijk maken, maar als er dan nog steeds gebrek aan respect is, ga dan tot handelen over, ga naar het ontmoetingspunt, zoals Moeder Teresa zegt. Trek je meteen terug uit het gebeuren. Als je met een volwassene te maken hebt, doe dan al het mogelijke om te laten blijken dat het je ernst is. Blijf minstens een week lang weg. Als je met een beschonkene te maken hebt, probeer dan niet door middel van woorden te helpen. Eis van die persoon dat hij hulp zoekt, want dat je anders niets meer met hem van doen wilt hebben. Als het om kinderen gaat die de grondregels voor fatsoen en harmonie met geweld hebben overtreden, geef hun dan straf en houd je eraan. Praat het wel uit, maar als je hen werkelijk te hulp wilt komen, zul je uiteindelijk de bezem moeten pakken om het huis van een ander schoon te vegen.

Moeder Teresa was niet iemand die je wreed of onverschillig kon noemen. Haar leven was gewijd aan liefdadigheid en pogingen om de minder fortuinlijken onder ons een menswaardige behandeling te geven. Ze leek te weten dat de manier om dit te verwerkelijken niet was om de anderen te vertellen over de belangrijkheid van een eerbare daad, maar om die uit te voeren. Het is niet wreed om middels je levenswijze te laten zien dat je niet van plan bent te tolereren wat je verwerpelijk vindt. Het kan soms de enige manier zijn om iets te veranderen. Je woorden, hoe belangrijk ze ook zijn, lopen het risico te worden vergeten als er geen daad op volgt.

We lijken allemaal te lijden aan de neiging om onze problemen eindeloos te bespreken. We regelen een bijeenkomst van een comité om te praten over alle redenen waarom iets vermoedelijk niet kan worden uitgevoerd. Actieve personen zijn niet geneigd om plaats te nemen in comités en naar ad-hocverslagen te luisteren. Ik heb ooit eens iets gelezen over Lee Iacocca, de man van de auto-industrie van wie bekend was dat hij niet tegen uitvluchten kon, de man ook die onder zijn leiding twee van de grootste automobielbedrijven ter wereld tot grote bloei heeft gebracht. Toen hij zijn ingenieurs vroeg het prototype van een convertible voor hem te bouwen, iets wat tientallen jaren niet meer was gedaan, bleef hij allerlei met woorden omklede redenen horen waarom het niet haalbaar was om zoiets te produceren en wat de technische problemen allemaal waren. Uiteindelijk gaf hij hun geërgerd de opdracht: 'Pak een auto en snij er het dak af en laat hem dan aan me zien.'

Actieve mensen, die mensen die alle verschil in het leven maken, die mensen die we het meest bewonderen, lijken allemaal de waarheid te kennen van de oude wijsheid: 'Waarom spreek je zo luid? Ik kan niet horen wat je zegt.' Wees ook een doener. En al doende zul je meer doen om anderen te onderrichten en vervulling in je leven brengen dan alle woorden in het woordenboek ooit voor elkaar zouden krijgen.

Om het advies van Moeder Teresa aan te wenden, kun je het volgende proberen:

- Houd voor ogen dat je in je leven behandeld zult worden op de wijze waarop je de anderen leert jou te behandelen. Vraag jezelf af of je levenshouding misschien de oorzaak is van de verkeerde behandelingen waarvan je het slachtoffer bent geworden.

- Wanneer je het gevoel hebt dat je woorden geen indruk meer maken en dat ze naar eindeloze, vermoeiende verhandelingen leiden die toch geen ander resultaat zullen opleveren, besluit dan om creatief te zijn en van het preekpunt naar het ontmoetingspunt te gaan. Schrijf je nieuwe handelwijze, waarin je standpunt duidelijk wordt gemaakt, op, en beloof plechtig om op die wijze te zullen doorgaan, ook als je in de verleiding komt om toch weer terug te keren naar de woordspelletjes.

- Laat de gezinsleden, en vooral je kinderen, zien dat je naar je filosofie leeft. Onverschillig wat ze ervan zeggen, ze zullen je respecteren voor je handelingen, ook als ze kritisch lijken te zijn. Als je weigert te redetwisten en een verdedigende houding in te nemen, en eenvoudig maar vastberaden je levensfilosofie demonstreert, zul je de waarde van dat ontmoetingspunt leren kennen.

ONTZAG

Brisbane

Brisbane

Waar God aan ons werd onthuld.

Alleen wij tweeën kennen de magie en het ontzag
voor die aanwezigheid.

Hoewel er geen schijn van kans leek te zijn...

Onze verbondenheid met de eeuwigheid nog meer
bekrachtigd, nog meer versterkt.

Toch blijft de paradox altijd op de achtergrond
aanwezig...

We zijn in controle/we zijn niet in controle,
gedoemd om keuzen te maken.

Het enige waar ik zeker van ben is onze liefde,
ingebed in de eeuwigheid.

WAYNE W. DYER (1940-)

Wayne Dyer, een oneindige ziel vermomd als echtgenoot, vader van acht kinderen, schrijver en spreker, is de auteur van dit en zestien andere boeken, inclusief drie leerboeken.

Dit boek gaat niet zozeer over het waarderen van poëzie en filosofie als wel om het toepassen van de wijsheden van deze schrijvers in ons dagelijks leven. Alle bijdragen in dit boek brengen boodschappen over van gevoelige, enorm creatieve en productieve personen die allemaal op een gegeven ogenblik op deze wereld hebben geleefd, net als jij en ik op dit moment.

Ik vind het een beetje aanmatigend om een bijdrage van mezelf op te nemen in deze verzameling van pracht van zoveel superieure dichters, artiesten en filosofen uit het verleden. Maar ik heb besloten mijn gevoelens van gêne te aanvaarden omdat ik Brisbane in dit boek, wat voor mij een verlichtende taak vol liefde is geweest, wil opnemen als voorbeeld van een stukje poëzie dat uit het hart van een normale, doodgewone vent is gekomen, en is geschreven voor zijn vrouw op een moment van puur ontzag en bezieling. En ook omdat ik je wil vertellen welk verhaal achter deze dichterlijke inspanning schuilgaat. Je hoort het van iemand die nog steeds hier is en jou kan vertellen welke redenen hij had om het te schrijven.

Daarom besluit ik deze verzameling met een gedicht dat ik voor mijn vrouw Marcelene heb geschreven, en ik hoop dat jij ook naar de pen zult grijpen en je angst voor gêne, bespotting, of een oneerlijke vergelijking met de grote dichters, opzij zult schuiven en je diepste gevoelens voor degene die je liefhebt tot uitdrukking zult brengen.

Dit gedicht heeft als titel Brisbane gekregen, omdat het de stad in Noord-Australië is waar ik in 1989 voelde en wist, absoluut en zonder enige twijfel, dat er een kracht in het universum aan het werk was die ik God noem. Het was het moment waarop ik God leerde kennen, terwijl ik tot aan die dag alleen maar over God had gehoord.

Mijn vrouw Marcelene en twee van onze kinderen, die destijds anderhalf en drieënhalf jaar waren, vergezelden me in de winter van 1989 bij een reeks lezingen in Australië. Ik sprak die dag tot een groot aantal mensen en we keerden uitgeput terug naar ons hotel in Brisbane en trokken ons voor de nacht terug. Ik had een van de kinderen bij me in bed, terwijl Marcelene in het andere bed sliep en er de baby voedde.

Om vijf over vier die nacht gebeurde er iets wat nog nooit eerder was gebeurd, en wat ik later ook nooit meer heb meegemaakt, iets wat me zo verschrikkelijk deed schrikken dat ik het niet eens kan beschrijven. Mijn vrouw werd uit een diepe slaap wakker en begon het een en ander in de kamer te verplaatsen. Ze haalde onze doch-

ter van drieënhalf uit mijn bed en legde haar bij ons jongetje van
anderhalf. Daarna stapte ze in mijn bed en ging lekker tegen me aan
liggen. Dat was heel ongewoon voor Marcelene, vooral omdat ze
onze zoon nog volledig borstvoeding gaf. Ik was half bewusteloos
van de schrik en dacht dat ik droomde.

Mijn vrouw was de afgelopen acht jaar of zwanger geweest of ze
had borstvoeding gegeven, waardoor haar menstruatiecyclus volledig was gestopt. Bovendien had men haar verzekerd dat ze niet
meer zwanger zou kunnen worden omdat er operatief een eileider
was verwijderd. Maar om zeker te zijn pasten we toch goed op, en
ik trok me op het kritieke moment terug om een uitroepteken achter onze voorzorgsmaatregelen te zetten. Toch werd ondanks alles
om vijf over vier 's nachts in Brisbane in Australië onze jongste
dochter Saje Eykis Dyer tot leven gewekt, en op 16 november 1989
werd ze geboren.

Wat had mijn vrouw op dat moment gewekt? Wat veroorzaakte dat
vreemde gedrag bij een vrouw die altijd alles onder controle had,
en die nu bijna bezeten had geleken? Welke kracht was er die nacht
aan het werk? Wie had hier de leiding in handen gehad?

Saje is de verenigende kracht van onze liefde in ons huwelijk geweest, maar toch, toen ik ontdekte dat mijn vrouw zwanger was
geworden door die prachtige, bizarre middernachtelijke bezetenheid, wist ik net als Marcelene dat er krachten aan het werk waren
geweest om dat engeltje in onze materiële wereld te brengen, daarbij volledig voorbijgaand aan ons besluit om geen kinderen meer te
willen. Operatie, geboortecontrole, terugtrekken, afwezigheid van
de vrouwelijke cyclus waarmee de ovulatie in de gaten kon worden
gehouden, en diep in slaap in een vreemd land, zijn allemaal onbeduidende, nietige obstakeltjes voor een levenskracht die ernaar
streeft om zich in onze materiële wereld te manifesteren!

Op moederdag 1989 schreef ik het 'Brisbane'-gedicht voor mijn
vrouw en ik plaatste het in een ingelijste collage van onze reis door
Australië. Maar hoeveel woorden ik ook schrijf, en hoe wanhopig
ik ook probeer om de bijzonderheid van die ervaring over te brengen, het is zoals ik schreef: 'Alleen wij tweeën kennen de magie en
het ontzag voor die aanwezigheid.' Vanaf dat moment tot nu heb ik
nooit meer een moment van twijfel ervaren aan de aanwezigheid
van God in mijn leven. Ik ga geen lange discussies aan met de on-

gelovigen en ik vind het ook niet echt nodig om iemand te overtuigen van wat ik weet. Ik breng het alleen simpel tot uitdrukking in mijn boeken en lezingen. En ja, in mijn eigen poëtische ontboezeming die ik aan en voor mijn vrouw heb geschreven. Ik keer terug naar dat moment, en mijn verbondenheid met die goddelijke bewustwording, die allesdoordringende, alomtegenwoordige kracht, wordt opnieuw bekrachtigd en versterkt. Ik weet door deze ervaring ook dat elke ziel die zich manifesteert in een menselijk wezen, ook deel uitmaakt van dit goddelijke spel.

We denken graag dat wij degenen zijn die bij zulke zaken de touwtjes in handen hebben, maar toch weet ik dat niets een vastberaden ziel kan tegenhouden, en de paradox in de uitspraak 'gedoemd om beslissingen te nemen' blijft altijd duidelijk. Dat wil zeggen: we zijn in controle en toch ook weer niet, allemaal tegelijkertijd, en te leren leven met dit raadsel is een groot deel van wat het kénnen van God inhoudt.

Jij bent hier op eenzelfde wonderbaarlijke manier gekomen. Je hart begon een paar weken na de conceptie in je moeders baarmoeder te kloppen, en dat is het volmaakte mysterie voor iedereen op aarde. Hoe ontstaat er iets uit niet-iets? Waar was dat leven voor de conceptie? Wat gebeurt er op het moment van de schepping? We zijn allemaal wandelende, ademhalende, pratende paradoxen, en misschien kunnen we maar beter die intellectuele strijd opgeven en met een liefhebbend hart aanvaarden, terwijl we er zeker van zijn dat onze liefde is ingebed in de eeuwigheid.

Je moet dat ontzag beslist vasthouden en elk moment van het leven waarderen en elke molecule van de schepping. Maar wees er, ergens diep vanbinnen, in een deeltje van je bewustzijn, zeker van dat er een goddelijke aanwezigheid aan het werk is in jou en in het hele universum, en dat die nooit een vergissing begaat, wat je ook door de jaren heen bent gaan geloven. Het is een intelligent systeem waar we allemaal deel van uitmaken, en we komen en vertrekken precies op tijd.

Deze laatste bijdrage is mijn boodschap aan jou, en tegelijkertijd mijn eerbetoon aan dat alles onthullende ogenblik in 1989. Wees van één ding overtuigd, zoals het ook in *A Course in Miracles* staat en zoals ik heb geprobeerd je hier in dit laatste hoofdstuk duidelijk te maken. Het is de enige suggestie die ik je persoonlijk wil aanbieden en ten afscheid wil meegeven als je dit boek sluit. 'Als je wist wie er naast je wandelde op de weg die je hebt verkozen, dan is angst uitgesloten.'

Namaste! (Ik eer de plaats in je waar we allen één zijn.)

DANKBETUIGING

*I*k wil ieder van de zestig leraren bedanken die de noodzaak voelden om hun wijsheid te delen met ons allen.

Ik wil ook mijn vriend en literair-agent van de afgelopen vijfentwintig jaar, Arthur Pine, en mijn redacteur, corrector, typist en dierbare vriendin, Joanna Pyle bedanken voor hun grote bijdrage aan de totstandkoming van dit boek.

Bedankt, bedankt.

Lees ook van A.W. Bruna Uitgevers B.V.

Dr. Wayne Dyer

Niet morgen, maar nu
Naar een nieuwe kijk op jezelf,
naar completer functioneren

In dit boek toont dr. Wayne Dyer aan dat ieder mens zijn 'mentale
achilleshielen' heeft, bewust of onbewust. Hij vertelt in begrijpelijke taal hoe
deze zwakheden – waardoor de mens zichzelf vaak ernstig tekortdoet en
ongemerkt kwelt – opgespoord kunnen worden en hoe de mens in het
dagelijks leven kracht en inspiratie kan vinden zonder belemmerd te worden
door zijn kwetsbare plekken.
De psychotherapeut dr. Wayne Dyer gaat uit van de jongste psychologische
visies op mens en wereld en van de ervaringen vanuit de praktijk, zoals die
massaal toegankelijk zijn geworden door de brede stroom van
psychotherapeutische literatuur. Maar zijn taal is niet die van een geleerde.
Schijnbaar moeiteloos maakt hij de vele verworvenheden van de moderne
psychotherapie toegankelijk voor eenieder die niet ten volle tevreden is over
zijn bestaan en naar een uitweg of een oplossing zoekt.

Niet morgen, maar nu is de wereldbestseller van dr. Wayne Dyer. Met dit
boek veranderde hij op ingrijpende wijze het leven van miljoenen mensen.

ISBN 90 229 8378 1

Lees ook van A.W. Bruna Uitgevers B.V.

Dr. Wayne Dyer

Lessen in levenskunst
Wacht niet op een wonder, creëer het zelf

Dr. Wayne Dyer heeft wereldwijd zijn naam gevestigd als de psychotherapeut met de heldere inzichten, de begrijpelijke woordkeus en de praktische, effectieve adviezen. Zijn boeken, waarvan *Niet morgen, maar nu* de bekendste is, hebben al miljoenen mensen op het goede spoor gezet.

In *Lessen in levenskunst* deelt Dyer zijn inzichten met ons en geeft hij aan hoe wij schijnbaar onmogelijke zaken mogelijk kunnen maken. Hij toont ons dat aan de ware levenskunst zeven basisinzichten ten grondslag liggen, waaronder:

- het inzicht dat je je eigen beperkingen creëert;
- de wijsheid om op je eigen intuïtie te vertrouwen;
- de overtuiging dat alles mogelijk en niets onmogelijk is.

De ware levenskunst bestaat in het creëren van je eigen wonderen en we kunnen dat veel beter en veel vaker dan we denken, mits we onze negatieve en zelfbeperkende gedachten overboord gooien. Dyer geeft praktische strategieën om deze echte wonderen tot stand te brengen in alle aspecten van ons dagelijks leven: onze lichamelijke gezondheid, onze financiële situatie, ons liefdeleven, ons familieleven... Ook bespreekt hij hoe onze persoonlijke houding invloed kan hebben op mondiale problemen als hongersnood, armoede en misdaad.

ISBN 90 229 8380 3

Dr. Wayne Dyer

Beziel je leven

Negen spirituele principes om alles uit het leven te halen wat erin zit

Dr. Wayne Dyer heeft wereldwijd zijn naam gevestigd als de psychotherapeut met de heldere inzichten, de begrijpelijke woordkeus en de
praktische, effectieve adviezen. In *Beziel je leven* leert Dyer ons om onze
gedachten, wensen, doelstellingen én ons leven te stroomlijnen en te
bezielen.

Ieder van ons constateert wel eens met spijt dat het leven van onze dromen
bepaald niet overeenkomt met ons werkelijke bestaan. Wij denken dan
natuurlijk al heel snel dat een droomleven niet voor ons is weggelegd. Dyer
laat ons zien dat dat een fabeltje is en dat wij onze dromen juist wel waar
kunnen maken. Aan de hand van de kunst van meditatie leidt Dyer ons via
negen unieke spirituele principes naar een bezield en volledig leven.

ISBN 90 229 8344 7

Lees ook van A.W. Bruna Uitgevers B.V.

Colin Turner

Zwemmen met piranha's
Stroomlijn je leven en bereik financiële onafhankelijkheid

Plezier in je werk, geld, maar ook meer vrije tijd hebben, financieel onafhankelijk zijn... wie wil dat niet?
Colin Turner laat zien dat het mogelijk is, voor iedereen!
Zijn praktische en doortastende adviezen in dit boek zullen je helpen om je leven en zaken te stroomlijnen, waardoor je er meer van zult gaan genieten.

- Leer de regels van financiële onafhankelijkheid
- Ontdek het geheim van sparen
- Stel je toekomst zeker
- Stroomlijn je leven: je huis, je werk, je gezondheid
- Benut nieuwe kansen, elke dag
- Verbeter de kwaliteit van je leven

Colin Turner is een internationale autoriteit op het gebied van persoonlijke ontwikkeling. In deze tijd van 'downsizing', reorganisaties en flexibele arbeid laat hij zien hoe je risico's en de angst voor een onzekere toekomst tegemoet kunt treden en hoe je een juiste balans ontwikkelt tussen werk en vrije tijd. Maar ook toont hij aan hoe je financiële doelen kunt behalen, hoe je kunt sparen en financieel onafhankelijk kunt zijn, ongeacht de hoogte van je inkomen.
Turner geeft trainingen aan bedrijven over de hele wereld en is auteurr van bestsellers als *Born to succeed*, *The Eureka Principle* en *Financial Freedom*.

ISBN 90 229 8428 1

Marlo Morgan

Kinderen van het Echte Volk

Kinderen van het Echte Volk is het ontroerende verhaal van de aboriginal-tweeling Geoff en Beatrice, die na hun geboorte wreed van hun moeder en van elkaar worden gescheiden. Geoff wordt geadopteerd door een Amerikaans echtpaar, dat de opvoeding van dit 'primitieve' kind niet anders beschouwt dan als het vervullen van een christelijke plicht. Hij wordt echter geheel aan zijn lot overgelaten en groeit kansloos op in een vreemde omgeving, zonder zorg of liefde en zonder enig besef van zijn identiteit en culturele achtergrond.

Beatrice wordt opgenomen in een katholiek weeshuis, waar zij jarenlang het mikpunt is van agressie en racisme, maar waar zij alle kwellingen doorstaat en uiteindelijk haar bescheiden plaats in de schaduw weet veilig te stellen. In tegenstelling tot haar broer is Beatrice nieuwsgierig naar haar afkomst en wanneer ze de kans krijgt om met een groep aboriginals een 'walkabout' te maken, grijpt ze die met beide handen aan.
Van de aboriginals leert Beatrice de lessen van 'altijd', de tijd die niet ophoudt bij leven of dood. Ze ontdekt de cultuur en de wijsheid van haar voorvaderen en vindt ten slotte inzicht in de wortels van haar eigen bestaan.

De reis naar haar oorsprong duurt uiteindelijk dertig jaar. Haar werk brengt haar dan in contact met Geoff. Zonder op de hoogte te zijn van de familieband die er tussen hen bestaat, ontstaat tussen beiden een hecht contact, waarin hun wederzijdse verhalen en ervaringen hen leiden naar zelfinzicht, groei en persoonlijke identiteit…

Marlo Morgan is de auteur van de bestseller *Australië op blote voeten*, het boek waarmee ze miljoenen mensen over de hele wereld heeft geïnspireerd.

ISBN 90 229 8426 5